2025
年度版

中小企業診断士

最速合格のための
スピードテキスト

④ 経済学・経済政策

TAC中小企業診断士講座

はしがき

企業を取り巻くいくつかの外部環境の1つに「経済的環境」があります。「経済的環境」とは、企業経営に直接的あるいは間接的に影響を与える具体的な経済動向を指します。たとえば「景気の良否」や「個人消費の増減」などは、企業収益に対してさまざまな影響を与えることが推測されます。

このように、企業の経営成績は、企業自身の経営努力もさることながら、企業の外部にある経済動向によっても変動することがあるため、これら外部の経済動向を正確に見極め、その影響に適切に対処していくことが、企業のマネジメントや経営コンサルタントに望まれることになります。

経済学とは経済事象をモデル化する学問です。大きく、1企業、1消費者、そしてその集合である1つの市場について主に扱うミクロ経済学と、一国全体の経済活動を扱うマクロ経済学に分かれます。経済学はモデル化するがゆえにグラフや数式を多用することになります。またマクロ経済学では一国全体の経済活動について学習していきますので、なかなか身近に考えることができない論点もあります。このようなことから、これから経済学の学習を始める方にとっては、最初のうちは心理的なハードルを感じるかもしれません。

本書はそれらの点を考慮しつつ、初学者にも十分理解できるように、試験対策上、必要な論点に絞って解説しています。「経済学・経済政策を学習するにあたってのポイント」や「本書の利用方法」も参考にしていただき、効果的に学習してください。皆様が本書を活用され、見事合格されることを祈念しています。

2024年11月
TAC中小企業診断士講座

本書の利用方法

本書は皆さんの学習上のストーリーを考えた構成となっています。テキストを漫然と読むだけでは、学習効果を得ることはできません。効果的な学習のためには、次の１～３の順で学習を進めるよう意識してください。

１．全体像の把握：**「科目全体の体系図」「本章の体系図」「本章のポイント」**
２．インプット学習：**「本文」**
３．本試験との関係確認：**「設例」「出題領域表」**

１．全体像の把握

テキストの巻頭には「科目全体の体系図」を掲載しています。科目の学習に入る前に、まずこの体系図をじっくりと見てください。知らない単語・語句等もあると思いますが、この段階では「何を学ぼうとしているのか」を把握することが重要です。

また、各章の冒頭には「本章の体系図」を掲載しています。これから学習する内容の概略を把握してから、学習に入るようにしましょう。「本章の体系図」は、「科目全体の体系図」とリンクしていますので、科目全体のなかでの位置づけも確認してください。

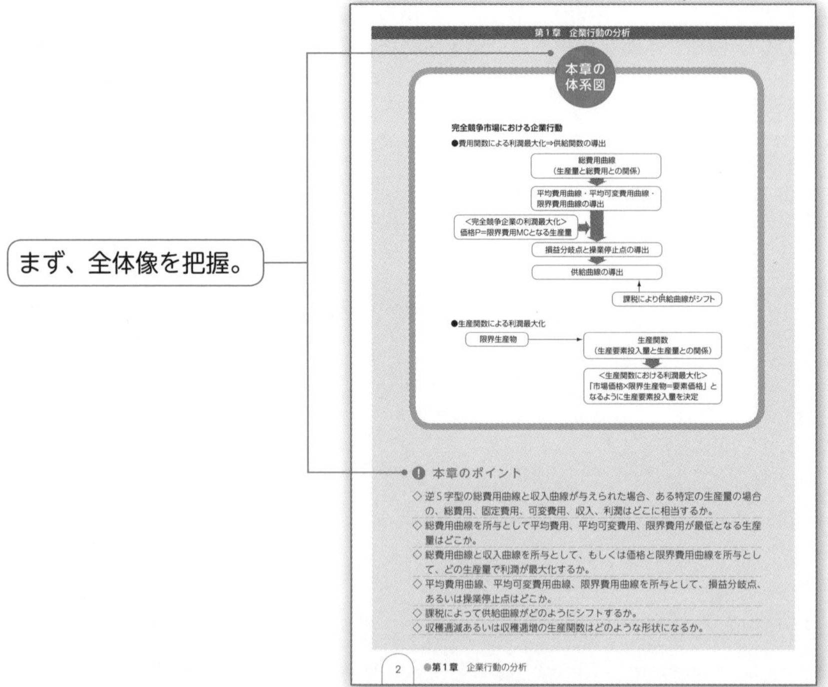

まず、全体像を把握。
第１章　企業行動の分析
本章の体系図
完全競争市場における企業行動
●費用関数による利潤最大化⇒供給関数の導出
総費用曲線
（生産量と総費用との関係）
平均費用曲線・平均可変費用曲線・限界費用曲線の導出
<完全競争企業の利潤最大化>
価格P＝限界費用MCとなる生産量
損益分岐点と操業停止点の導出
供給曲線の導出
課税により供給曲線がシフト
●生産関数による利潤最大化
限界生産物
生産関数
（生産要素投入量と生産量との関係）
<生産関数における利潤最大化>
「市場価格×限界生産物＝要素価格」となるように生産要素投入量を決定
本章のポイント
◇逆Ｓ字型の総費用曲線と収入曲線が与えられた場合、ある特定の生産量の場合の、総費用、固定費用、可変費用、収入、利潤はどこに相当するか。
◇総費用曲線を所与として平均費用、平均可変費用、限界費用が最低となる生産量はどこか。
◇総費用曲線と収入曲線を所与として、もしくは価格と限界費用曲線を所与として、どの生産量で利潤が最大化するか。
◇平均費用曲線、平均可変費用曲線、限界費用曲線を所与として、損益分岐点、あるいは操業停止点はどこか。
◇課税によって供給曲線がどのようにシフトするか。
◇収穫逓減あるいは収穫逓増の生産関数はどのような形状になるか。
2　第１章　企業行動の分析

2．インプット学習

テキスト本文において、特に重要な語句については**太字**で表示しています。また、語句の定義を説明する部分については、色文字で表示をしています。復習時にサブノートやカードをつくる方は、これらの語句・説明部分を中心に行うとよいでしょう。

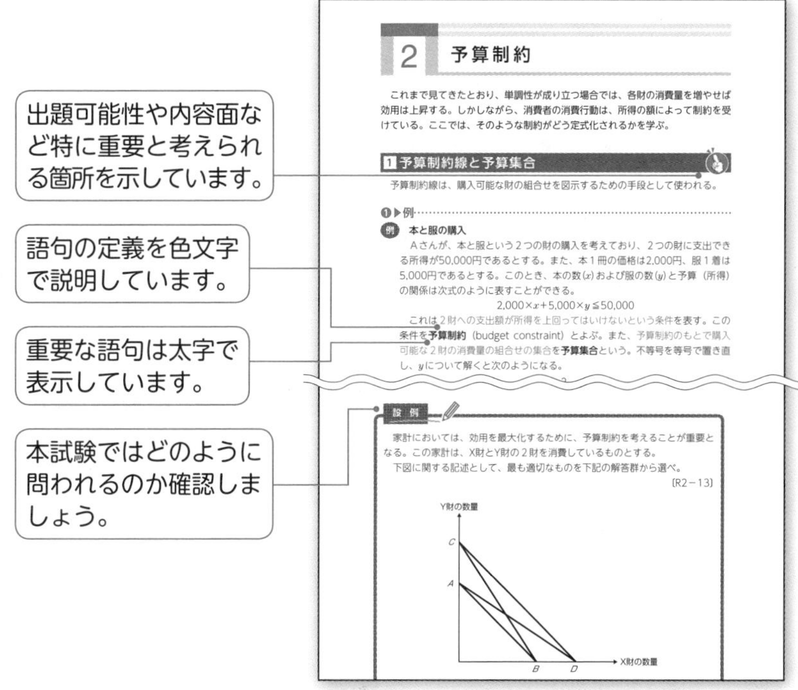
出題可能性や内容面など特に重要と考えられる箇所を示しています。
語句の定義を色文字で説明しています。
重要な語句は太字で表示しています。
本試験ではどのように問われるのか確認しましょう。
Y財の数量
C
A
B
D
X財の数量

2 予算制約

これまで見てきたとおり、単調性が成り立つ場合では、各財の消費量を増やせば効用は上昇する。しかしながら、消費者の消費行動は、所得の額によって制約を受けている。ここでは、そのような制約がどう定式化されるかを学ぶ。

1 予算制約線と予算集合

予算制約線は、購入可能な財の組合せを図示するための手段として使われる。

❶▶例

例 本と服の購入

Aさんが、本と服という2つの財の購入を考えており、2つの財に支出できる所得が50,000円であるとする。また、本1冊の価格は2,000円、服1着は5,000円であるとする。このとき、本の数(x)および服の数(y)と予算（所得）の関係は次式のように表すことができる。

$$2{,}000\times x+5{,}000\times y\leq 50{,}000$$

これは2財への支出額が所得を上回ってはいけないという条件を表す。この条件を**予算制約**（budget constraint）とよぶ。また、予算制約のもとで購入可能な2財の消費量の組合せの集合を**予算集合**という。不等号を等号で置き直し、yについて解くと次のようになる。

設例

家計においては、効用を最大化するために、予算制約を考えることが重要となる。この家計は、X財とY財の2財を消費しているものとする。

下図に関する記述として、最も適切なものを下記の解答群から選べ。

〔R2－13〕

3．本試験との関係確認

テキスト本文の欄外にある **R2 15** という表示は、令和２年度第１次試験第15問において、テキスト該当箇所の論点もしくは類似論点が出題されているということを意味しています。本試験ではどのように出題されているのか、テキスト掲載の **設 例** や過去問題集等で確認してみましょう。

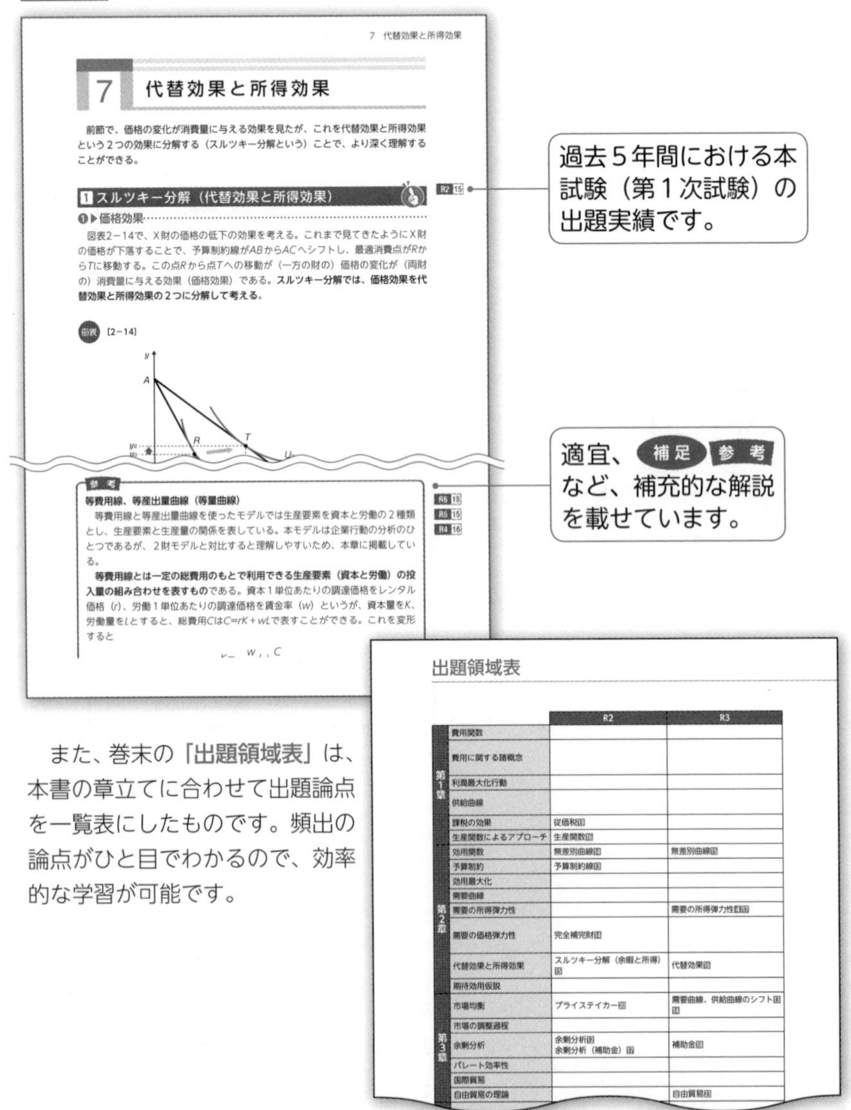

出題領域表

		R2	R3
第1章	費用関数		
	費用に関する諸概念		
	利潤最大化行動		
	供給曲線		
	課税の効果	従価税19	
	生産関数によるアプローチ	生産関数16	
第2章	効用関数	無差別曲線14	無差別曲線15
	予算制約	予算制約線13	
	効用最大化		
	需要曲線		
	需要の所得弾力性		需要の所得弾力性4 17
	需要の価格弾力性	完全補完財14	
	代替効果と所得効果	スルツキー分解（余暇と所得）15	代替効果16
	期待効用仮説		
第3章	市場均衡	プライステイカー20	需要曲線、供給曲線のシフト13 14
	市場の調整過程		
	余剰分析	余剰分析12 余剰分析（補助金）17	補助金18
	パレート効率性		
	国際貿易		
	自由貿易の理論		自由貿易23

また、巻末の「出題領域表」は、本書の章立てに合わせて出題論点を一覧表にしたものです。頻出の論点がひと目でわかるので、効率的な学習が可能です。

中小企業診断士試験の概要

中小企業診断士試験は、「第１次試験」と「第２次試験」の２段階で行われます。

第１次試験は、企業経営やコンサルティングに関する基本的な知識を問う試験であり、年齢や学歴などによる制限はなく、誰でも受験することができます。第１次試験に合格すると、第２次試験へと進みます。この第２次試験は、企業の問題点や改善点などに関して解答を行う記述式試験（筆記試験）と、面接試験（口述試験）で行われます。

それぞれの試験概要は、以下のとおりです（令和６年度現在)。

第１次試験

【試験科目・形式】　７科目（８教科）・択一マークシート形式（四肢または五肢択一）

		試験科目	試験時間	配点
第1日目	午前	経済学・経済政策	60分	100点
		財務・会計	60分	100点
	午後	企業経営理論	90分	100点
		運営管理（オペレーション・マネジメント）	90分	100点
第2日目	午前	経営法務	60分	100点
		経営情報システム	60分	100点
	午後	中小企業経営・中小企業政策	90分	100点

※中小企業経営と中小企業政策は、90分間で両方の教科を解答します。

※公認会計士や税理士といった資格試験の合格者については、申請により試験科目の一部免除が認められています。

【受験資格】

年齢・学歴による制限なし

【実施地区】

札幌・仙台・東京・名古屋・金沢・大阪・広島・四国（松山）・福岡・那覇

【合格基準】

⑴総点数による基準

総点数の60％以上であって、かつ１科目でも満点の40％未満のないことを基準とし、試験委員会が相当と認めた得点比率とする。

⑵科目ごとによる基準

満点の60％を基準とし、試験委員会が相当と認めた得点比率とする。

※一部の科目のみに合格した場合には、翌年度および翌々年度の、第１次試験受験の際に、申請により当該科目が免除されます（合格実績は最初の年を含めて、３年間有効となる)。

※最終的に、７科目すべての科目に合格すれば、第１次試験合格となり、第２次試験を受験することができます。

【試験案内・申込書類の配布期間、申込手続き】

例年５月中旬から６月上旬（令和６年度は4/25～5/29）

【試験日】　例年８月上旬の土日２日間（令和６年度は8/3・4）

【合格発表】　例年９月上旬（令和６年度は9/3）

【合格の有効期間】

第１次試験合格（全科目合格）の有効期間は２年間（翌年度まで）有効。

第１次試験合格までの、科目合格の有効期間は３年間（翌々年度まで）有効。

第１次試験のポイント

①全７科目（８教科）を２日間で実施する試験である

②科目合格制が採られており基本的な受験スタイルとしては７科目一括合格を目指すが、必ずしもそうでなくてもよい（ただし、科目合格には期限がある）

第２次試験《筆記試験》

【試験科目】　４科目・各設問15～200文字程度の記述式

試験科目		試験時間	配点
午前	中小企業の診断及び助言に関する実務の事例Ⅰ	80分	100点
	中小企業の診断及び助言に関する実務の事例Ⅱ	80分	100点
午後	中小企業の診断及び助言に関する実務の事例Ⅲ	80分	100点
	中小企業の診断及び助言に関する実務の事例Ⅳ	80分	100点

【受験資格】

第１次試験合格者

※第１次試験全科目合格年度とその翌年度に限り有効です。

※平成12年度以前の第１次試験合格者で、平成13年度以降の第２次試験を受験していない場合は、１回に限り有効です。

【実施地区】

札幌・仙台・東京・名古屋・大阪・広島・福岡

【試験案内・申込書類の配布期間、申込手続き】

例年８月下旬から９月中旬（令和６年度は8/23～9/17）

【試験日】　例年10月下旬の日曜日（令和６年度は10/27）

【合格発表】　例年12月上旬（令和６年度は令和７年1/15）

※筆記試験に合格すると、口述試験を受験することができます。

※口述試験を受ける資格は当該年度のみ有効です（翌年への持ち越しはできません）。

第２次試験《口述試験》

【試験科目】 筆記試験の出題内容をもとに４～５問出題（10分程度の面接）

【試験日】 例年12月中旬の日曜日（令和６年度は令和７年1/26）

【合格発表】 例年12月下旬（令和６年度は令和７年2/5）

第２次試験のポイント

①筆記試験と口述試験の２段階方式で行われる

②基本的な学習内容としては１次試験の延長線上にあるが、より実務的な事例による出題となる

〔備考〕実務補習について

中小企業診断士の登録にあたっては、第２次試験に合格後３年以内に、「診断実務に15日以上従事」するか、「実務補習を15日以上受ける」ことが必要となります。

この診断実務への従事、または実務補習を修了し、経済産業省に登録申請することで、中小企業診断士として登録証の交付を受けることができます。

中小企業診断士試験に関するお問合せは

一般社団法人 日本中小企業診断士協会連合会（試験係）

〒104-0061 東京都中央区銀座1-14-11 銀松ビル５階
ホームページ https://www.j-smeca.jp/
TEL 03-3563-0851　FAX 03-3567-5927

経済学・経済政策を学習するにあたってのポイント

①学習の内容

経済学とは、ひと言でいえば、「**世の中の経済事象をできるだけ単純化したモデルで捉え、分析を行う学問**」です。実際、世の中の経済は複数の要因が複雑に絡み合ってさまざまな結果や現象を引き起こしています。しかし、物価、消費、政府支出、天災、政権交代など、多くの要素を考慮すると適切な因果関係を把握することが困難となります。そこで、経済学という学問では**特定の要素に着目して経済的現象を法則的に捉え、モデル化**していきます。「他の要素は変わらないという前提のもとで、○○と××の関係に注目するとどうなるのか（例：○○が低下すると××は増加する）」というように、前提や仮定を置いて議論を進めていきます。「経済学・経済政策」の講義では、今日までに提唱されたさまざまなモデルを学習していきます。

＜ミクロ経済学＞

１つの企業、**１人の消費者**、それらの集合である**１つの市場**を対象に分析を行うのがミクロ経済学です。企業は「**利潤の最大化**」、消費者は「**財・サービスの消費から得られる満足感の最大化**」を目指しながら日々の活動を行っています。これらの経済主体がそれぞれの目的達成のためにどのような行動をしていくのかを説明したモデルについて学習していきます。また、各経済主体がそれぞれの目的を果たすよう行動することで市場は成り立っており、最終的には**市場全体を分析するモデル**を学習していきます。

＜マクロ経済学＞

マクロ経済学は、ミクロ経済学よりも視野を広げて**１国全体**を対象に分析を行う学問です。経済的政策の主な目的は「**可能な限り雇用量を増やし、経済活動を活発にすることでGDP（国内総生産）を拡大させる**」ことであり、政策を立てる際にはマクロ経済学の考え方が用いられています。経済活動には、１国全体のモノ・サービスの需要量や貨幣の供給量、雇用量などが関係してきます。マクロ経済学では主に、モノ・サービスを対象とした**生産物市場（財市場）**、貨幣を対象とした**貨幣市場**、労働力を対象とした**労働市場**の３つの市場について分析が行われます。はじめはそれぞれの市場を個別に学習し、最終的には複数の市場を同時に分析するモデルについて学習していきます。

②学習上の注意点

⑴「問題が解けること」を目的とする

経済学は歴史ある学問であり、当時の時代背景や経済状況に沿って発展してきました。これまでの経済学者によって提唱されたさまざまな考え方が存在し、ときには歴史を重ねるなかで過去のモデルを否定するような新たなモデルが誕生することもあります。学習を進めるなかで、現在の実社会におけるイメージでは捉えづらいこともあるかもしれませんが、そのときには**「あくまで経済学という学問を学習している」と割り切り、すべて腹落ちさせることではなく問題が解けることを目的とし、立ち止まって深入りせず学習を進めていくことが重要となります。**

また、はじめからすべてを理解することは簡単ではありません。**暗記と理解を同時並行で取り組んでいく**ことにより、知識が徐々に定着し、理解が深まっていきます。

⑵「因果関係」と「比較」の観点をもつ

「①学習の内容」にて説明したとおり、経済学は特定の要素に着目し、その因果関係を法則的に捉えてモデル化しています。得点につなげるためには、モデル（結論）を暗記することと同時に、因果関係を理解することが求められます。そこで、因果関係を伴うモデルについては、自分の頭の中で因果関係を組み立てて考える習慣をつけていきましょう。

また、比較の観点も重要です。「○○が低い場合、××が増加する」とあった場合、これは裏を返せば「○○が高い場合、××は減少する」ということがいえます。それぞれを絶対的な概念として捉えるのではなく、「○○が低い場合と高い場合ではどちらのほうが××が増加（もしくは減少）するだろうか」と比較対象を用いて相対的に判断する思考が必要となります。

これら「因果関係」と「比較」は、２次試験でとても重要な観点となりますので、今のうちから習慣づけるように心掛けましょう。

⑶アウトプット（問題演習）の学習に重点を置く

暗記と理解ともに効果的な学習方法は問題演習を用いたアウトプットの反復です。「経済学・経済政策」は、スポーツと同様、実践練習なしには力が身につきません。講義を理解したつもりでもいざ問題を解こうとすると手が動かなくなってしまうということが珍しくありません。したがって、テキストを見ながら暗記や理解をしようとするのではなく、問題演習を通してまずは体で処理パターンを覚えることを心掛けてください。「経済学・経済政策」は、練習量が得点に結びつきやすい科目です。もし苦手に思うことがあっても、毛嫌いせず諦めないで取り組めば楽しい科目となり、それが得点へとつながっていくでしょう。

⑷必要最低限の数学の知識を押さえる

「経済学・経済政策」では、式やグラフが数多く出てきます。ただし、数学レベルは中学程度（一部高校程度含む）であり、苦手な方でもやり方を覚えるのはそれほど大変なことではありません。数学的要因でつまずくのは非常にもったいないです。一度マスターすれば複数の問題に応用できますので、必ず押さえるようにしましょう。

【方程式】

 方程式Y＝C＋I＋Gに下記を代入し、Yの値を求めよ。

$$C=60+0.8(Y-T)$$
$$I=100$$
$$G=30$$
$$T=50$$

（解説）

$$Y=C+I+G$$
$$Y=60+0.8(Y-50)+100+30$$
$$Y=60+0.8Y-40+100+30$$
$$Y-0.8Y=60-40+100+30$$
$$0.2Y=150$$
$$Y=150\div 0.2$$
$$Y=750$$

解答　Y＝750

【グラフ】

 $y=-\frac{2}{5}x+10$

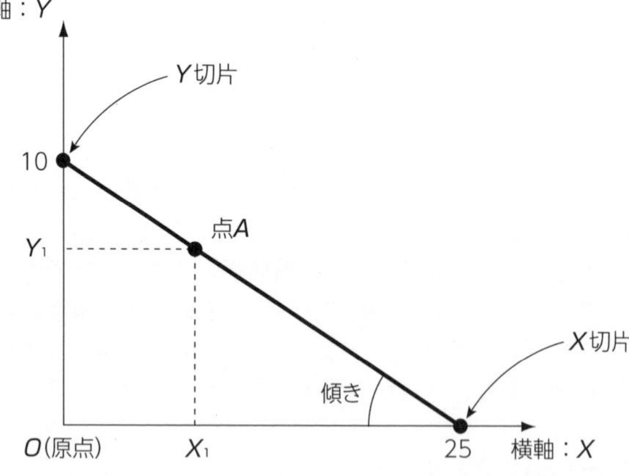

傾き＝$\dfrac{\text{タテの変化}}{\text{ヨコの変化}}$

・傾きの値が**プラス**　→グラフは**右上がり**
・　　〃　　**マイナス**→グラフは**右下がり**
・傾きの絶対値が**大きい**→グラフは**急**になる
・　　　〃　　　**小さい**→グラフは**緩やか**になる

【数式の微分】

 三次関数x^3-2x^2+2x+8を微分せよ。

（解説）

前に出して「1」ひく		前に出して（かけて）「1」ひく		削除		削除
$x^{③}$	$-$	$2x^{②}$	$+$	$2\cancel{x}$	$+$	$\cancel{8}$

解答　$3x^2-4x+2$

経済学・経済政策 体系図

＜ミクロ経済学の概要＞

第１章～第３章

＜前提＞
完全競争市場において社会的総余剰は最大化
（市場の効率的な資源配分が実現）

市場メカニズムでは効率的な資源配分が実現しないケース
（市場の失敗）

(1) 不完全競争市場
（独占市場・寡占市場・独占的競争市場） 第４章

(2) 外部効果の存在
(3) 公共財の存在
(4) 情報の不完全性
第５章

＜市場の需要と供給＞

P（価格）
均衡価格
Q（数量）
均衡取引量

供給曲線
（企業サイド）

第１章
・費用関数
・利潤最大化条件
・損益分岐点と操業停止点

需要曲線
（消費者サイド）

第２章
・予算制約線
・無差別曲線
↓
・最適消費点

市場全体の需要と供給により均衡価格と均衡取引量が決定 → 市場全体の社会的総余剰の決定（余剰分析）

第３章
余剰分析の対象を国際貿易にまで拡大

＜マクロ経済学の概観＞

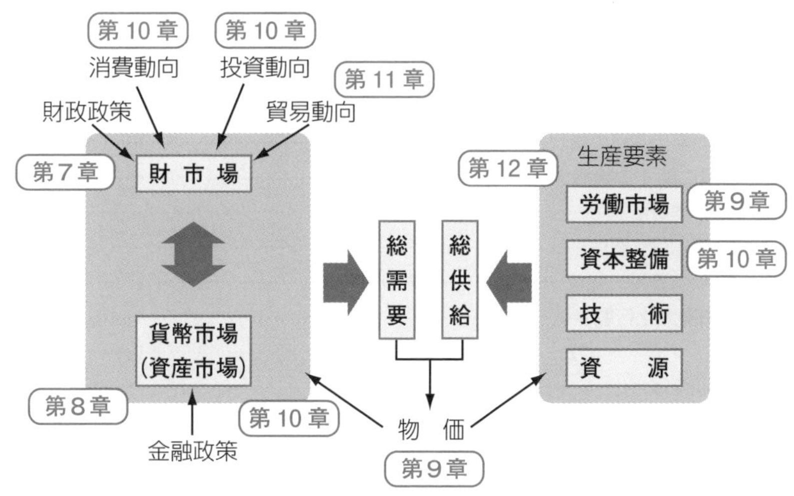

＜分析の流れ＞ 第7章～第9章

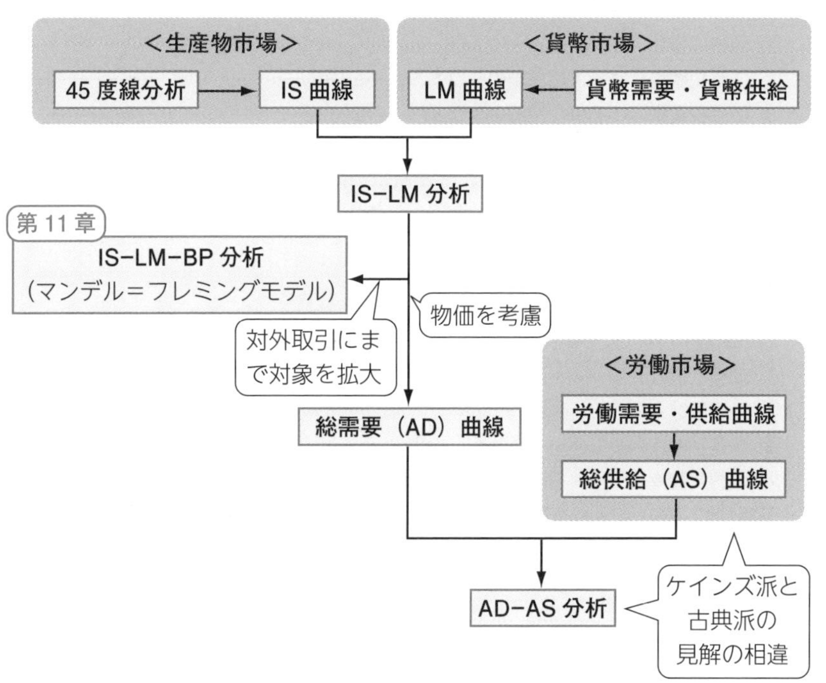

CONTENTS

第3章 市場均衡と厚生分析

第4章 不完全競争

第5章 市場の失敗と政府の役割

第6章 国民経済計算と主要経済指標

第7章 生産物市場（財市場）の分析

第8章 貨幣市場とIS－LM分析

第9章　雇用と物価水準

第10章　消費、投資、金融政策に関する理論

第11章　国際マクロ経済学

第12章　景気循環と経済成長

第1章

企業行動の分析

Registered Management Consultant

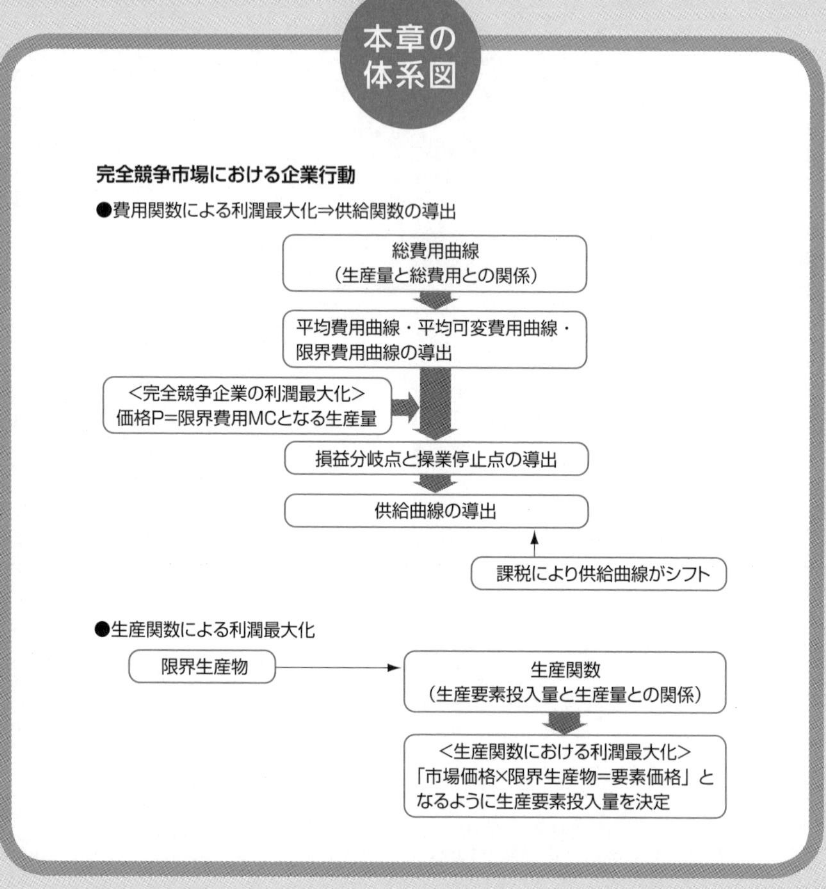

本章のポイント

◇ 逆S字型の総費用曲線と収入曲線が与えられた場合、ある特定の生産量の場合の、総費用、固定費用、可変費用、収入、利潤はどこに相当するか。

◇ 総費用曲線を所与として平均費用、平均可変費用、限界費用が最低となる生産量はどこか。

◇ 総費用曲線と収入曲線を所与として、もしくは価格と限界費用曲線を所与として、どの生産量で利潤が最大化するか。

◇ 平均費用曲線、平均可変費用曲線、限界費用曲線を所与として、損益分岐点、あるいは操業停止点はどこか。

◇ 課税によって供給曲線がどのようにシフトするか。

◇ 収穫逓減あるいは収穫逓増の生産関数はどのような形状になるか。

1 費用関数

費用関数とは、生産量（＝供給量）と費用の関係を表す関数である。費用関数をグラフで示したものが費用曲線である。利潤は、収入と費用の差として定義されるため、利潤最大化行動を考察するには、まず企業の費用面を定式化する必要がある。なお、ある値xに対して、ただ１つの値yが対応するような関係があるとき、この関係を関数といい、「$y=f(x)$」などと表す。総費用(C)を表す関数（費用関数）は、$C=x^3-2x^2+2x+8$といったような３次関数で表されることが一般的である。

1 費用の分類

財・サービスの生産における総費用(C)は、以下のように分けて考えることができる。

❶▶可変費用と固定費用

可変費用（variable cost：$VC(x)$）➡ 生産量(x)に依存し、変化する費用
固定費用（fixed cost：FC）➡ 生産量に依存しない費用

例　可変費用 ➡ 原材料費や従業員への出来高払い給与など
固定費用 ➡ 機械などの設備費用やオフィス賃借料、光熱費など

❷▶サンクコスト

サンクコスト（埋没費用）➡ 回収不可能な固定費用。事業に投入された費用のうち、生産縮小または撤退したときに回収することが不可能な資産の額。

鉄道事業など初期投資が大きく、施設を他の用途に転用しにくい事業では、一般的にサンクコストが大きくなる。

<企業経営理論>
埋没コスト…現在のプログラムを継続している限り発生しないコストでありながら、それを捨てて新しいプログラムを採用する場合に発生するコスト。

<財務・会計>
埋没原価…すでに使ってしまった費用（あるいは原価）で、投資プロジェクトを採用してもしなくても戻ってこないもの。

2 総費用曲線の形状

ここでは、生産量と総費用の関係を表す費用関数$C(x)$ のグラフの形状（総費用曲線）を考える。

総費用 $C(x)=$**可変費用** $VC(x)+$**固定費用** FC

数値例

費用関数の式は、可変費用を示す要素と固定費用を示す要素にわけることができる。

$$C(x)=\underbrace{x^3-2x^2+2x}_{\text{可変費用}}+\underbrace{8}_{\text{固定費用}}$$

❶▶固定費用曲線の形状

固定費用は生産量に依存しない費用であるので、固定費用関数FCは、図表1－1のように水平な直線で表すことができる。

図表 [1－1]

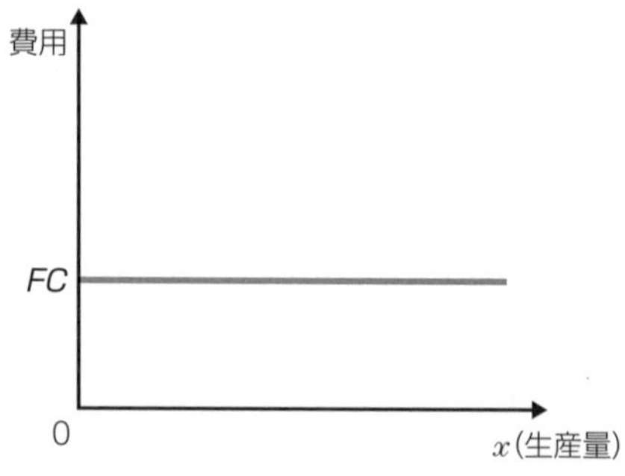

※なお、経済学では直線で示されているものもすべて「曲線」と表現する。上記の場合は固定費用曲線という。

❷▶可変費用曲線の形状

一方、可変費用曲線$VC(x)$ は、以下のような仮定のもとで、図表1－2のような**逆S字型**の形状をもつと想定される。

[仮定]

生産量が少ない（x_1より左） ➡ 1単位の生産量の上昇に対する費用の上昇が逓減
生産量が多い　（x_1より右） ➡ 1単位の生産量の上昇に対する費用の上昇が逓増

図表 [1－2]

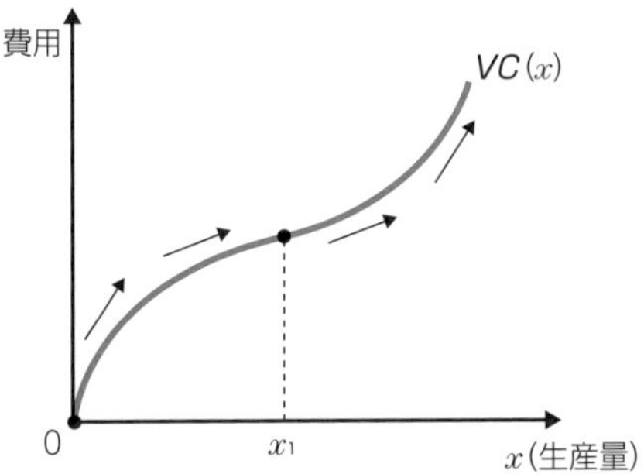

参考

図表1－2の逆S字はあくまでも仮定であるため、他のケースについて深く考える必要はない。以下に、逆S字になり得るであろう一般論を記載しておく。

初期（生産量が少ない）：従業員の能力が低く機械も十分に使いこなせていないが、徐々に経験を積むことで効率性が増し、生産量1単位あたりに対する追加的な費用は少なくなっていく。

後期（生産量が多い）：従業員の能力も十分で機械もフル稼働であるため、従業員を追加しても生産量の増加の余地は少なく、生産量の増加率より費用の増加率のほうが高い。

※生産量と費用との組合せは無数にあると考えられるため、図表のように両者の組合せは線で表される。

❸▶総費用曲線の形状 R4 15

費用関数は、$C(x)=VC(x)+FC$であった。よって、総費用曲線は、図表1－3のように、可変費用曲線を固定費用分だけ上側にシフトさせることで導出できる。

数値例

仮に可変費用関数を$VC(x)=x^3-2x^2+2x$、固定費用を$FC=8$とすると、費用関数は、$C(x)=VC(x)+FC=x^3-2x^2+2x+8$となる。$x$（生産量）が2の場合、総費用は12となる。

図表 [1－3]

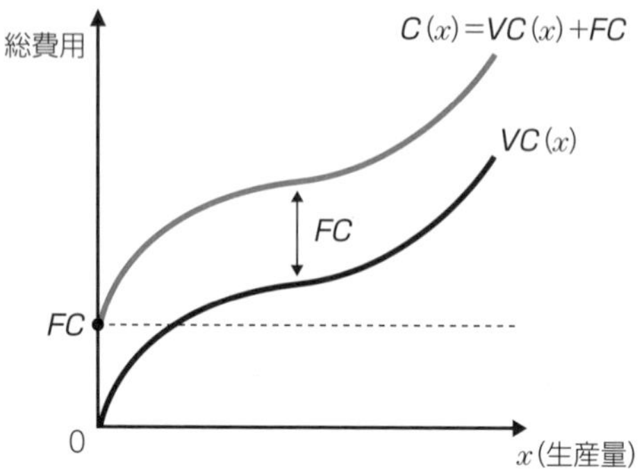

● **考え方のヒント**

費用関数を考える場合に、「財務・会計」で学習する損益分岐図表を思い浮かべると理解しやすい。

損益分岐図表とは、固定費と売上高に対する一定の変動費率を費用構造としてもつ企業の売上高と固定費、変動費、総原価をグラフに表したものである。

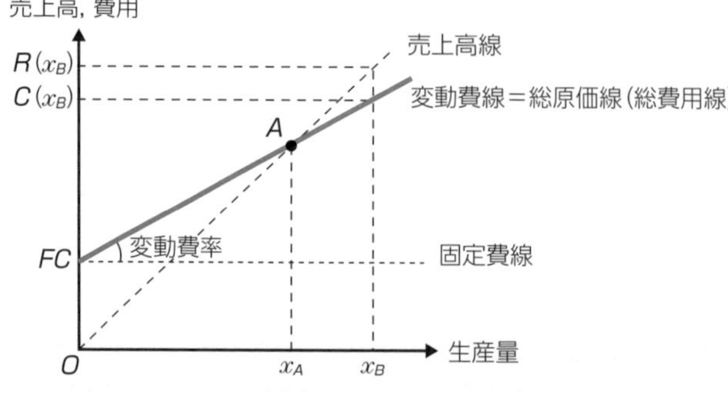

この損益分岐図表では、変動費が生産量に比例して増加すると仮定されているため、総費用線が**右上がりの直線**となっている。

生産量がx_Bのとき、売上高は$R(x_B)$、総費用は$C(x_B)$、固定費はFC、変動費は$C(x_B)-FC$、利益は$R(x_B)-C(x_B)$ に相当する。

しかしながら、ミクロ経済学で費用関数を考える場合には、可変費用曲線の形状を**逆S字型**と仮定するため、次のようなものとなる。

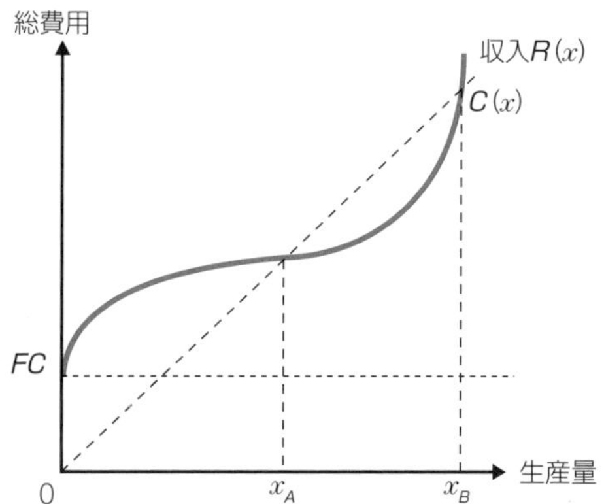

生産量に対する収入（売上高）、固定費用（固定費）、可変費用（変動費）、利潤（利益）の求め方は同様である。

２つのグラフの相違は、費用の仮定が異なることに起因する。また、この相違が「利潤を最大化する生産量を特定できるかどうか」ということにつながっている。

総費用曲線が右上がりの直線であれば、生産量が拡大するほど利益が拡大するため、利潤最大化のためには、生産量を極大化するということになる。一方、総費用曲線が逆Ｓ字型の場合には、生産量が過度に拡大すると加速度的に費用が増加し、生産量がx_B以上になると利潤がマイナスになってしまうことから、利潤最大化のために、適正な生産量を決定するということになる。

2 費用に関する諸概念

本節では費用に関するいくつかの概念を学習する。特に「平均費用」「平均可変費用」「限界費用」は、次節で扱う企業の利潤最大化行動を考察するための必須の概念である。

1 平均費用

❶▶平均費用の定義

R5 14
R4 15

平均費用
(average cost：$AC(x)$) ➡ 生産物1単位あたりの費用
総費用を生産量で割ったものに等しい

$$AC(x)=\frac{総費用}{生産量}=\frac{C(x)}{x}=\frac{VC(x)}{x}+\frac{FC}{x}$$

数値例

費用関数を$C(x)=x^3-2x^2+2x+8$とすると、平均費用は次のように表すことができる。

$$AC(x)=\frac{C(x)}{x}=x^2-2x+2+\frac{8}{x}$$

❷▶平均費用曲線の導出

ここで、図表1－4(a)における生産量x_Aを考える。x_Aに対応する総費用曲線上の点をAとおく。このとき、x_Aにおける平均費用$AC(x_A)$は直線OAの傾きで示される。これは、

$$OAの傾き=\frac{Aの高さ}{x_A}=\frac{C(x_A)}{x_A}=AC(x_A)$$

となっているためである。さらに、このように求めた$AC(x_A)$を図表1－4(b)に点aとしてプロットする。以上の手順をすべての生産量に対して行うことで、平均費用曲線が図表1－4(b)のように導出できる。図表1－4(a)のような逆S字型の総費用曲線の場合には、**平均費用曲線はU字型**になる。

図表 [1－4]

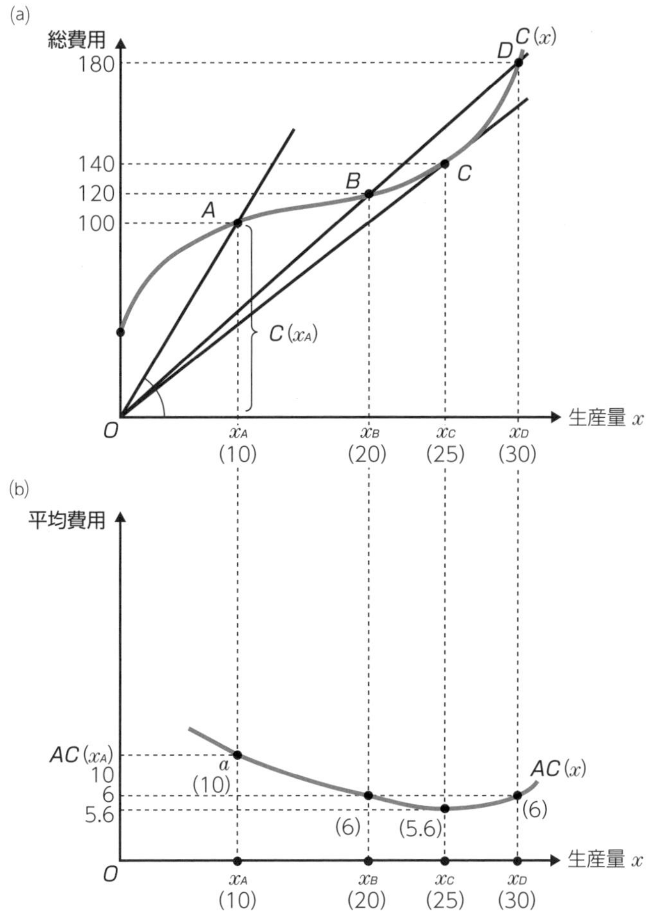

※x軸とy軸の数値はあくまで例である。

- **平均費用は原点と総費用曲線上の点を結んだ直線の傾きで求めることができる。**
- **原点を通る直線と総費用曲線との接点（点C）において平均費用は最小化する。**

❸▶規模の経済

生産量の増加に伴い**平均費用が減少** (平均費用曲線が右下がり)	➡	**規模の経済**が働いている **収穫逓増**
生産量の増加に伴い**平均費用が増加** (平均費用曲線が右上がり)	➡	**規模の不経済**が働いている **収穫逓減**

図表1－4(b)では、x_cより左では規模の経済、右では規模の不経済が働いている。

● **考え方のヒント**

$y=ax+b$という1次関数が与えられたとき、aを傾き、bを切片という。傾きは「タテの変化÷ヨコの変化」で求めることができる。

$$傾き=\frac{タテの変化}{ヨコの変化}=\frac{\Delta y}{\Delta x}$$

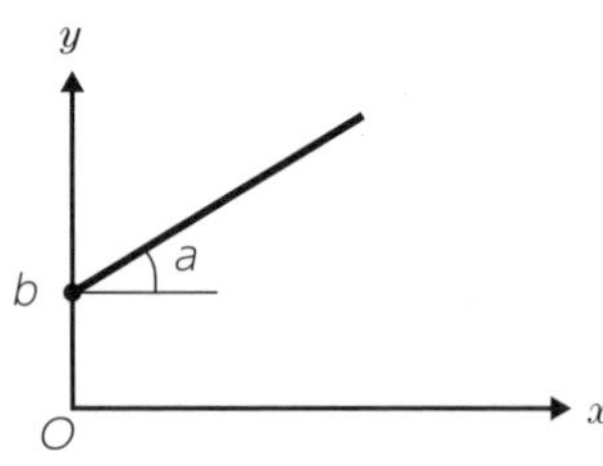

傾きとは、「ヨコ方向に1進んだとき、どれくらいタテ方向に進むのか」を表している。

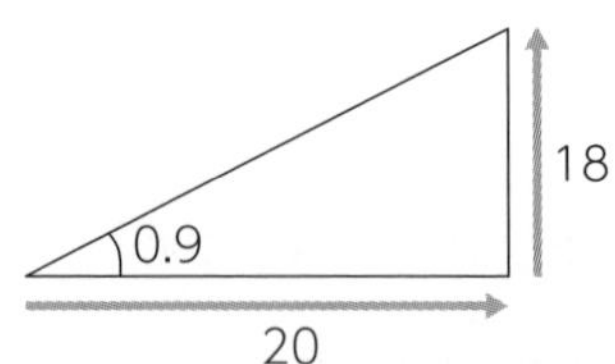

この傾きは$\frac{18}{20}=0.9$となる。この場合、常にヨコ方向に1進むとタテ方向に0.9進むことになるので、平均してヨコ方向に1進むとタテ方向に0.9進むということもできる。

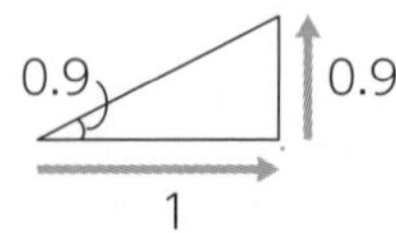

次に縦軸に総費用、横軸に供給量（生産量）をとったケースを考える。イメージしやすくするために、総費用曲線を直線として考える。

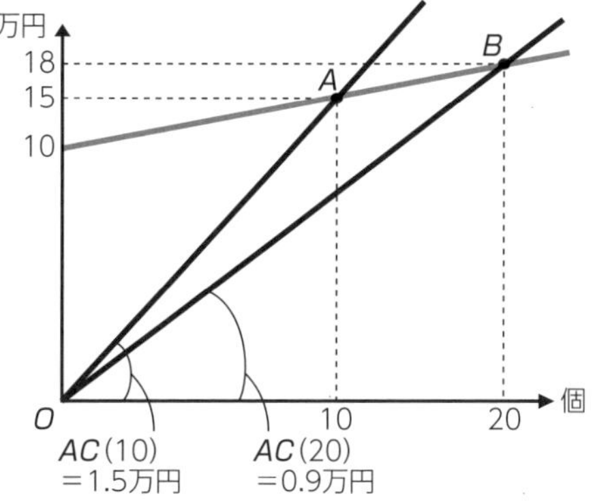

直線OAの傾き$=\frac{15}{10}=1.5$

直線OBの傾き$=\frac{18}{20}=0.9$

点A（生産量10個）のときの平均費用は1.5万円（$\frac{15}{10}$より）となり、点B（生産量20個）のときの平均費用は0.9万円（$\frac{18}{20}$より）となる。

平均費用も「タテの変化÷ヨコの変化」で求めるため、平均費用は傾きで表されることになる。

すなわち**平均費用＝原点と総費用曲線上の各点を結んだ直線の傾き（の大きさ）で表される。**たとえば、点Aにおける平均費用（生産量10個のときの平均費用）＝直線OAの傾きになる。

なお、このことは総費用曲線が逆Ｓ字型のカーブを描く場合でも同様である。

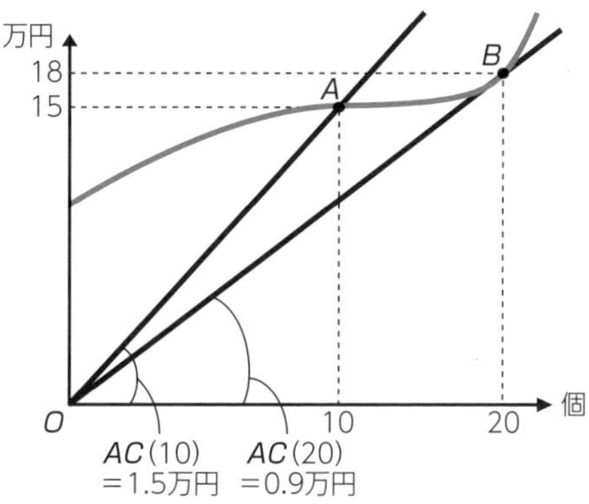

R5 14

2 平均可変費用

❶ ▶ 平均可変費用の定義

平均可変費用
(average variable cost：$AVC(x)$) ➡ 生産物１単位あたりの可変費用
可変費用を生産量で割ったものに等しい

$$AVC(x)=\frac{可変費用}{生産量}=\frac{VC(x)}{x}$$

数値例

可変費用を $VC(x)=x^3-2x^2+2x$ とすると、平均可変費用は次のように表すことができる。

$$AVC(x)=\frac{VC(x)}{x}=x^2-2x+2$$

❷ ▶ 平均可変費用曲線の導出

平均可変費用曲線の描き方は、平均費用曲線の場合と基本的に同じである。ただし、平均可変費用曲線の場合には、総費用曲線のかわりに可変費用曲線をもとにする。図表1－5(a)には総費用曲線が描かれているが、縦軸切片の*FC*を原点と考えれば、可変費用曲線とみなすことができる。たとえば、生産量x_Aにおける平均可変費用$AVC(x_A)$ は、点*A*と*FC*を結んだ直線の傾きで示される。図表1－5(a)のように総費用曲線が逆Ｓ字型である場合、平均費用曲線と同様に**平均可変費用曲線はU字型**になる（図表1－5(b)）。

図表 [1－5]

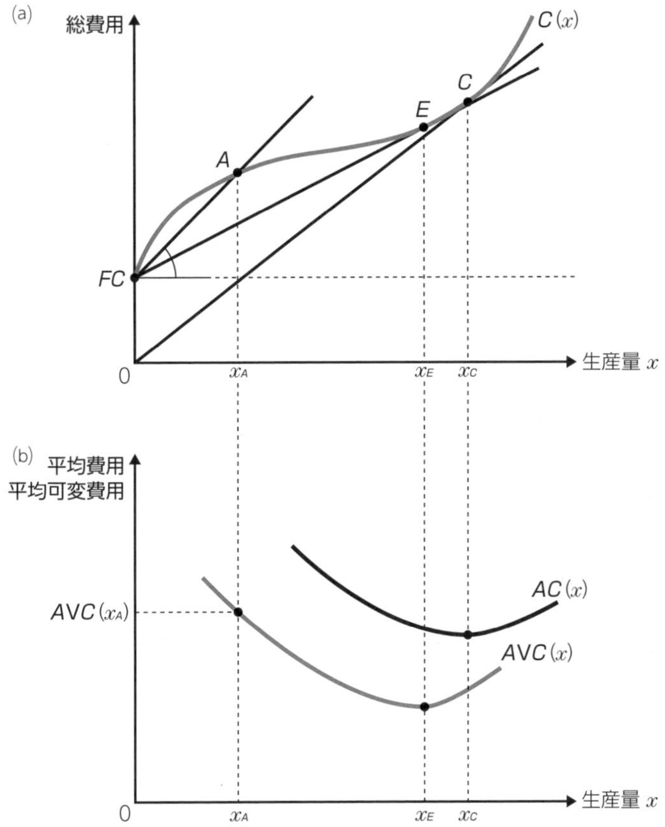

- 平均可変費用は *FC*（総費用曲線の切片）と総費用曲線上の点を結んだ直線の傾きで求めることができる。
- *FC*を通る直線と総費用曲線との接点（点*E*）において平均可変費用は最小化する。

❸▶平均費用と平均可変費用の関係

1 平均費用（*AC*）＞平均可変費用（*AVC*）

平均費用は総費用（可変費用＋固定費用）を生産量で割ったものであり、平均可変費用は可変費用のみを生産量で割ったものである。固定費用が存在する場合には、必ず総費用のほうが可変費用よりも大きいので、**平均費用＞平均可変費用**が成り立つ。

※平均費用（AC）と平均可変費用（AVC）の差は**平均固定費用（固定費用を生産量で割ったもの）**にあたる。

2 平均費用（AC）が最小となる生産量＞平均可変費用（AVC）が最小となる生産量

平均費用を最小化する生産量は原点を通る直線と総費用曲線の接点Cで決まり、平均可変費用を最小化する生産量はFCを通る直線と総費用曲線の接点Eで決まる。図表1－5から読み取れるように、必ず点Cが点Eより右側にくるため、上記の不等式が成り立つ。

設例

完全競争下で操業する企業の費用関数が次のように示されている。ここで、TCは総費用を、xは生産量を表す。

$$TC=224+6x-2x^2+x^3$$

この企業の平均可変費用関数を求めよ。〔H25－16改題〕

解答

可変費用とは、費用の中で生産量xに依存する部分のことである。可変費用VCは費用関数の中の定数を除いた部分に該当するため、

$$VC=6x-2x^2+x^3$$

である。平均可変費用（AVC）は生産物１単位あたりの可変費用なので、可変費用を生産量（x）で割ることで求められる。

$$AVC=6-2x+x^2$$

R5 14

3 限界費用

❶▶限界費用の定義

限界費用 (marginal cost : $MC(x)$)	➡	生産量を１単位増加させたときに 追加的に発生する費用（費用の増加分）

例 生産量が５のとき限界費用が２とする（つまり、$MC(5)=2$）。これは生産量を５から６に１単位増加させたときに追加的に２の費用がかかるということである。

図表 [1−6]

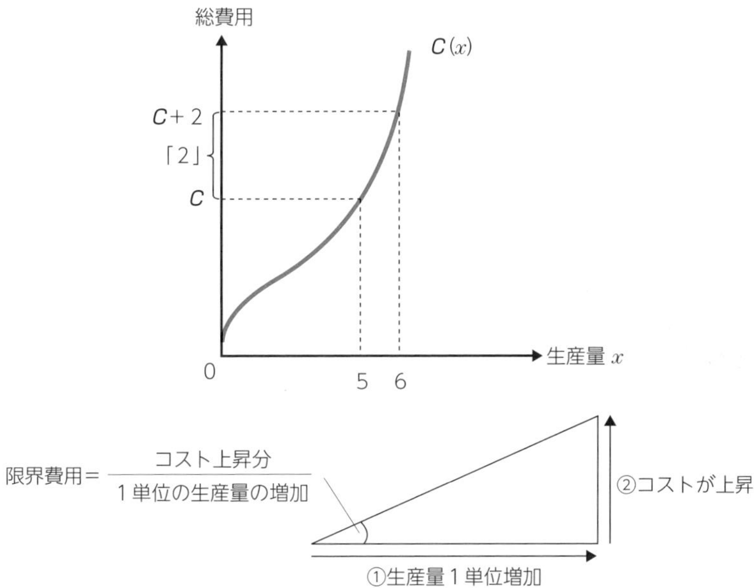

● **考え方のヒント**

生産量が5個の場合の総費用が5万円、生産量が6個の場合の総費用が7万円であるとする。生産量にかかわらず固定費用は3万円生じるものとする。

	5個	6個
総費用	5万円	7万円
固定費用	3万円	3万円
可変費用	2万円	4万円

2万円上昇

生産量が5個のときの限界費用は2万円である（7万円－5万円）。この場合の限界費用は、生産量が5個から6個に増加したことによる総費用の上昇分であるが、なぜ2万円の総費用の上昇（つまり2万円の限界費用）が生じたのか考えてみてほしい。

上表をみれば、可変費用が2万円上昇した結果、総費用が2万円上昇したことがわかる。つまり**限界費用とは、可変費用の上昇分である**ととらえることができる。

したがって、ある生産量における**可変費用は生産量が1単位増加するたびに生じる限界費用を合計**したものととらえることもできる。単純化のために総費用曲線を直線で考えてみるとわかりやすいだろう。

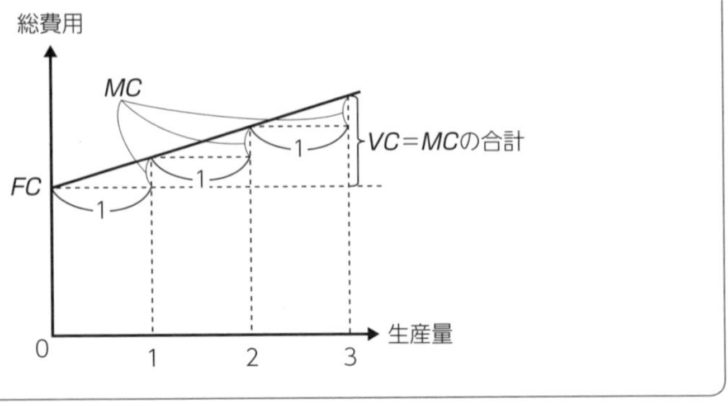

ある生産量xにおける限界費用は、xに対応する総費用曲線上の点における**接線の傾き**で求められる。

図表 [1－7]

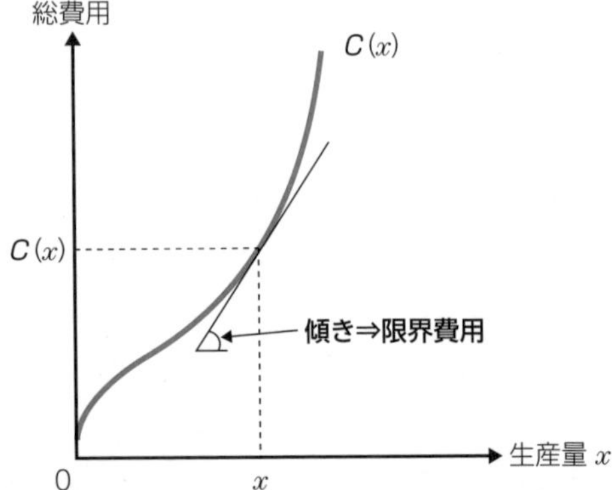

微分による表現

接線の傾きは微分を行うことで求められるため、数学的には限界費用は費用関数を生産量で微分したものに等しい。

$MC(x) = C'(x)$ ＝**費用曲線への接線の傾き**

数値例

費用関数を$C(x)=x^3-2x^2+2x+8$とすると、限界費用は次のように表すことができる。

$$MC(x)=C'(x)=3x^2-4x+2$$

● **考え方のヒント**

■ **限界概念**

経済学には「限界費用」「限界生産物」「限界効用」など「限界」という接頭辞のつく用語が頻繁に出てくる。経済学での「限界」という用語は、英語のmarginalの訳語であり、ある変数が追加的に1単位増加したときに、別の変数がどれだけ変化するか（図でいうと、ヨコ軸の値が1増加したときに、タテ軸の値がどれくらい変化するか）ということを表す概念として使われる（「限界＝limit」という用語とはまったく意味が異なることに注意してほしい）。

例 **限界費用**：生産量を1単位増加させたときの費用の増加分
限界生産物：生産要素の投入量を1単位増加させたときの生産量の増加分
限界効用：消費量を1単位増加させたときの効用の増加分
限界収入：生産・販売量が1単位増加したときの収入の増加分
（完全競争市場の場合は、市場価格に等しい）

■ **微分**

簡単にいえば、関数$f(x)$の微分とは、関数$f(x)$への接線の傾きを求める演算のことである。微分は

$$f'(x)、あるいは\frac{df(x)}{dx}$$

と書く。

費用関数$C(x)$を例にとれば、$C'(x_1)$の値は総費用曲線のx_1における接線の傾きに等しい（19ページのグラフを参照）。

限界費用＝費用関数の微分＝総費用曲線の接線の傾き

生産量を1単位増加させたときの費用の増加分（限界費用）がなぜ総費用曲線の接線の傾きに等しくなるかについては、次のようなイメージを持っておくとよい。

下図の右は、総費用曲線の一部を拡大したものである。点Aを基準に考え、生産量が50個増加したら総費用が100万円増加するとする。

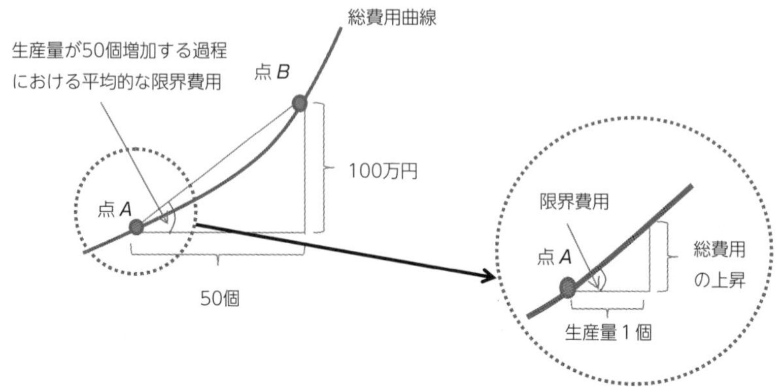

この場合、生産量が50個増加する過程における平均的な限界費用は100万円÷50個＝２万円である。しかしながら本来は限界費用は１単位で費用の増加分を考えるものであり、費用の増加分はつねに変化する。上記の右の図は点Aの周辺を拡大して１単位で費用の増加分を考えたものである。点Aの周辺には先ほどよりはるかに小さな三角形が描かれることがわかる。そしてこの小さい三角形の傾きは費用曲線の接線の傾きにほぼ等しくなるので、等しいとみなすのである。

限界〇〇＝〇〇曲線（関数）の接線の傾き

■ 微分の公式

微分に関しては、基本的な公式を覚えておく必要がある。

$$\boldsymbol{f(x)=ax^b \ \Rightarrow \ f'(x)=abx^{b-1}}$$

$$f(x)=a \ \Rightarrow \ f'(x)=0$$

費用関数の例

$C(x)=x^3-2x^2+2x+8$とすると、

$$MC(x)=C'(x)=3x^{3-1}-2\times 2x^{2-1}+2x^{1-1}+0=3x^2-4x+2$$

となる。

たとえば、$x=2$のときの限界費用は、

$$MC(2)=C'(2)=3\times 2^2-4\times 2+2=6$$

となる。

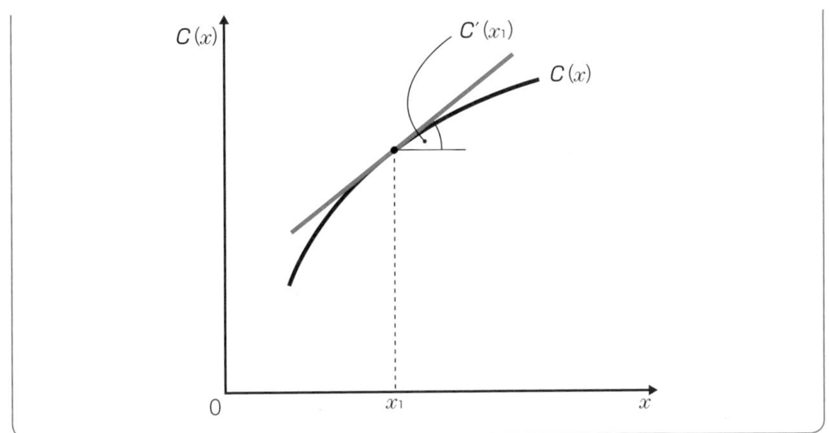

❷▶限界費用曲線の導出

図表1－8の生産量x_Fを考える。このとき、限界費用は総費用曲線上の点Fにおける接線の傾きで示される。これを図表1－8(b)にプロットする。

すべての生産量について同様の手順を行えば、生産量x_Bまでは生産量の増加に伴い、接線の傾きが緩やかになっていき（限界費用は小さくなっていく）、x_B以上になると傾きが急になっていく（限界費用は大きくなっていく）ため、図表1－8(b)の$MC(x)$のように限界費用曲線が描ける。

図表1－8(a)のように総費用曲線が逆S字型である場合、平均費用曲線および平均可変費用曲線と同様に**限界費用曲線はU字型**になる。

[1−8]

(a)

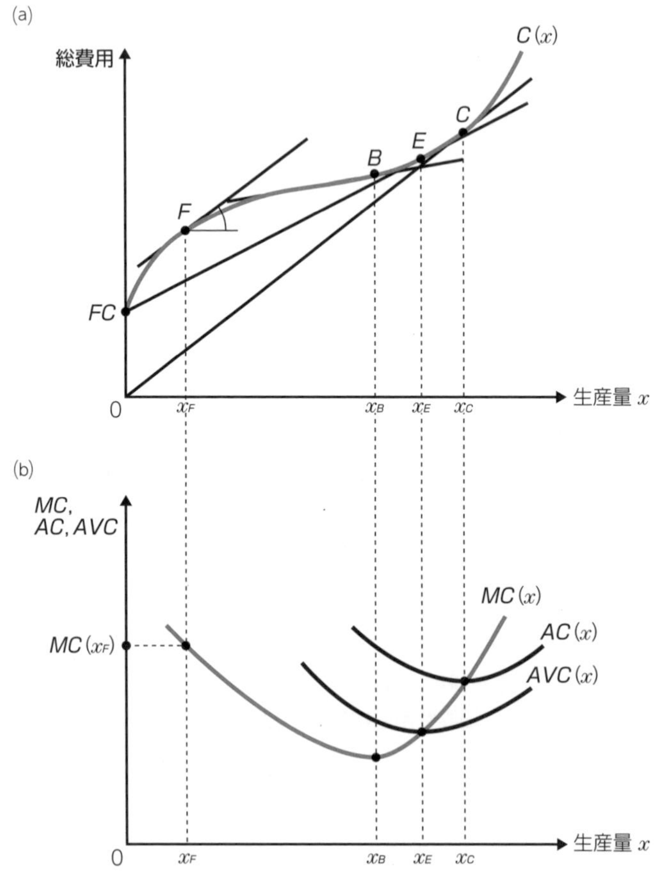

・限界費用は総費用曲線への接線の傾きで求めることができる。
・総費用曲線の接線の傾きが最小となる生産量において、限界費用は最小化する。

設例

完全競争下で操業する企業の費用関数が次のように示されている。ここで、Cは総費用を、Xは生産量を表す。

$$C=X^3-2X^2+6X+10$$

この企業の限界費用関数を求めよ。〔H19−13（設問2）改題〕

解答

限界費用関数は、費用関数を生産量Xについて微分することで求められる。

$$MC=3X^2-4X+6$$

❸▶平均費用、平均可変費用と限界費用の関係 R4 15

限界費用曲線は、平均費用曲線、平均可変費用曲線の最小点を通る

理由

・図表1−8(a)の原点と点Cを結ぶ直線は、総費用曲線の接線でもある。点Cは平均費用が最小となる点であり、同時に総費用曲線との接点でもあることから、この直線の傾きは平均費用の最小を表すとともに、限界費用も表している。よって平均費用の最小の値とその点における限界費用は一致する。

・図表1−8(a)の縦軸の切片FCと点Eを結ぶ直線は、総費用曲線の接線でもある。点Eは平均可変費用が最小となる点であり、同時に総費用曲線との接点でもあることから、この直線の傾きは平均可変費用の最小値を表すとともに、限界費用も表している。よって、平均可変費用の最小の値とその点における限界費用は一致する。

設例

次の記述について正誤判断せよ。
限界費用が最小となる水準で、限界費用と平均費用は等しくなる。
(×：平均費用が最小となる水準で、限界費用と平均費用は等しくなる。)

設　例

下図は企業の短期費用曲線を示し、縦軸の*OA*が固定費用を表している。ここで、総費用曲線*TC*上の接線のうち、①その傾きが最小となる点を*X*、②*A*を起点とした直線と接する点を*Y*、③*O*を起点とした直線と接する点を*Z*とする。

この図から読み取れる記述として、最も適切な組み合わせを下記の解答群から選べ。
〔R5−14〕

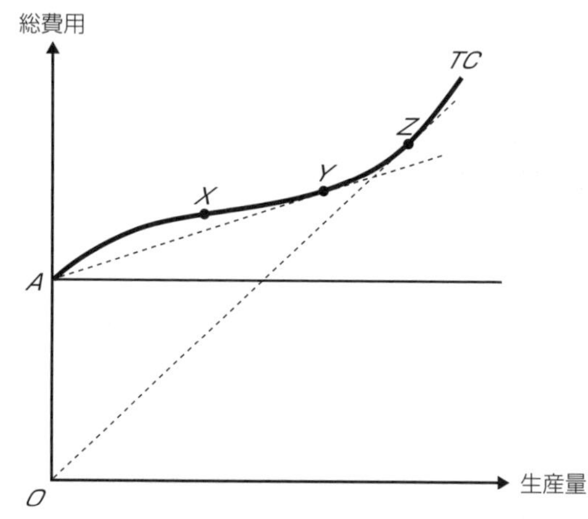

a　点*X*では平均固定費用が最小になっている。
b　点*Y*では平均可変費用が最小になっている。
c　点*Z*では平均総費用が最小になっている。
d　点*X*から点*Z*にかけて限界費用は逓減している。

〔解答群〕
　ア　aとb
　イ　aとc
　ウ　aとd
　エ　bとc
　オ　bとd

解　答　**エ**

a　×：平均固定費用は*A*からひいた水平の線上と原点を結んだ直線の傾きで示される。生産量が多いほど平均固定費用は減少する。よって、点*X*で平均固定費用が最小となっているわけではない。
b　○：正しい。
c　○：正しい。

d　×：点Xから点Zにかけてひいた総費用曲線への接線の傾きは徐々に大きくなっているため、限界費用は逓増していることがわかる。

3 利潤最大化行動

前節までに学んだ費用関数から利潤関数を導き、企業の利潤最大化行動を定式化する。利潤は収入（市場価格×生産量）から総費用を差し引くことで求められるが、完全競争市場では市場価格（つまり相場価格）は決まっているので、総費用に注目して利潤最大化を考える。競争企業の利潤最大化条件は、「価格＝限界費用となるように生産量を決める」というのが結論であるが、なぜそうなるのかについて見ていく。

1 プライステイカー（価格受容者）

プライステイカー（価格受容者）	➡	自らの行動が市場価格に影響を与えず、市場で決まる価格を受け入れるしかない経済主体

例　外国為替市場における１人の海外旅行者
コメ市場における１つのコメ農家

市場への参加者の数が十分に多数であり、かつ個々の参加者の影響力が小さいような場合、市場参加者は需給バランスによって決定された価格を受容する（個々の企業に、価格決定権はない）。第４章で取り上げる独占的な生産者は、自らの生産量の変更が価格に影響を与えることを認識しつつ行動するため、価格受容者ではない。

すべての参加者が価格受容者であるような市場を**完全競争市場**とよぶ。また、価格受容者である企業を**（完全）競争企業**とよぶ。この節では価格受容者である競争企業を対象とする。

なお、完全競争市場における需要曲線（D）と供給曲線（S）、および完全競争企業における需要曲線との関係は図表1－9のとおりである。

［1－9］

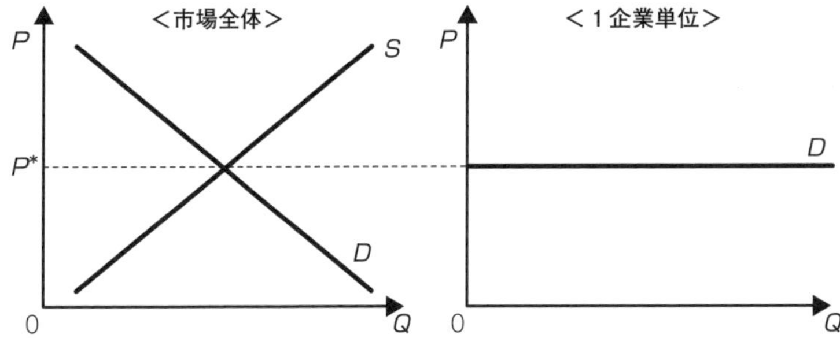

<完全競争市場の前提>

① 売り手、買い手ともに多数存在（その１つ１つは市場全体でいえば極めて小さい存在であり、その行動は他にまったく影響を与えない）

② 商品は同質であり代替可能（企業の価格支配力なし）

③ 市場への参入・退出は自由

④ 情報の完全性が成立（売り手、買い手とも価格情報などをよく知っている）

※情報の完全性を前提とし経済人モデルを採用するため、需給調整は速やかに行われ、たとえば売れ残りといった事態は（少なくとも長期的には）考えない。よって（現実的かどうかは別として）以降も供給量＝販売量という前提で議論を進める。

※完全競争企業の需要曲線が水平であるということは、市場全体の需給関係で決まった価格であれば、完全競争企業レベルであれば無限に需要があるということになる（現実的には想定できない話であるが）。つまり極めて小さい存在である完全競争企業レベルでの話であれば、市場価格に沿ってさえいれば、ほとんど無限のように需要があると考えて差し支えないと考えるということである。

2 利潤最大化

❶▶利潤

企業の利潤関数$\pi(x)$はRを収入（つまりR＝価格×生産量＝$P\times x$）とするとき

$$\pi(x) = \text{収入} - \text{費用} = R - C(x) = Px - C(x)$$

と定義される。競争企業は価格Pを与えられたものとして、利潤（π）を最大化するように生産量（x）を決定する。

❷▶利潤最大化条件

競争企業の利潤最大化条件 ➡ **「価格(P)＝限界費用(MC)」となるように生産量を決める**

※より正しくは「限界収入＝限界費用」となるように生産量を決めるということであるが、完全競争市場では**限界収入**（供給量を１単位増加した場合の収入の増加分）**＝価格**が成立するため、「価格＝限界収入＝限界費用」となる生産量が利潤最大化条件となる。

これが利潤最大化のための条件であることを示す方法はいくつかある。以下では、２つの方法を用いて示すこととする。

■1 論理的な解説

（前提） 限界費用曲線がU字型の形状となる。

$P>MC(x)$ ➡ **１単位生産量を増加させた場合の追加的収入額＞追加的費用額** ➡ **生産増により利潤拡大**

$P<MC(x)$ ➡ **１単位生産量を増加させた場合の追加的収入額＜追加的費用額** ➡ **生産減により利潤拡大**

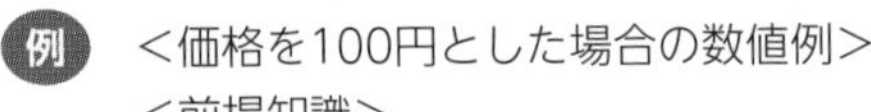

例 ＜価格を100円とした場合の数値例＞

＜前提知識＞

●限界費用…生産量を１単位増加させたときに追加的に発生する費用

●価格…生産量を１単位増加させたときに追加的に得られる収入（限界収入）

完全競争企業はプライステイカーであるため、市場価格（一定）で考える。

生産量	総収入	限界費用	可変費用	利潤
0	0円	80円	—	—
1	100円	70円	80円	20円
2	200円	50円	150円	50円
3	300円	70円	200円	100円
4	400円	80円	270円	130円
5	**500円**	**100円**	**350円**	**150円**
6	600円	120円	450円	150円
7	700円	150円	570円	130円
8	800円	190円	720円	80円
9	900円	240円	910円	−10円
10	1,000円	300円	1,150円	−150円

総収入＝価格（100円）×生産量
可変費用＝限界費用の合計
利潤＝総収入−可変費用
※固定費用は考慮していない

● **考え方のヒント**

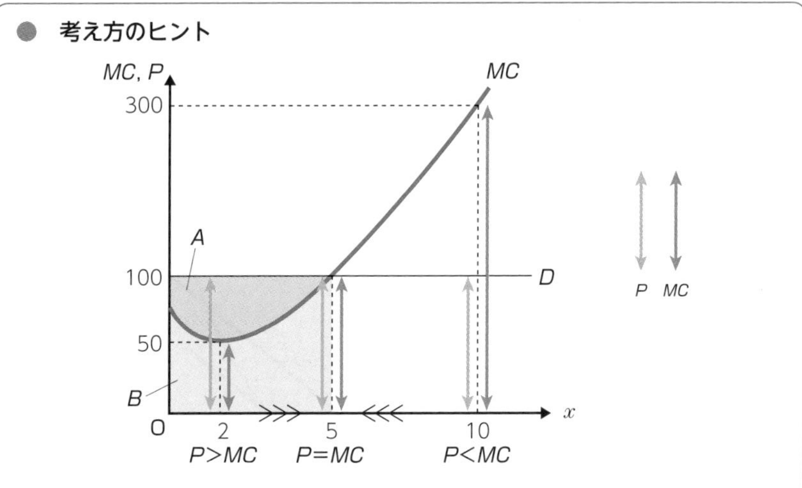

⑴　P>MCの場合

生産量を増やすことにより、「価格（P）−限界費用（MC）」分の利潤（限界利潤）が得られる。したがって、生産量を増やすことにより利潤を増大させることができる。

⑵　P<MCの場合

生産量を増やしても限界費用が価格を上回るため、追加的な生産から得られる利潤はマイナスとなる。したがって、追加的な生産は行わない。また、限界費用がU字型であることを前提とすると、上記グラフより、生産量を減少させることでマイナスの利潤を小さくすることができる。

⑴、⑵より、価格（P）と限界費用（MC）が一致する生産量において企業の利潤は最大化される。利潤最大化となる生産量5の場合の利潤の大きさは面積Aに該当し、可変費用の大きさは面積Bに該当する。なお、以上の説明において固定費用は考慮していない。

R4 15 **2 グラフによる解説**

図表1−10には収入曲線Rと総費用曲線$C(x)$が描かれている。収入曲線は、収入R=価格(P)×生産量(x)であるため、傾きがPで原点を通る直線となる。利潤は「収入−費用」であるため、収入曲線と総費用曲線の縦軸の値の差で示される。たとえば、生産量x_Cにおける利潤の大きさは線分BCで示される。

利潤を最大化する生産量を見つけるためには、両曲線の縦軸の値の差が最も大きくなるような生産量を探せばよい。なぜそうなるかという説明の詳細は割愛するが、結論は**総費用曲線に収入曲線と同じ傾きをもつ接線をひき、その接点に対応する生産量が利潤最大化となる生産量**になる（図表1−10ではx_Dの生産量となる）。

収入曲線の傾きは「価格」、総費用曲線の接線の傾きは「限界費用」であるため、「価格＝限界費用」という条件が成立する。

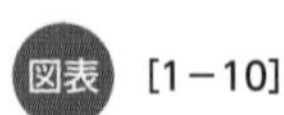

[1−10]

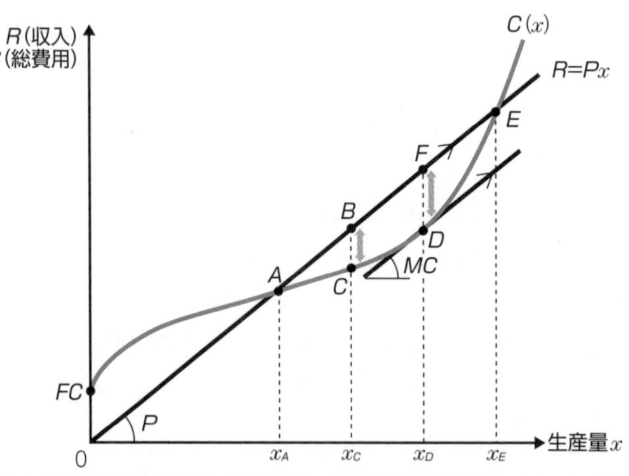

※縦軸は収入と総費用である点に注意する（価格や限界費用といった1単位あたりではない）。

3 損益分岐点と操業停止点

次節で企業の供給関数を導出するための準備として、ここでは損益分岐点、操業停止点を説明する。

❶▶定義

損益分岐点	➡（利潤最大化条件に沿っても）利潤がゼロとなる価格と生産量の組合せを示す点	＝	**平均費用の最小点**（図表1－11の点A）
操業停止点	➡生産活動をやめてしまう点	＝	**平均可変費用の最小点**（図表1－11の点B）

❷▶損益分岐点

1 価格と平均費用

R6 16

利潤は「収入－総費用」で求められ、収入は「価格×生産量」、総費用は「平均費用×生産量」で求められる。よって、価格が平均費用より高ければ利潤は正となり、価格が平均費用より低ければ利潤は負になる。

2 損益分岐点

図表1－11を用いて説明する。

●「価格＞平均費用」の場合

市場価格＝P_Cであるとする。企業は利潤最大化条件「価格＝限界費用」に従い、x_Cだけ生産する。製品１単位あたりの価格は平均費用を上回り、利潤は正となる。

●「価格＝平均費用」の場合

市場価格＝P_Aであるとする。企業は利潤最大化条件「価格＝限界費用」に従い、x_Aだけ生産する。しかし、生産量x_Aにおける平均費用は価格P_Aと等しくなり、利潤最大化となる行動をとっても利潤はゼロとなる。

●「価格＜平均費用」の場合

市場価格＝P_Dであるとする。企業は利潤最大化条件に従い、x_Dだけ生産する。しかし、生産量x_Dでは価格よりも平均費用が上回っており、利潤最大化となる行動をとっても利潤は負となる。

以上より、点Aに対応する価格P_Aは利潤が正から負に変わる境界になっていることがわかる。このような理由から点Aを**損益分岐点**、P_Aを**損益分岐価格**とよぶ。

完全競争企業の損益分岐点の考え方
①市場価格を受容する→②価格＝限界費用となる生産量を決定する→③価格（＝限界費用）と平均費用が同一になる点を損益分岐点とよぶ

[1−11]

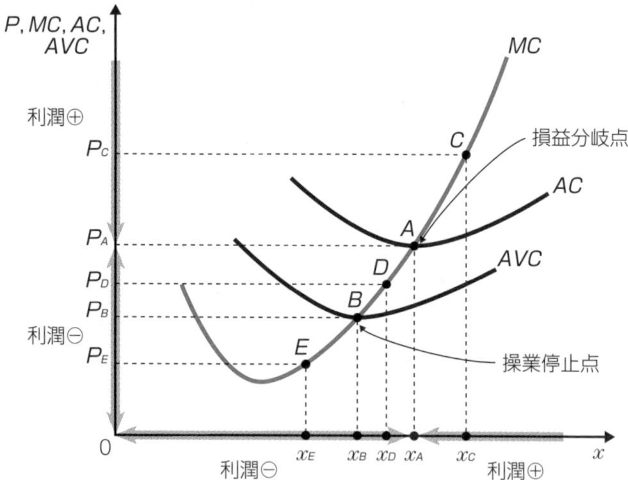

R6 16

❸▶操業停止点

P_Aより低い価格が成立しているときに生産を行ったとすると利潤が必ず負になってしまうことがわかった。しかしながら、利潤が負の場合に企業は必ずしも生産を中止してしまうわけではない。それでは、生産活動を続けるかどうかはどのような基準で判断するのだろうか。

●「平均可変費用＜価格＜平均費用」の場合

市場価格＝P_Dであるとする。「平均可変費用＜価格＜平均費用」のそれぞれに生産量x_Dをかけると、「可変費用＜収入＜総費用」と表すことができる。これは、総費用のうち可変費用のすべてと固定費用の一部を収入で賄えていることを示している。利潤は負であるが、生産をやめてしまうと現在賄えている固定費用の一部についても損失を被ることとなる。したがって、たとえ一部であっても固定費用が回収できている状態であれば生産を継続する。

●「価格≦平均可変費用」の場合

市場価格＝P_Bのときを考える。「価格＝平均可変費用」の両辺に生産量x_Bをかけると、「収入＝可変費用」と表すことができる。これは、総費用のうち固定費用分の損失が発生していることを表す。この場合、企業は利潤最大化行動をとっても操業していない状況と同じになる。また、市場価格がP_Bよりも低くなる（市場価格＝P_E）と、利潤が負であるうえ、生産量に比例して発生する可変費用さえも回収できなくなり、生産することにより赤字幅が拡大することとなる。

以上のような意味で、平均可変費用の最低点Bは企業が生産を行うか中止するかの分岐点になっていることがわかる。これより、平均可変費用の最低点Bは**操業停止点**、価格P_Bは**操業停止価格**とよばれる。

設　例

次の記述について正誤判断せよ。　〔H23－20a改題〕
「価格＝限界費用＝平均費用」のとき、操業停止の状態に陥る。

解　答　×
「価格＝限界費用＝平均費用」となる点は損益分岐点であり、利潤はゼロであるが総費用を賄えているため生産は行う。

● **考え方のヒント**

完全競争市場では、企業の費用構造にかかわらず市場において価格が決定される。このとき、企業は市場で決定された価格と自らの費用関数から導き出された限界費用が等しくなるような生産量を決定する。このとき、企業の利潤は最大化されているが、企業の利潤の正負は価格と平均費用の関係により決定されるので、正であるとは限らない。

この考え方を理解するために、価格が５つのレベルで決定されたときの企業の利潤を、図表1－11のグラフを使って再確認してみよう。

⑴ 市場価格＞平均費用

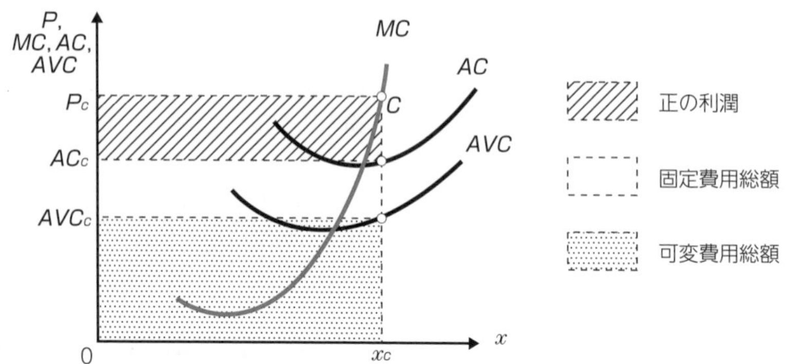

⑵ 市場価格＝平均費用の最低

企業は利潤最大化行動に沿って$P=MC$（$=AC$）となる供給量（x_Aとする）まで供給する。利潤は収入（$P_A \times x_A$）－総費用（$AC_A \times x_A$）でゼロとなる。この利潤ゼロとなる「市場価格＝平均費用の最低＝限界費用」が成立するMC曲線上の点を損益分岐点という。

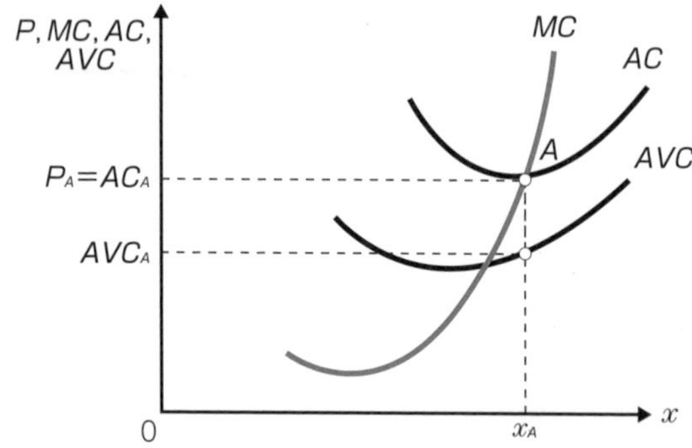

R6 16 ⑶ 平均費用＞市場価格＞平均可変費用

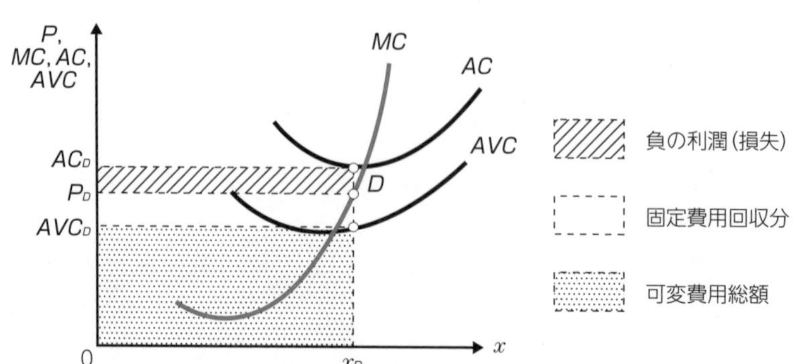

※固定費用の一部は回収できないことになる。

⑷　市場価格＝平均可変費用の最低

企業は利潤最大化行動に沿って$P=MC$（$=AVC$）となる供給量（x_Bとする）まで供給する。収入は、$P_B \times x_B (=AVC_B \times x_B)$、総費用（$AC_B \times x_B$）であるので、利潤は$AVC_B \times x_B - AC_B \times x_B = AVC_B \times x_B - (AFC_B + AVC_B) \times x_B = -AFC_B \times x_B = -FC$となる。つまり供給をやめても続けても固定費用まるごとの損失が発生するのであれば、供給はやめることになる。この「市場価格＝平均可変費用の最低＝限界費用」が成立するMC曲線上の点を操業停止点という。

※AFC＝平均固定費用

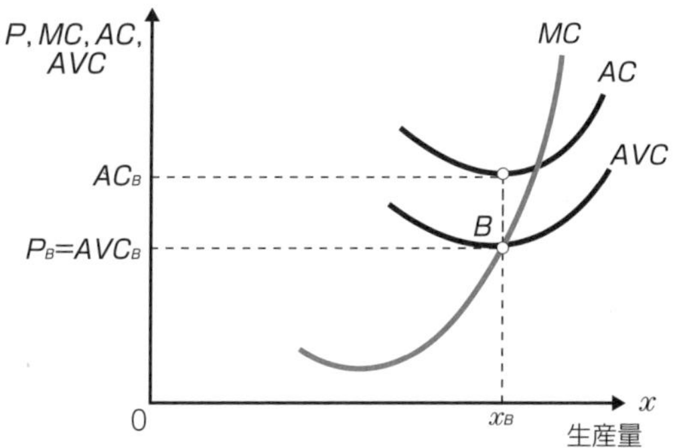

⑸　平均費用＞平均可変費用＞市場価格

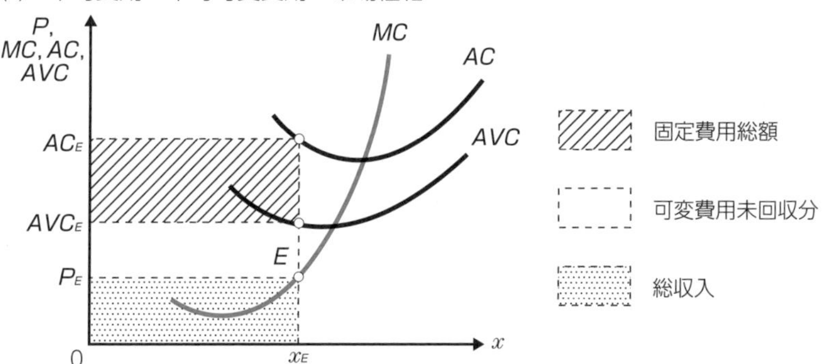

※固定費用も可変費用も回収できない。一方、生産を中止すれば固定費用分の損失で済む。

(1)～(5)をまとめると以下のようになる。

価格	生産量	費用が賄えているか		利潤
		可変費用	固定費用	
P_C	x_C	○	○	プラス
P_A	x_A	○	○	ゼロ →損益分岐点
P_D	x_D	○	△（一部）	マイナス （固定費用の未回収分）
P_B	x_B	○	×	マイナス （固定費用分） →操業停止点
P_E	x_E	△（一部）	×	マイナス （固定費用分＋ 可変費用の未回収分） ∴生産を中止する方が得になるため、固定費用分のマイナスとなる。

設 例

「価格＝限界費用＝平均可変費用」のとき、利潤は赤字になり、その赤字幅は可変費用に等しくなる。

H23－20　c　（**×**：この場合、利潤は赤字となるが、その赤字幅は「(平均費用－平均可変費用)×生産量」すなわち固定費用に等しくなる。）

設 例

いま、下図において、ある財の平均費用曲線と限界費用曲線、および当該財の価格が描かれており、価格と限界費用曲線の交点dによって利潤を最大化する生産量qが与えられている。この図に関する説明として、最も適切なものを以下の解答群から選べ。〔H27－17〕

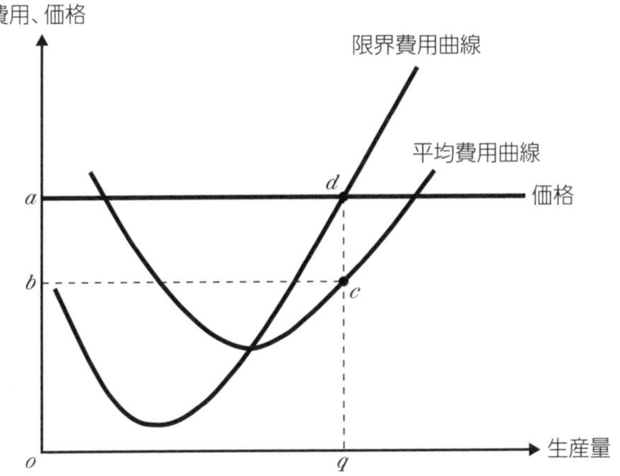

〔解答群〕

ア　利潤が最大となる生産量のとき、四角形*adqo*によって平均可変費用の大きさが示される。

イ　利潤が最大となる生産量のとき、四角形*adqo*によって利潤の大きさが示される。

ウ　利潤が最大となる生産量のとき、四角形*bcqo*によって収入の大きさが示される。

エ　利潤が最大となる生産量のとき、四角形*bcqo*によって総費用の大きさが示される。

解　答　**エ**

ア　×：平均可変費用曲線が与えられていないため、利潤が最大となる生産量*q*のときの平均可変費用は不明である。なお、四角形*adqo*は、総収入（価格×生産量）を表している。縦の長さが価格、横の長さが生産量をとる四角形であるため、その面積は総収入の大きさを示す。

イ　×：利潤は、「総収入－総費用（平均費用×生産量）」で求められる。よって、利潤が最大となる生産量*q*のときの利潤は四角形*adcb*となる（「四角形*adqo*－四角形*bcqo*」より）。

ウ　×：利潤が最大となる生産量*q*のときの総収入は、四角形*adqo*である。

エ　○：正しい。「総費用＝平均費用×生産量」より、利潤が最大となる生産量*q*のときの総費用は、四角形*bcqo*となる。

4 供給曲線

供給曲線とは、与えられた価格に対して最適な（つまり利潤が最大化する）生産量を表す曲線のことである。グラフで与えられた場合には、価格（グラフの縦軸）がいくらなら供給量（グラフの横軸）がどれだけになるかという見方をするので注意する。企業は「価格＝限界費用」となるように供給量を決定するため、結局は限界費用曲線に沿って供給量を決めることになる。つまり、限界費用曲線が供給曲線に相当することになる。

R5 12

1 供給曲線

❶▶企業の供給関数

企業はプライステイカーとして利潤最大化行動（価格P＝限界費用MC）を行い、生産量を決定するが、どのような価格においても生産を行うのだろうか。

供給曲線は次の２つのケースに分けて考えなければならない。

すでに産業に参入している企業	➡	**供給曲線は限界費用曲線の操業停止点より上の部分**（図表1－13）
これから参入しようとする企業	➡	**供給曲線は限界費用曲線の損益分岐点より上の部分**（図表1－14）

1 すでに産業に参入している企業のケース

この企業はすでに固定費用を支払い、しかもそれはサンクされている。よって、前節の議論から、操業停止価格（図表1－12のP_B）より上の価格が成立しているときには、価格＝限界費用となるように生産量を決定し、操業停止価格より低い価格が成立しているときには生産を中止する。

2 これから参入しようとする企業のケース

この企業は利潤が正になるような価格が成立しているときには参入し、価格＝限界費用となるよう生産する。しかし、利潤が負になるような価格（図表1－12の損益分岐価格P_Aよりも低い価格）が成立しているときには参入しないであろう。

結局、すでに参入している企業、これから参入しようとする企業の供給曲線は、それぞれ図表1－13、図表1－14の太線で示された曲線で与えられる。

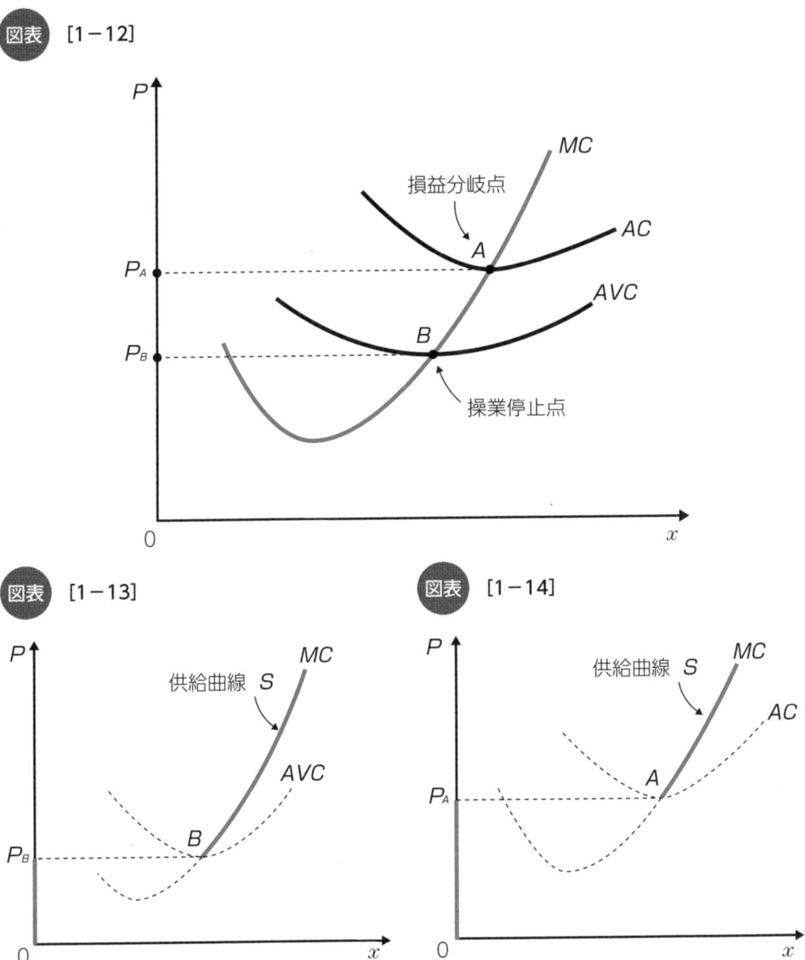

これまでは、1企業の供給曲線を学習してきたが、今後は特定の市場全体における供給曲線を扱うことがある。市場全体の供給量は、個別企業の供給量の和であり、供給曲線の考え方や形状は1企業の供給曲線と同様である。

R5 12

2 供給の価格弾力性

供給曲線の性質を表す重要な概念として、供給の価格弾力性がある。

❶▶変化率

ある変数xを考える。Δxで変数xの変化分（変化量）を表す。

$$x\text{の変化率}=\frac{x\text{の変化分}}{x\text{の元の値}}=\frac{\Delta x}{x}$$

例 xが100から150に増加したとする。このとき、$\Delta x=50$と表す。
xの変化率は次のように求められる。

$$x\text{の変化率}=\frac{\Delta x}{x}=\frac{50}{100}=0.5\ (50\%)$$

❷▶供給の価格弾力性

供給の価格弾力性 ➡ 価格（P）が１％変化したときに供給量（S）が何％変化するかを表す指標

$$\textbf{供給の価格弾力性}=\frac{\textbf{供給量の変化率}}{\textbf{価格の変化率}}=\frac{\frac{\Delta S}{S}}{\frac{\Delta P}{P}}=\frac{\Delta S}{\Delta P}\times\frac{P}{S}$$

例 市場価格10円のときに供給量20個という組合せが成立していたとする。そして市場価格が15円に上昇し、供給量が40個に上昇したとする。この場合の供給の価格弾力性は次のようになる。

$$\text{供給の価格弾力性}=\frac{\frac{\Delta S}{S}}{\frac{\Delta P}{P}}=\frac{\frac{40-20}{20}}{\frac{15-10}{10}}=\frac{\frac{20}{20}}{\frac{5}{10}}=\frac{1}{0.5}=2$$

図表1－15には、S_1とS_2という２つの供給曲線が描かれている。価格がPからP'へ上昇した場合について、S_1とS_2を比較してみる。供給曲線S_2のほうがS_1より傾きが緩やかであるため、同じ価格の上昇に対して供給量の増加幅が大きい。つまり、S_2は価格の変化率に対する供給量の変化率（供給の価格弾力性）がS_1よりも大きいことがわかる。

このことを上の式にあてはめて考えると、S_2のほうがS_1よりも「$\frac{\Delta S}{\Delta P}$」が大きくなる（分母の$\Delta P$は同一だが、$\Delta S$が$S_1<S_2$となるため）。また、「$\frac{P}{S}$」は

S_1もS_2も同じであることから、S_2のほうがS_1よりも供給の価格弾力性が大きいことになる。

したがって、一般に**傾きが緩やかな供給曲線ほど、供給の価格弾力性は大きくなる。**

図表 [1−15]

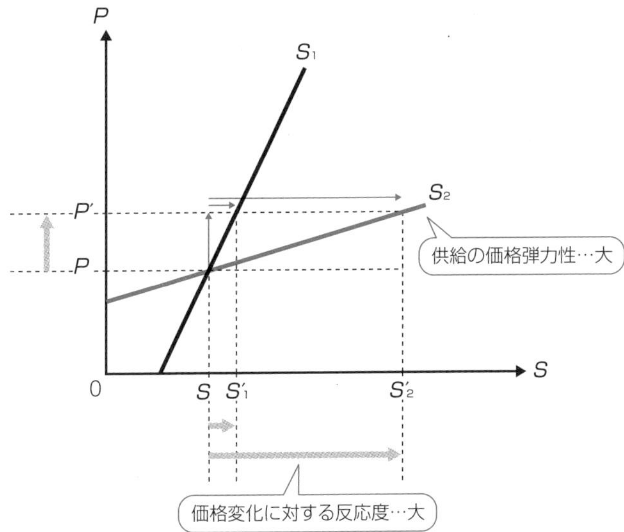

5 課税の効果

後の章で、生産あるいは販売に対する税が経済にどのような影響をもたらすのかを分析するが、その理解のためにはまず、企業に対する課税により供給曲線がどのような影響を受けるのかを理解する必要がある。企業にとって課税は、コストの上昇と同じ意味をもつというのが基本的な考え方である。

1 課税の種類

課税の種類は大きく分けて次の３つがある。

従量税：生産物１単位あたりにいくら支払うという税（酒税、たばこ税など）
従価税：価格の何％かを支払うという税（消費税など）
定額税：生産量、価格とは無関係に定額だけ支払う税

＜従量税：製品１個あたりに10円課税＞
・１個100円の製品の税額→10円 ・１個200円の製品の税額→10円 ・１個300円の製品の税額→10円
＜従価税：価格の50％課税＞
・１個100円の製品の税額→50円 ・１個200円の製品の税額→100円 ・１個300円の製品の税額→150円

2 従量税課税による供給曲線のシフト

生産者に対する従量税をtとする。つまり、企業は１単位の生産につきtだけ税金を支払わなければならないとする。これは平均費用、限界費用をそれぞれtだけ上昇させる（生産量を追加的に１単位増やしたときの税金の増加分はtで一定）。したがって、図表1－16のように課税後の供給曲線は、**課税前の供給曲線を従量税分（t）だけ上方（左方）にシフト**させたものとなる。

図表 [1－16]

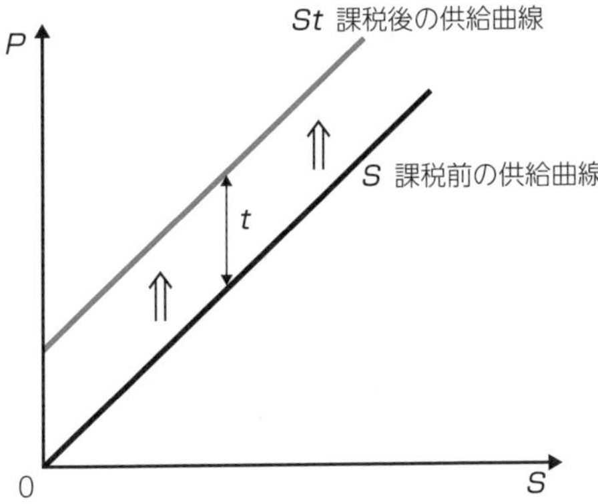

数式による確認

課税前の費用関数、平均費用関数、限界費用関数をそれぞれ$C(x)$、$AC(x)$、$MC(x)$ とすると、課税後には

$$C_t(x) = C(x) + tx$$

$$AC_t(x) = \frac{C_t(x)}{x} = AC(x) + t$$

$$MC_t(x) = C_t'(x) = MC(x) + t$$

となる。AC、MCの両方とも課税前のものよりtだけ上昇することが確認できる。

3 従価税課税による供給曲線のシフト R2 19

生産者に対し、従価税t（tは小数）を課すとする。つまり、売上（生産）金額のうちtの割合の分だけ税金を支払わなければならないとする。これは、限界費用を$(1+t)$×限界費用まで上昇させる（生産量を追加的に１単位増やしたときの税金の増加分は限界費用の金額に依存するため一定ではない）。したがって、課税後の供給曲線は図表1－17のように**課税前の供給曲線を上方に（$1+t$）倍シフト**させたものとなる。

図表 [1－17]

例）50%の従価税が課される場合

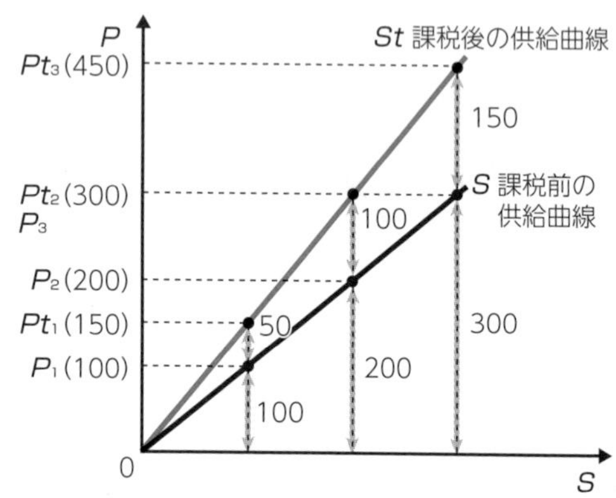

4 定額税の効果

定額税は固定費用とまったく同じように解釈できる。したがって、定額税の効果を見るには固定費用上昇の効果を見ればよい。固定費用の上昇は、平均可変費用関数をまったく変化させず、**平均費用のみ上昇させる**。したがって、損益分岐価格が上昇するのみで**供給曲線はシフトしない**ことになる。

図表 [1－18]

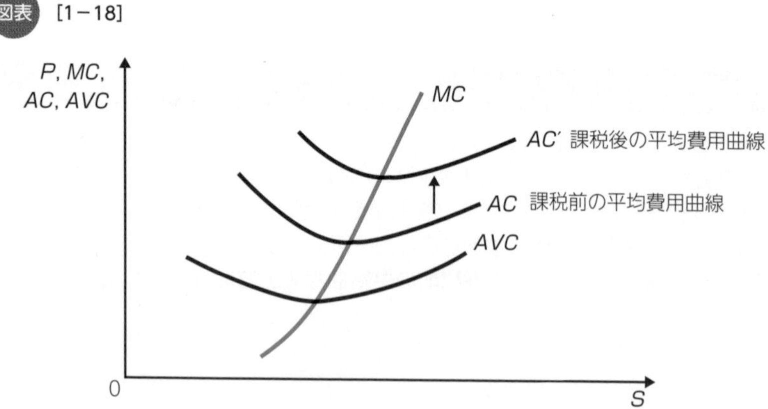

6 生産関数によるアプローチ

生産関数とは、どれだけの生産要素（たとえば労働力や設備）の投入に対し、どれだけの生産量を実現できるかを表す関数である。これまで、企業の利潤を表すために費用関数を用いてきたが、生産関数を使って表現するアプローチもよく使われるので、ここで押さえておくことにする。

1 生産関数

❶▶生産要素

財・サービスを生産するにあたっては、土地、オフィス、機械設備、労働、原材料などが必要とされる。

生産要素 ➡ 生産活動に必要な要素

❷▶生産関数

生産関数 ➡	生産要素の投入量と生産量の関係を表す関数 （どれだけの生産要素を投入したとき、どれだけの生産量を実現できるかを表すもの）

生産要素投入量をL（横軸）、生産量をx（縦軸）としたときの生産関数$x=f(L)$のグラフが、図表1－19である。

図表 [1－19]

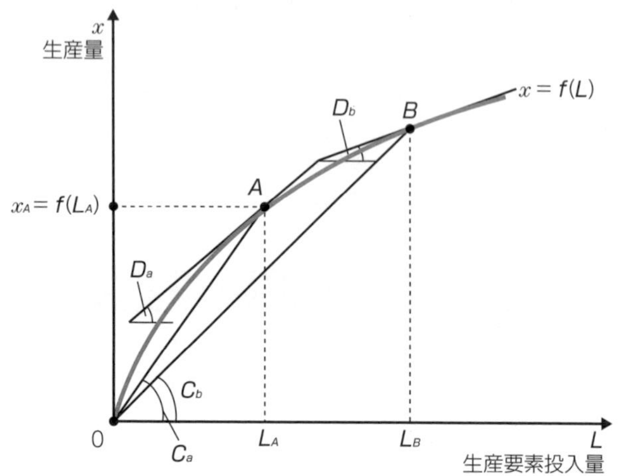

❸ ▶平均生産物

費用関数で見た平均費用や平均可変費用と同様に、生産関数においても平均生産物という概念がある。

平均生産物 ➡ 生産要素１単位あたりの生産量（生産量÷生産要素投入量）

平均生産物は、生産量÷生産要素投入量で表されるため、グラフ上は**原点と生産関数上の点を結んだ直線の傾き**で求められる（図表１－19の点AにおけるC_a、点BにおけるC_b）。また、生産要素投入量がL_AからL_Bに増加すると、平均生産物はC_aからC_bに小さくなることがわかる。

- **平均生産物は、原点と生産関数上の点を結んだ直線の傾きで表される**
- **平均生産物は生産要素投入量の増加とともに逓減する**

R2 16 ❹ ▶限界生産物（限界生産力・限界生産性）

限界生産物 ➡ 生産要素の投入量を１単位増加させたとき増加する生産量

限界生産物は、**生産関数への接線の傾き**で求められる。たとえば、図表1－19のL_Aでの限界生産物は、点Aを接点とする生産関数への接線の傾き（図表1－19のD_a）で示され、L_Bでの限界生産物は、点Bを接点とする生産関数への接線の傾き（図表１－19のD_b）で求められる。接線の傾きは微分をすることで求められるた

め、生産関数を$f(L)$とすると限界生産物は$f'(L)$で表すことができる。

平均生産物同様、限界生産物も生産要素投入量の増加とともに小さくなることが確認できる。また、点Aと点Bそれぞれの平均生産物と限界生産物を比較すると、平均生産物のほうが限界生産物よりも大きくなっている（$C_a>D_a$、$C_b>D_b$）。

- **限界生産物は、生産関数への接線の傾きで表される**
- **限界生産物は生産要素投入量の増加とともに逓減する**
- **いかなる生産量においても限界生産物＜平均生産物となる（収穫逓減の生産関数の場合）**

❺▶収穫逓増、逓減、一定

R2 16

第２節では、平均費用関数によって規模の経済を定義したが、限界生産物を使った定義もある。

		限界生産物が低下する	➡	**収穫逓減**
生産要素の投入量の増加に伴い	➡	**限界生産物が一定**	➡	**収穫一定**
		限界生産物が上昇する	➡	**収穫逓増**

図表1－19の生産関数$f(L)$は、Lの増加とともに限界生産物が低下している（接線の傾きが小さくなっている）ので収穫逓減の生産関数である。図表1－20の生産関数$f_1(L)$は、限界生産物が常に一定であるので、収穫一定の生産関数である。図表1－20の$f_2(L)$は、L_2までは収穫逓増であるが、L_2以降は収穫逓減である。

図表　[1－20]

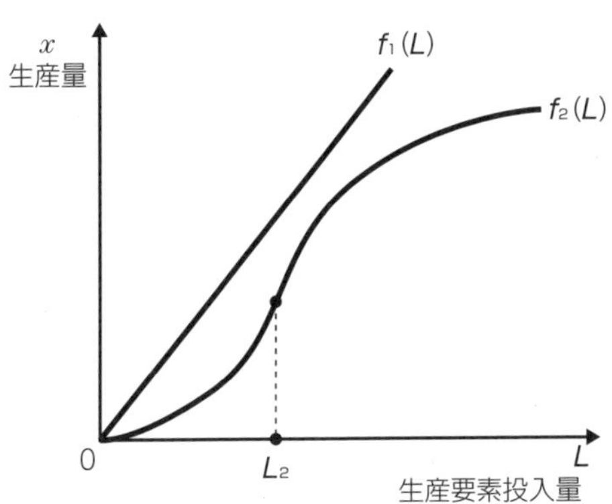

設　例

労働と生産水準の関係について考える。労働は、生産水準に応じてすぐに投入量を調整できる可変的インプットである。資本投入量が固定されているとき、生産物の産出量は労働投入量のみに依存し、下図のような総生産物曲線を描くことができる。

この図に関する記述として、最も適切なものを下記の解答群から選べ。

〔R元－14〕

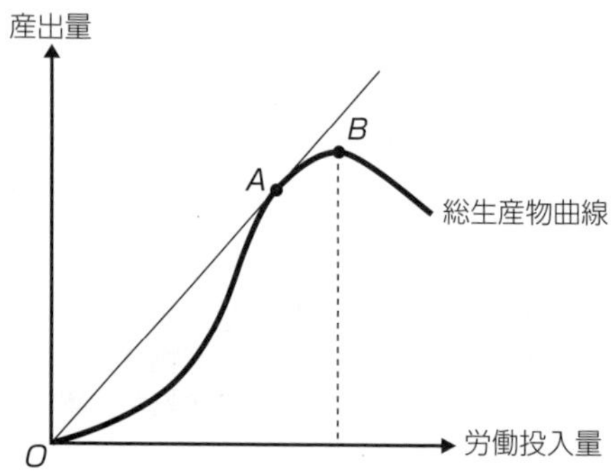

〔解答群〕

ア　労働投入量を増加させるほど、総生産物は増加する。

イ　労働の限界生産物は、原点*O*から点*A*の間で最小を迎え、それ以降は増加する。

ウ　労働の平均生産物と限界生産物は、点*A*で一致する。

エ　労働の平均生産物は、点*A*において最小となり、点*B*において最大となる。

解　答　**ウ**

ア　×：グラフより、総生産物は点*B*を最高点として、その後労働投入量を増加させると減少する。

イ　×：限界生産物は原点*O*から点*A*の間で最大を迎え、その後減少する。

ウ　○：正しい。点*A*で原点を通る直線と点*A*で接する接線が一致する。これは平均生産物と限界生産物が一致することを表している。

エ　×：原点と総生産物曲線を結んだ直線の傾きは点*A*において最大となる。

❻▶生産関数を用いた利潤最大化

1 要素価格

要素価格とは「生産要素を1単位増加させたときの費用の増加分」であり、一定と考える。たとえば、ある工場で新たに資本（機械設備）1台を20万円で購入し生産に投入した場合、20万円が要素価格に相当する。

2 限界生産物価値

限界生産物価値とは「生産要素の投入量を1単位増加させたときの収入の増加分」であり、「**市場価格（*P*）×限界生産物**」で求めることができる。たとえば、製造している製品の価格が1個5万円、資本を導入することによって生産量が5個増えたとすると、限界生産物価値は「5万円×5個＝25万円」となる。なおミクロ経済学では多くの場合、収穫逓減（生産要素投入量の増加に伴い限界生産物が低下する）、市場価格一定を想定しているので、生産要素投入量の増加に伴い限界生産物価値は逓減する。

3 利潤最大化条件

生産関数における利潤最大化条件の考え方は、「生産要素を1単位追加的に投入することによって増加する収入（限界生産物価値）が、増加する費用（要素価格）を上回る限り、追加的な利潤が生じるので生産要素を投入して生産量を増やしたほうがよい」というものである。費用関数の利潤最大化条件である「限界収入＝限界費用となるまで生産する」と基本となる考え方は同じである。限界生産物価値は生産関数における限界収入に相当し、要素価格は生産関数における限界費用に相当すると考えればわかりやすいだろう。

生産関数における利潤最大化条件 ➡	「限界生産物価値＝要素価格」となるように生産要素投入量を決める

第2章
消費者行動の分析

Registered Management Consultant

本章の体系図

●需要曲線の導出

<消費者行動⇒効用の最大化>

予算制約(線)：実際に購入可能な財の組合せ

無差別曲線：同じ効用水準を得られるような消費の組合せ

⇒ 最適消費点（予算制約内で効用が最大となる消費量の組合せ）の決定

<最適消費点の変化>

①価格の変化による最適消費量の変化（価格消費曲線）

②所得の変化による最適消費量の変化（所得消費曲線）

・所得の増加により消費量増加　⇒　上級財

・所得の増加により消費量不変　⇒　中立財

・所得の増加により消費量減少　⇒　下級財

<スルツキー分解>

財の価格変化

⇒ 代替効果：2財の価格比の変化による最適消費量の変化

⇒ 所得効果：価格変化によって生じた実質所得の変化による最適消費量の変化

価格効果：価格変化による最適消費量の変化

●期待効用仮説⇒不確実性下における消費者行動

期待効用　⇒　効用関数

↓

所得の期待値＝確実性等価＋リスク・プレミアム

本章のポイント

◇ 無差別曲線の効用水準の大小関係はどのようになるか。

◇ 予算制約線はどのような場合にどのようにシフトするか。

◇ 所与の予算制約線と無差別曲線に対し最適消費点はどこにあたるか。

◇ 所得の変化に対して各財の消費量はどのように変化するか。

◇ 需要曲線の傾きと需要の価格弾力性との関係はどのようなものか。

◇ 価格変化に対して、上級財、中立財、下級財（非ギッフェン財）、ギッフェン財は、所得効果、代替効果、価格効果によって消費量がどのように変化するか。

◇ 期待効用仮説について、所得の期待値、確実性等価、リスク・プレミアムはどのように算出するか。

1 効用関数

効用関数とは、財の消費から得られる満足度（効用）を表す関数である。通常、経済学では、消費者の好み（選好）を表現するのに効用関数が用いられる。

1 効用と選好

以下では、消費者の好み（選好）を表すための諸概念について学ぶ。

効用（utility） ➡ 財を消費することから得られる満足度

例　コーヒーを1杯飲むよりも紅茶を1杯飲むほうが満足度が高ければ、「紅茶1杯のほうがコーヒー1杯よりも効用が高い」という言い方をする。

選好（preference） ➡ 人々の好みのこと

例　Aさんにとっては「紅茶1杯のほうがコーヒー1杯よりも効用が高い」が、Bさんにとっては「コーヒー1杯のほうが紅茶1杯よりも効用が高い」というようなとき、「AさんとBさんは違う選好をもっている」という言い方をする。

2 効用関数

選好をより具体的に表現するものとして効用関数が使われる。

❶▶効用関数

効用関数 (utility function)	➡	消費量の組合せからどれだけの効用（満足度）を得ることができるかを表す関数

例　uを効用水準、xをビールの消費量、yをヤキトリの消費量とする。このとき、効用関数を用いれば、効用水準と各財の消費量の関係（つまり選好）を表すことができる。

たとえば次のような効用関数について考える。

$$u=xy$$

この効用関数での各消費パターンからの効用が、図表2－1に示されている。消費パターン*A*は消費パターン*B*、*C*、*D*より低い効用しかもたらさず、*B*、*C*、*D*は同じ効用をもたらす。

図表 [2－1]

消費パターン	x（ビールの消費量）	y（ヤキトリの消費量）	$u=xy$（効用水準）
A	2	2	4
B	2	3	6
C	3	2	6
D	6	1	6

❷▶限界効用

x財の限界効用
(marginal utility：MU_x) ➡ 他の財の消費量を一定に保ったうえで、x財の消費量を１単位増加させたときに上昇する効用の大きさ

例 ビールとヤキトリを消費しているとする。ビールの限界効用が２であるとは、ヤキトリの消費量を一定に保ちつつ、ビールの消費量を１単位増加させたときに効用が２上昇するということを意味する。

3 無差別曲線

効用関数をグラフで表現するために無差別曲線が使われる。

R3 15
R2 14

❶▶無差別曲線

無差別曲線
(indifference curve) ➡ 同じ効用水準を得られる消費量の組合せを結んだ曲線
(地図の等高線、天気図の等圧線と同じようなもの)

例 図表2－2は、図表2－1の数値を基に、選好が効用関数$u=xy$である場合の無差別曲線を図示したものである。無差別曲線U_1は消費パターン*A*と同じ効用水準（＝4）をもたらす消費量の組合せを表している。たとえばビール４杯とヤキトリ１本という組合せ（*E*）は、*A*と同じ４という効用水準を得られるので、U_1上にある。無差別曲線U_2は、消費パターン*B*と同じ効用水準（＝6）をもたらす消費量の組合せを表している。*C*と*D*は*B*と同じ効用水準を得られるので、*B*と同じU_2上にある。同じ無差別曲線上にある消費パターン（つまり同じ効用水準をもたらす消費パターン）を「無差別な消費パターン」という。

図表 [2−2]

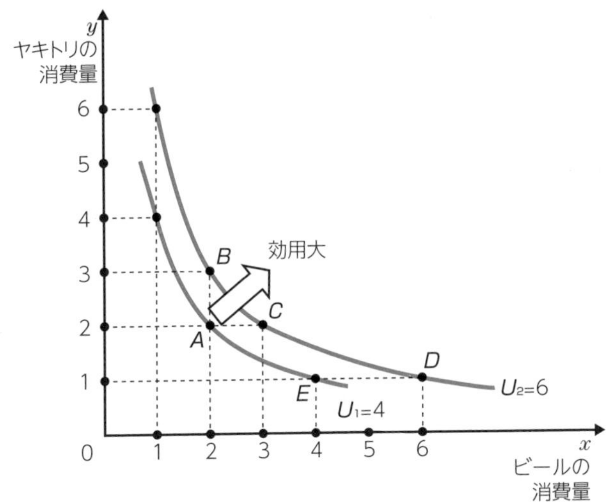

両財の消費量の組合せによって無数の無差別曲線が存在し、より右上にある無差別曲線のほうが効用水準は高くなる（単調性が成立する場合）。

❷▶無差別曲線の形状

1 単調性

単調性とは、「一方の財の消費量を一定とし、他方の財の消費量を増加させた場合に、必ず効用が高くなる」という関係が両財についてつねに成り立つということである。たとえばビールとヤキトリの消費を考えた場合に、ヤキトリの消費量を据えおいて、ビールの消費量が増えた場合には、全体の効用が上昇するということである。

2 単調性が成り立っているケース

単調性が成り立っている（つまり両方の財とも消費量が多いほど効用が高くなる）場合には、無差別曲線は図表2−2のように右下がりになる。これは、一方の財の消費量を増加させたときに効用を元の水準のまま一定に保つには、もう片方の財の消費量を減少させなければならないからである。

3 単調性が成り立っていないケース

単調性が成り立っていないケースの例として、「所得と労働時間の選択」がしばしば取り上げられる。この例では所得の増加は効用を上昇させるが、労働時間の増加は効用を低下させるものと仮定するので、単調性は成り立っていない。このケースでは、無差別曲線は、図表2−3のように右上がりになる。これは、所得を増加させた場合（A→B）に効用を一定に保つには、労働時間を増加させなければならない（B→C）からである。この例では、左上に位置する無差別曲線のほうがより労働時間が短く所得が高くなるため、効用水準は高くなる。

図表 [2−3]

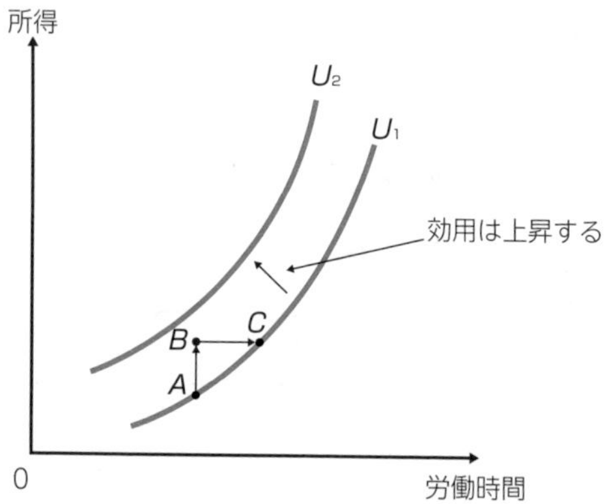

❸▶無差別曲線は交わらない

無差別曲線U_1は効用水準が４、無差別曲線U_2は効用水準が６であるとする。この場合、Bの消費量の組合せは効用水準が４であると同時に６ということになり、矛盾が生じる。したがって、無差別曲線は交わることはないということがいえる。

図表 [2−4]

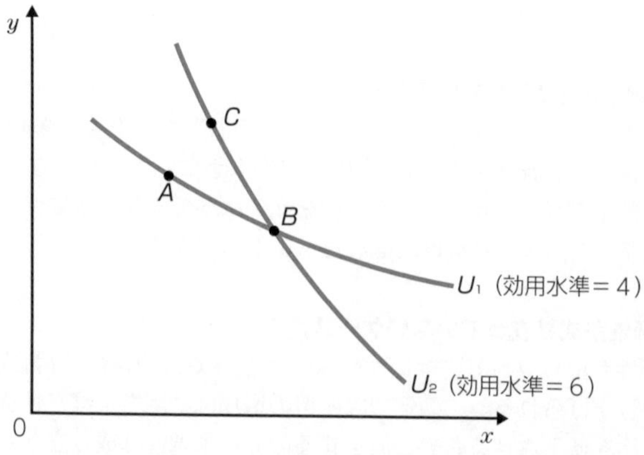

4 限界代替率

❶▶限界代替率

1 限界代替率の定義

X財のY財に対する限界代替率 (marginal rate of substitution：$MRSxy$)	➡	X財を１単位減少させたとき、効用水準を一定に保つために必要なY財の消費の増加量

2 限界代替率の例と解釈

例　ビールのヤキトリに対する限界代替率が２であるとする。これは、ビールを１単位減少させた場合に効用水準を一定に保つには、ヤキトリの消費を２単位増加させなければならないということである。あるいは、１単位のビールを２単位のヤキトリで置き換えても効用は同じということである。

限界代替率（$MRSxy$）は、１単位のx財を何単位のy財で置き換えることができるかということを表す数値であるので、消費者にとっての**y財で測ったx財の価値**というようにも解釈することができる。

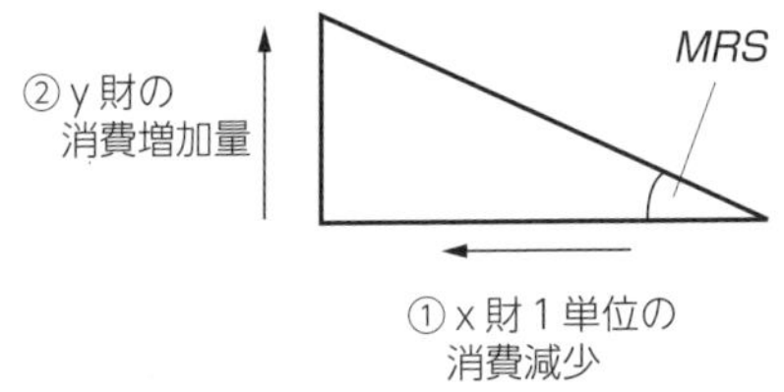

❷▶限界代替率＝無差別曲線への接線の傾き（の絶対値）

限界代替率＝無差別曲線への接線の傾き（の絶対値）

図表2−5で、点Aからx財（ビール）の消費をΔx単位減少させたとする。このとき同じ無差別曲線Uの上にとどまるためには、y財（ヤキトリ）の消費量がΔyだけ増加しなければならない。限界代替率は点Aと点Bを結ぶ直線の傾きの絶対値、つまり$\dfrac{\Delta y}{\Delta x}$で与えられる。ここで、$\Delta x$が十分小さければ（直線ABの長さが限りなく短ければ）、直線ABの傾きは点Aを接点とする無差別曲線への接線の傾きにほぼ等しくなるため、点Aにおける**無差別曲線への接線の傾き（の絶対値）で限界代替率が表される**のである。

図表 [2−5]

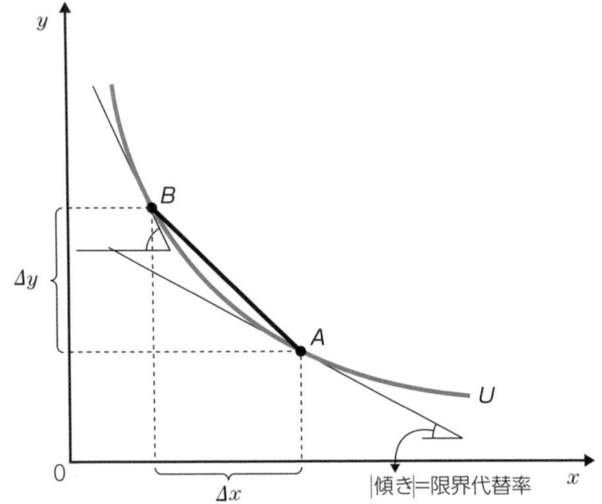

※限界費用や限界生産性での考え方と同様に、点Aの周辺に微小な三角形が描かれることを想定すれば、限界代替率が無差別曲線への接線の傾き（の絶対値）で求められることがわかるであろう。

❸▶限界代替率逓減

1 限界代替率逓減

通常、無差別曲線は、これまでの図のように原点に対して凸の形であると想定される。このグラフの形状は、ビールとヤキトリの例で考えれば、ビールの消費量(x)を増加させヤキトリの消費量(y)を減少させるにつれて、ビールの限界代替率が低下していくことを意味している。この性質を限界代替率逓減という。

無差別曲線が原点に凸 ➡ 限界代替率逓減

2 限界代替率逓減の解釈

ビールの限界代替率は、ヤキトリで測ったビール１単位の価値であるとみなすことができた。この解釈から考えると限界代替率逓減とは、ビールの消費量を増加させヤキトリの消費量を減少させるほど、ヤキトリと比較してビールの価値が低下していくことを意味する。つまり、ビールばかりたくさん消費しているという状態では、もう１杯のビールをもらうよりもヤキトリを１本もらうほうが良いということである。このように、片方の財の消費量を増加させもう片方を低下させるほど、多く消費される財に対する評価が相対的に低くなっていくという性質は、多くの財に関してあてはまると考えられている。このため、通常、限界代替率は逓減していくものと仮定される。

設 例

*A*さんは、夕食時にビールと焼酎を飲むことにしている。*A*さんの効用水準を一定とした場合、ビールを1杯余分に飲むことと引き換えに減らしてもよいと考える焼酎の数量が、徐々に減ることを描いた無差別曲線として、最も適切なものはどれか。〔R元－12〕

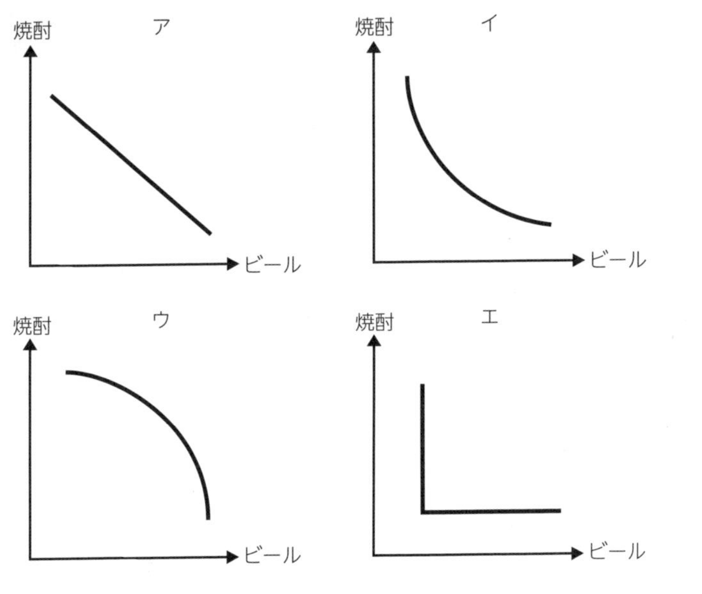

解 答　**イ**

ビールの焼酎に対する限界代替率が逓減している無差別曲線を表しているのはイである。

2 予算制約

これまで見てきたとおり、単調性が成り立つ場合では、各財の消費量を増やせば効用は上昇する。しかしながら、消費者の消費行動は、所得の額によって制約を受けている。ここでは、そのような制約がどう定式化されるかを学ぶ。

1 予算制約線と予算集合

予算制約線は、購入可能な財の組合せを図示するための手段として使われる。

❶▶例

例 本と服の購入

Aさんが、本と服という2つの財の購入を考えており、2つの財に支出できる所得が50,000円であるとする。また、本1冊の価格は2,000円、服1着は5,000円であるとする。このとき、本の数(x)および服の数(y)と予算（所得）の関係は次式のように表すことができる。

$$2{,}000\times x+5{,}000\times y\leqq 50{,}000$$

これは2財への支出額が所得を上回ってはいけないという条件を表す。この条件を**予算制約**（budget constraint）とよぶ。また、予算制約のもとで購入可能な2財の消費量の組合せの集合を**予算集合**という。不等号を等号で置き直し、yについて解くと次のようになる。

$$y=-\frac{2}{5}x+10$$

これはすべての所得を余すところなく使い切った場合に購入できる2財の消費量の組合せを表している。これを**予算制約線**（**予算線**）という。図表2−6の右下がりの直線がこの予算線であり、予算線から左下の三角形の部分が予算集合である。

図表 [2−6]

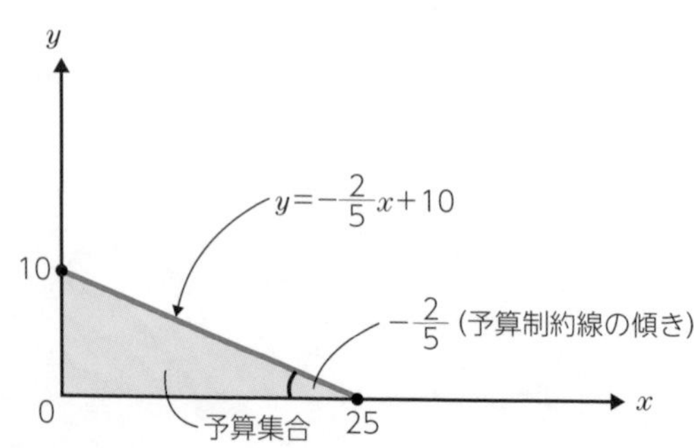

❷ ▶ 予算制約線

次に一般的な形式で考える。X財とY財の価格をそれぞれP_X、P_Y、所得をmとする。このときの予算制約は次のように表すことができる。

$$P_X x + P_Y y \leqq m \qquad \cdots\cdots ①$$

①式をyについて解き、等号で書き直すと予算制約線を求めることができる。

$$y = -\frac{P_X}{P_Y}x + \frac{m}{P_Y} \qquad \cdots\cdots ②$$

予算制約線は、**傾き$-\frac{P_X}{P_Y}$**、**y軸切片$\frac{m}{P_Y}$**、**x軸切片$\frac{m}{P_X}$**の直線である。これを図示したものが図表2－7である。右下がりの直線が予算制約線であり、その左下の三角形の部分が予算集合である。

図表 [2－7]

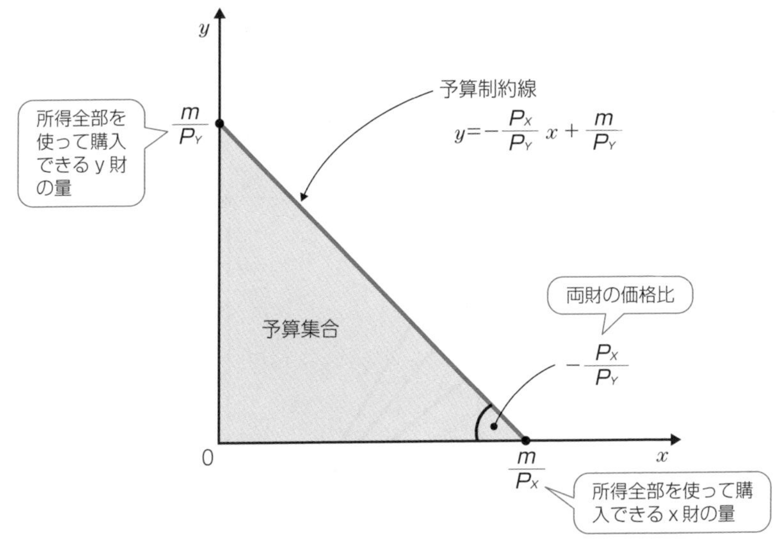

❸ ▶ 予算制約線のシフト　R3 16　R2 13

予算制約はX財とY財の価格P_X、P_Yと所得mに依存しているため、財の価格や所得が変化すると予算制約線もシフトする。

1 X財の価格(P_X)の変化

● P_Xの上昇　→　傾きは急になり、x軸切片は小さくなる。

● P_Xの下落　→　傾きは緩やかになり、x軸切片は大きくなる。

※X財の価格が上昇すると所得全部を使って購入できるX財の量は減るのでx軸切

片は小さくなる。一方、所得全部を使って購入できるY財の量も変わらず、y軸切片は変わらない。

2 Y財の価格(P_Y)の変化

●P_Yの上昇　→　傾きは緩やかになり、y軸切片は小さくなる。

●P_Yの下落　→　傾きは急になり、y軸切片は大きくなる。

※Y財の価格が上昇すると所得全部を使って購入できるY財の量は減るのでy軸切片は小さくなる。一方、X財の価格は変わらないので所得全部を使って購入できるX財の量も変わらず、x軸切片は変わらない。

3 所得(m)の変化

●mの減少　→　傾きは不変、x軸切片とy軸切片が小さくなる。

●mの増加　→　傾きは不変、x軸切片とy軸切片が大きくなる。

※所得（予算）が増えるとX財もY財も共に購入できる量が増加し、予算線が右上にシフトする。所得が減るとX財もY財も共に購入できる量が減少し、予算線が左下にシフトする。

[2−8]

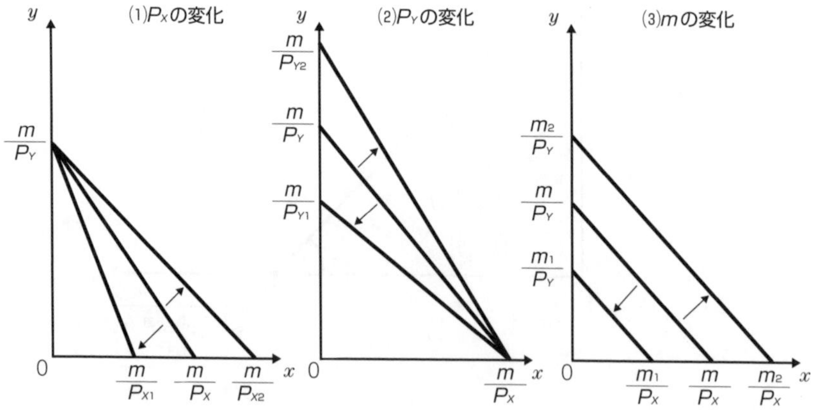

設　例

家計においては、効用を最大化するために、予算制約を考えることが重要となる。この家計は、X財とY財の２財を消費しているものとする。
下図に関する記述として、最も適切なものを下記の解答群から選べ。
〔R2－13〕

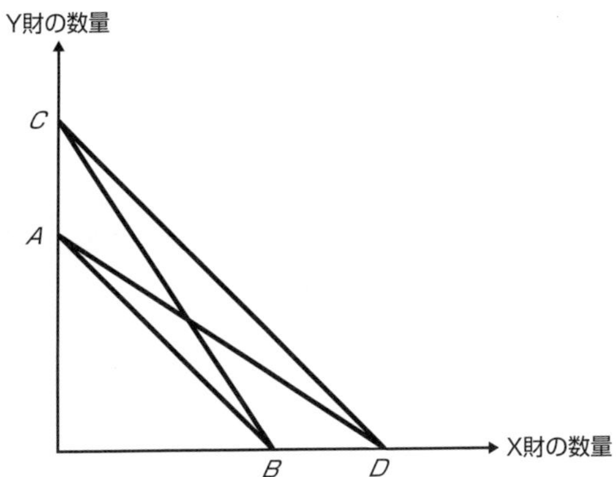

〔解答群〕
ア　予算線*AB*は、この家計の所得とY財の価格を一定としてX財の価格が下落すると、*AD*へと移動する。
イ　予算線*AB*は、この家計の所得を一定としてX財とY財の価格が同じ率で上昇すると、*CD*へと平行移動する。
ウ　予算線*CD*は、この家計の所得が増加すると、*AB*に平行移動する。
エ　予算線*CD*は、この家計の所得とX財の価格を一定としてY財の価格が上昇すると、*CB*へと移動する。

解　答　**ア**
ア　○：正しい。
イ　×：予算線*AB*は、この家計の所得を一定としてX財とY財の価格が同じ率で下落すると、*CD*に平行移動する。
ウ　×：予算線*CD*は、この家計の所得が減少すると、*AB*に平行移動する。
エ　×：予算線*CD*は、この家計の所得とY財の価格を一定としてX財の価格が上昇すると、*CB*へと移動する。

3 効用最大化

効用最大化行動をとる消費者がどのような消費パターンを選択するかを、無差別曲線、予算制約線を用いて明らかにする。単調性が成り立つ場合、消費者はより右上にある無差別曲線上にある消費量の組合せを選択することで効用を上げようとするが、その一方で予算制約も満たさなければならない。よって両者の折り合いがつく消費量の組合せを最適消費点（予算制約内で効用が最大となる消費量の組合せ）として選択する。

1 最適消費点

消費者が図表2－9のU_AからU_Cのような無差別曲線をもち、予算制約線Aに直面していたとする。この消費者にはどのような消費パターン（消費量の組合せ）が最適である（つまり効用を最大化する）のだろうか。なお、予算内で効用が最大化する消費量の組合せを表す点を**最適消費点**とよぶ。

❶▶最適消費点

これまで学習したとおり、効用は大きい順に$U_A > U_B > U_C$となる。ただし消費者は予算制約内の消費量の組合せしか選択できない。より効用が高い消費量を選びたいが、予算制約内にもおさめなければならないという２つの条件を満たすのは、点Aのように**無差別曲線と予算制約線が接する接点**になる。

 [2－9]

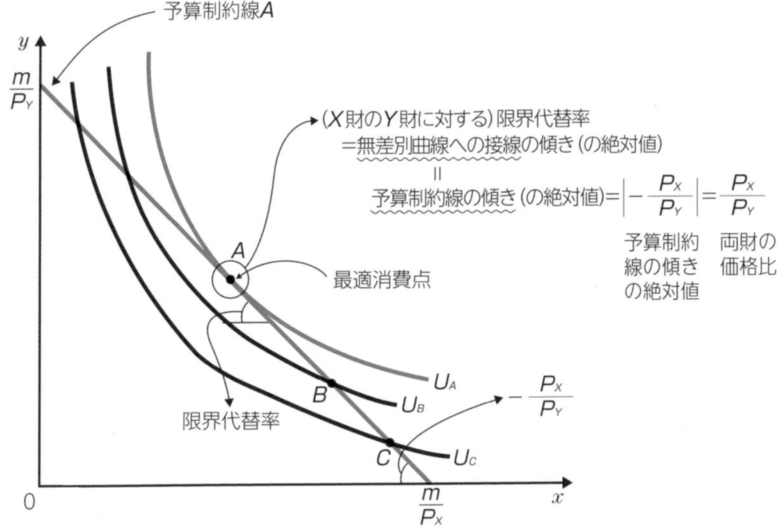

❷▶最適消費点では、「限界代替率＝財の価格比」が成り立つ…………

第１節で学習したように無差別曲線の接線の傾きの絶対値は限界代替率（*MRS*）で与えられ、第２節で学習したように予算制約線の傾きの絶対値は両財の価格比$\frac{P_X}{P_Y}$に等しかった。したがって、無差別曲線と予算制約線が接する点が最適消費点であることから、最適消費点では限界代替率＝財の価格比が成り立つ。

最適消費点　➡　無差別曲線と予算制約線の接点
最適消費点では**限界代替率＝財の価格比**が成り立つ。

4 需要曲線

需要曲線とは、財の価格と最適な消費量の関係を表す曲線である。本節では、効用最大化行動から需要曲線を導出する。

1 個人の需要曲線

X財の需要曲線 (需要曲線)	➡	他の財（Y財）の価格と所得水準を一定としたときの、X財の価格とX財の最適な消費量の関係を表す曲線

図表2－10は、無差別曲線と予算制約線を用いて、X財の需要曲線を導出している。図表2－10(a)において、X財の価格が、Px^{A}、Px^{B}、Px^{C}と下がるにつれ、予算制約線が外側にシフトし、最適消費点はA、B、Cと移動する。最適消費点の横軸からX財の消費量が求められるため、図表2－10(b)のように右下がりの需要曲線が描ける（価格がPx^{A}→Px^{B}→Px^{C}と低下するにつれて、需要量がx^{A}→x^{B}→x^{C}と増加する）。

図表 [2−10]

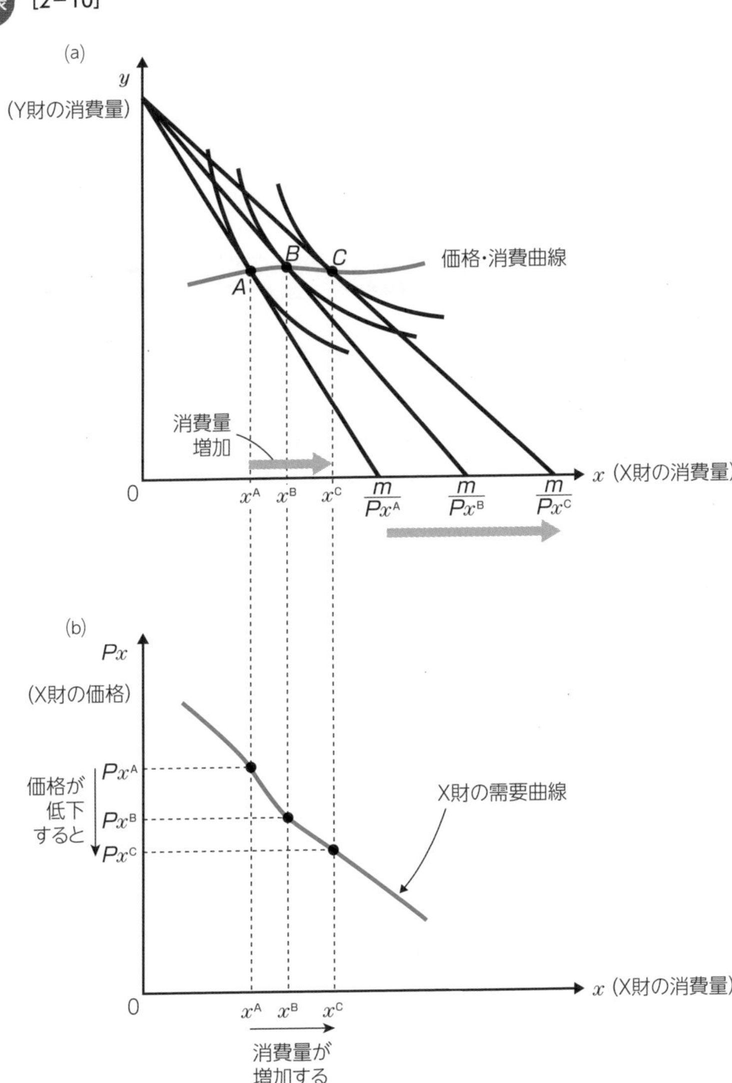

ここでは、1消費者の需要曲線を学習したが、今後は特定の市場全体における需要曲線を扱うことがある。市場全体の需要量は、個々の消費者の需要量の和であり、需要曲線の考え方や形状は1消費者の需要曲線と同様である。

5 需要の所得弾力性

本節では、所得水準の変化が需要量（消費量）に与える効果について学ぶ。所得水準の変化によってどのように需要量が変化するかは、財によって異なり、大きく上級財・中立財・下級財に分かれる。

R3 4

1 需要の所得弾力性

需要の所得弾力性 ➡ 所得が１％変化したときに需要量が何％変化するかを表す

$$\text{需要の所得弾力性}（\eta）=\frac{\text{需要量}(D)\text{の変化率}}{\text{所得}(m)\text{の変化率}}=\frac{\frac{\Delta D}{D}}{\frac{\Delta m}{m}}=\frac{\Delta D}{\Delta m}\times\frac{m}{D}$$

η（エータ）が正なら所得の上昇に対し需要量は増加し、逆に負なら所得の上昇に対し需要量は減少する。

$\eta=2$

所得が１％上昇したときに、需要量が２％増加するということ。

R5 16
R3 17

2 上級財、下級財、中立財

需要の所得弾力性の値によって財は次のように分類される。

ηの値			
$\eta\geqq1$	➡	上級財	奢侈（しゃし）品
$1>\eta>0$			必需品
$\eta=0$	➡	中立財	
$\eta<0$	➡	下級財	

つまり、以下の基準で分類される。

所得の増加で消費量が増える財 ➡ **上級財**（正常財）
所得の増加で消費量が変わらない財 ➡ **中立財**
所得の増加で消費量が減る財 ➡ **下級財**（劣等財）

さらに、上級財は次のように分類される。

需要量（D）の増加率≧所得（m）の増加率	➡	**奢侈品**
需要量（D）の増加率＜所得（m）の増加率	➡	**必需品**

上級財、下級財はそれぞれ「正常財」「劣等財」とよばれることもある。一般に教養、娯楽、レジャーなどが奢侈品にあたり、日用品や水道光熱費が必需品にあたるといわれている。

R6 14

3 所得消費曲線

所得消費曲線 (income consumption curve)	➡	価格を一定に保った状態で、所得のみ変化させた場合に最適消費点がたどる曲線

図表2－11に所得消費曲線が描かれている。価格が一定なので、所得の増加とともに予算制約線は傾き一定のまま外側に平行移動する（M_A→M_B→M_C）。これに対し最適な消費点もA、B、Cと変化していく。所得消費曲線はこれらの点を結んだ曲線ICで表されている。所得の上昇は、点BまではX財の消費量を増加させるが、点Bからは減少させる。よって、この消費者にとって、**X財は点Bまでの所得では上級財（所得の上昇に対して消費量が増加）、点B以上の所得では下級財（所得の上昇に対して消費量が減少）**になっていることがわかる。

※X財の消費量については、グラフのx軸（ヨコ軸）に沿って確認する。Y財の消費量についてはグラフのy軸（タテ軸）に沿って確認する。

※図表2－11はあくまで１つの例である。

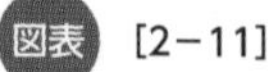

[2−11]

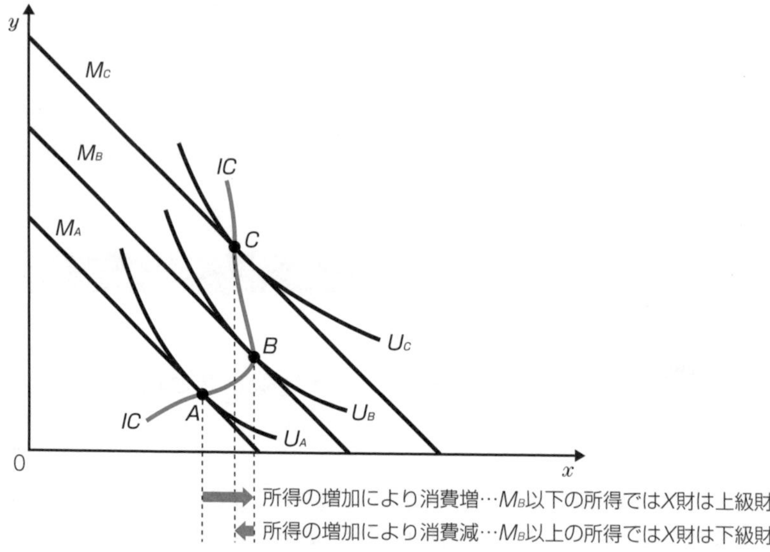

設　例

下図は、2財モデルにおけるある消費者の予算線ABと、それに点Eで接している無差別曲線である。ここで、第1財の消費量をx_1、第2財のそれをx_2とする。この場合、価格が変わらないものとして、所得がY_1、Y_2と増加したときの予算線と無差別曲線との接点を、それぞれE_1、E_2とする。

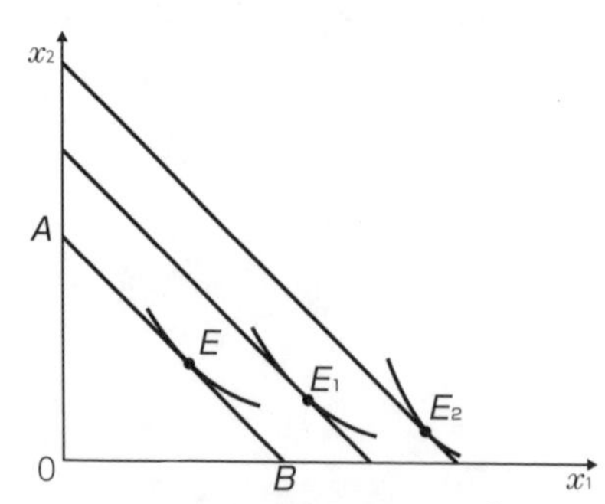

第1財および第2財に該当する財を答えよ。　〔H15−16改題〕

解　答　**第1財：上級財　第2財：下級財**

所得が上昇し予算線が右上にシフトするに応じて、最適消費点が

$E \to E_1 \to E_2$にシフトしている。それぞれの最適消費点に相当する消費量を確認すると、第１財は所得の上昇に対し、消費量が一貫して上昇している。よって上級財であることがわかる。一方、第２財は所得の上昇に対し、消費量が一貫して減少している。よって下級財であることがわかる。

6 需要の価格弾力性

本節では、価格の変化が需要量（消費量）に与える効果を学習する。需要の価格弾力性とは、価格変化に対する需要の反応度合いのことである。

R6 13
R4 14

1 需要の価格弾力性

❶▶需要の価格弾力性

需要の価格弾力性 ➡ 価格が１％変化したときに需要量が何％変化するかを表す

$$需要の価格弾力性(\varepsilon)=-\frac{需要量の変化率}{価格の変化率}=-\frac{\frac{\Delta D}{D}}{\frac{\Delta P}{P}}=-\frac{\Delta D}{\Delta P}\times\frac{P}{D}$$

例　価格が1,000円から1,200円に上昇したとき（価格の変化率＝0.2（20%））、需要量が20,000から14,000へ減少したとする（需要量の変化率＝0.3（30%））。このとき需要の価格弾力性は次のように計算できる。

$$\varepsilon（イプシロン）=-\frac{\frac{14{,}000-20{,}000}{20{,}000}}{\frac{1{,}200-1{,}000}{1{,}000}}=-\frac{\frac{-6{,}000}{20{,}000}}{\frac{200}{1{,}000}}=1.5$$

逆に、価格が1,000円から800円に下落し（価格の変化率＝0.2（20%））、需要量が20,000から26,000に増加したとする（需要量の変化率＝0.3（30%））。このとき需要の価格弾力性は次のように計算できる。

$$\varepsilon=-\frac{\frac{26{,}000-20{,}000}{20{,}000}}{\frac{800-1{,}000}{1{,}000}}=-\frac{\frac{6{,}000}{20{,}000}}{\frac{-200}{1{,}000}}=1.5$$

❷▶需要曲線の形状と需要の価格弾力性

図表2－12には、D_1とD_2という２つの需要曲線が描かれている。ここで、価格がPからP_0へと上昇した場合に、需要曲線D_1よりもD_2のほうが傾きの絶対値が小さいため、同じ価格の上昇に対して需要量の減少幅が大きい。

このことを需要の価格弾力性の式にあてはめて考えると、D_2のほうがD_1よりも

「$-\left(\frac{\Delta D}{\Delta P}\right)$」が大きくなるが、「$\frac{P}{D}$」は$D_1$も$D_2$も同じであることから、$D_2$のほうが$D_1$よりも需要の価格弾力性が大きいことになる。

したがって、**傾きが緩やかな需要曲線ほど、需要の価格弾力性は大きい**といえる。

図表　[2−12]

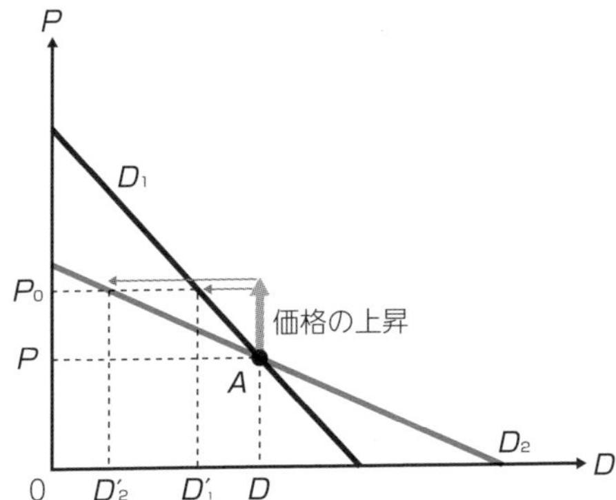

また、**同一需要曲線上における複数の点を比較すると、より左上に位置する点のほうが需要の価格弾力性が大きくなる**。このことは次のグラフを用いて説明することができる。

次図の点Aと点Bを比較した場合、より左上に位置する点Aのほうが需要の価格弾力性が大きくなる。

点Aと点Bにおいて、それぞれ価格が１％低下した場合を考える（価格の変化率＝１％）。もとの価格は、点A＞点Bであるため、もとの価格の１％に相当する金額も点A＞点Bとなる（「P_A-P_A'」＞「P_B-P_B'」）。そして、価格（縦軸）がより低下した（金額ベース）点Aのほうが、需要量（横軸）は大きく増加することとなる。

次に、需要量の変化率を見ていく。もとの需要量は、点Aよりも点Bのほうが多い（$Q_A<Q_B$）。先の説明より、点Bに比べて点Aのほうが需要量が大きく増加する（「$Q_A'-Q_A$」＞「$Q_B'-Q_B$」）。需要の価格弾力性を表す式の分子にあたる需要量の変化率を確認すると、点Aはもとの需要量が点Bよりも少なく、価格低下による需要の増加量は大きくなる。一方、点Bはもとの需要量が点Aよりも多く、需要量の増加量は小さい。つまり、需要量の変化率は、点Bよりも点Aのほうが大きくなる。

いま、需要の価格弾力性を表す式の分母にあたる「価格の変化率」は１％としているため、点Aと点Bでは分母は１％で等しく、分子は点A＞点Bとなり、結果、需要の価格弾力性は点A＞点Bとなる。

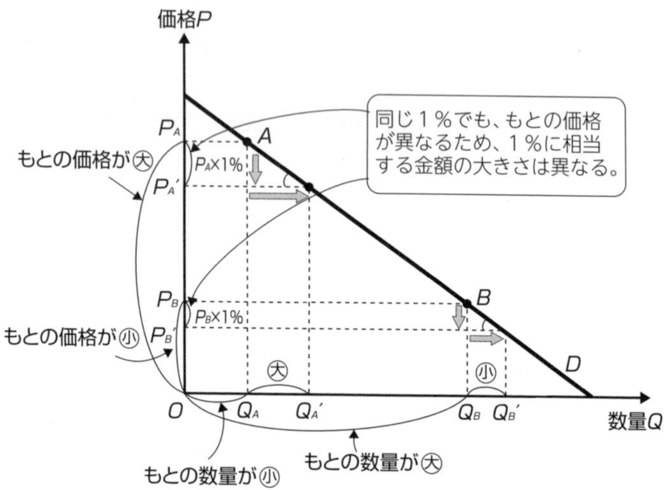

設例

下図でD_AとD_Bは、それぞれ商品Aと商品Bの需要曲線である。このとき、商品Aと商品Bの需要の価格弾力性に関する記述として、最も適切なものの組み合わせを下記の解答群から選べ。　〔H30-12〕

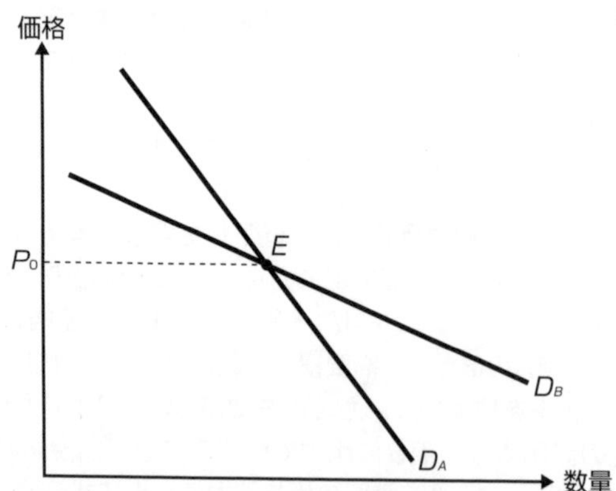

a　価格がP_0から下がると、商品Aの需要の価格弾力性は大きくなる。
b　価格がP_0から上がると、商品Bの需要の価格弾力性は大きくなる。
c　点Eでは、商品Aの需要の価格弾力性は商品Bの需要の価格弾力性よりも大きい。
d　点Eでは、商品Aの需要の価格弾力性は商品Bの需要の価格弾力性よりも小さい。

〔解答群〕
ア　aとc　イ　aとd　ウ　bとc　エ　bとd

解答　エ

a　×：価格がP_0から下がると、商品Aの需要の価格弾力性は小さくなる。「価格がP_0から下がると」という記述より、点Eから、点Eよりも右下の点に移動した場合に、需要の価格弾力性が大きくなるかどうかについて正誤判断が求められている。

b　○：正しい。「価格がP_0から上がると」という記述より、点Eから、点Eよりも左上の点に移動した場合に、需要の価格弾力性が大きくなるかどうかについて正誤判断が求められている。

c　×：商品Aの需要曲線D_Aは商品Bの需要曲線D_Bよりも傾きが急であるため、需要の価格弾力性は小さい。

d　○：正しい。cの解説を参照。

2 代替財と補完財

R4 13
R2 14

X財とY財という2つの財を考える。

Y財の価格の上昇に対して X財の需要量が増加	➡	X財はY財の**代替財**である
Y財の価格の上昇に対して X財の需要量が減少	➡	X財はY財の**補完財**である

性質・用途が似ており、互いに代替物となり得るような財は互いに代替財になると考えられる。他方、一緒に使われないと意味がない財同士は補完財と考えられる。

例　**代替財**

マーガリンとバター。バターの価格が上昇すれば、マーガリンの需要が増加する。コーヒーと紅茶なども。

例　**補完財**

パソコンとソフト。パソコンの価格が上昇しパソコンの需要が減少すれば、ソフトに対する需要も減少する。

代替財のうち、2財の代替関係が一定（限界代替率が一定（第2章第1節参照））のものを**完全代替財**という。完全代替財の例として、千円札と500円硬貨の2財を考える。この２財について、千円札×１枚と500円硬貨×２枚は完全に代替するものである（千円札の500円硬貨に対する限界代替率は２で一定）。

また、補完財のうち、２財が完全な補完関係にあるものを**完全補完財**という。完全補完財の例として、右足の靴と左足の靴を考える。多くの場合、右足の靴と左足の靴は同数ないと効用が得られない。これらは完全な補完関係にあるということができる。この補完関係は必ずしも１対１の関係である必要はなく、車（四輪車）とタイヤであれば、１対４の組合せで補完関係が成立する。

[2−13]

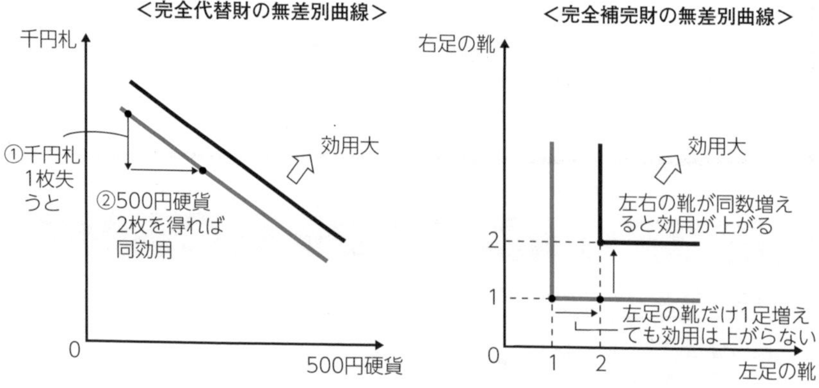

7 代替効果と所得効果

前節で、価格の変化が消費量に与える効果を見たが、これを代替効果と所得効果という２つの効果に分解する（スルツキー分解という）ことで、より深く理解することができる。

R2 15

1 スルツキー分解（代替効果と所得効果）

❶▶価格効果

図表2－14で、X財の価格の低下の効果を考える。これまで見てきたようにX財の価格が下落することで、予算制約線がABからACへシフトし、最適消費点がRからTに移動する。この点Rから点Tへの移動が（一方の財の）価格の変化が（両財の）消費量に与える効果（価格効果）である。**スルツキー分解では、価格効果を代替効果と所得効果の２つに分解して考える。**

図表 [2－14]

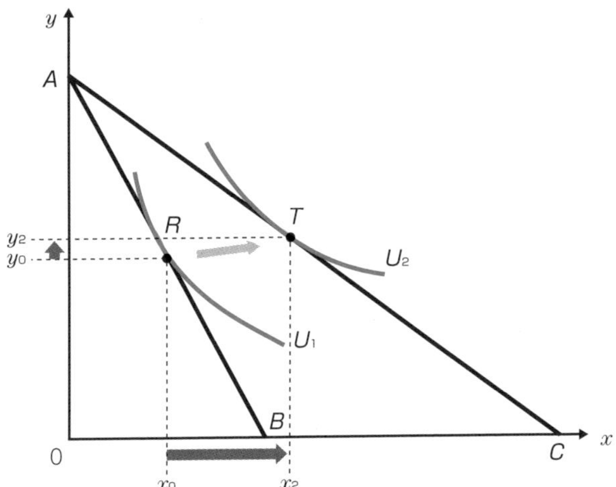

<価格効果の読み取り方>

X財の価格効果：点R→点Tの横軸の変化分（x_0→x_2）

Y財の価格効果：点R→点Tの縦軸の変化分（y_0→y_2）

❷ ▶代替効果

一方の財の価格変化は、もう一方の財との相対的な価格水準の変化という効果をもたらす。つまり、**X財の価格が上昇すればX財がY財と比較して割高になると捉える**。逆に、X財の価格が低下すればX財がY財と比較して割安になると捉える。

たとえば、ある家計が牛肉と豚肉という２つの財の購入を考えていたところ、牛肉の価格が安売りで低下したとする。豚肉自体は価格が変わらなくても牛肉は割安に豚肉は割高になると考える。

この場合、安売りしている牛肉をより多く購入し、豚肉の購入は控えるよう行動を変えるのが普通である。このように牛肉と豚肉の間の相対的な価格が変化することを通じて起こる消費量の変化を**代替効果**という。

代替効果 ➡	（一方の財の）価格変化が（両財の）消費量に与える効果から実質所得の変化による消費量変化の効果を除いたもの。 異なる財の間の相対的な価格水準の変化によりもたらされる効果（消費量の変化）を取り出したもの（２財の価格比の変化による最適消費量の変化）。

❸ ▶所得効果

第２節で学習したように、X財の価格の低下は予算制約線を外側にシフトさせる。この効果は「予算集合を拡大させる」という意味で所得の上昇と同じような効果をもっている。

たとえば、ある家計が牛肉の消費に毎月１万円使っているとする。牛肉の価格が20%低下するならば、0.2万円の支出の節約になる。家計はその節約できた0.2万円を牛肉や他の財の購入にあてることができる。つまり、この牛肉の価格の低下は0.2万円の所得の増加と同じような効果をもつのである。

このように、実際の所得額（名目所得）自体は変化していないにもかかわらず、価格の変化により実質的な所得（実質所得）が変化することで発生する消費量の変化を**所得効果**という。

所得効果 ➡	価格の変化が消費量に対してもたらす効果のうち「実質所得の変化」を通じて生じる効果（実質所得の変化による最適消費量の変化）。

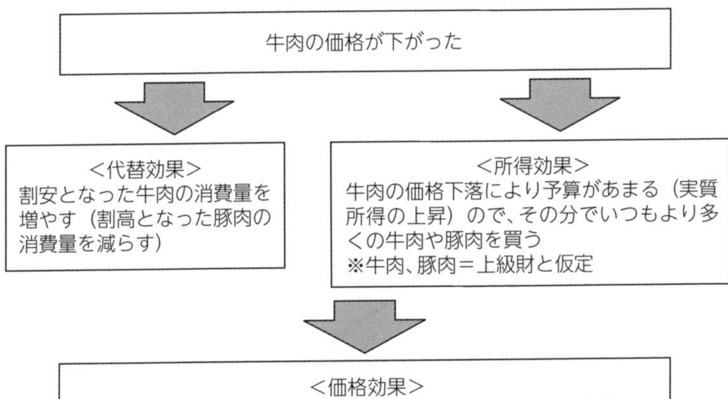

❹▶代替効果、所得効果の図示

次に図表2－15を基に、牛肉（X財）と豚肉（Y財）を例に代替効果と所得効果を図示してみよう。なお、㊐は価格変化前を、㊍は価格変化後を表している。たとえば、㊐予算線は、価格変化前の予算線を表している。

■ 代替効果の図示

R3 16
R2 15

代替効果をグラフ上で示すためには、①効用水準は変わらない、②財の価格比の変化による消費量の変化のみを表現する、という２つの条件を満たせばよい。結論からいうと、代替効果による最適消費点の移動は、図表2－15における点Rから点Sで示され、両財の消費量の変化は以下のように示される。

図表 [2−15]

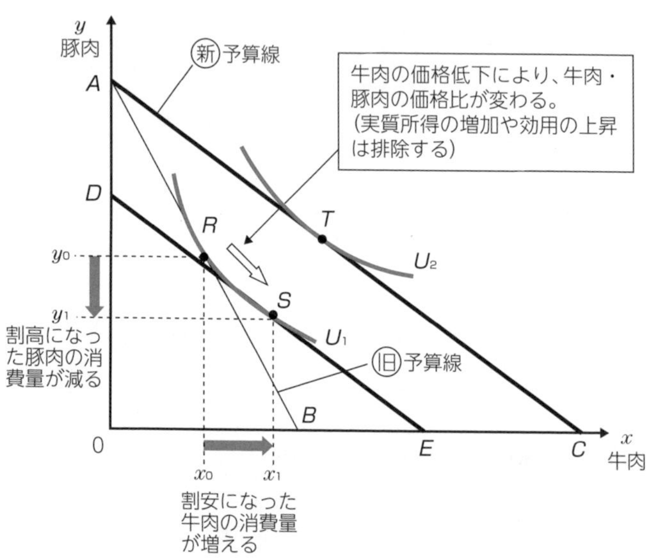

＜代替効果の読み取り方＞

① ㊗予算線（直線AC）と平行となり、㊐無差別曲線（U_1）に接する補助線（DE）を引く

② 補助線（DE）と㊐無差別曲線（U_1）の接点をとる（S点）

③ 点Rから点Sへの変化
X財の代替効果：点R→点Sの横軸の変化分（$x_0 \to x_1$）
Y財の代替効果：点R→点Sの縦軸の変化分（$y_0 \to y_1$）

※予算線の傾きは２財の価格比を表す（第２節参照）。㊗予算線と㊐予算線の傾きの変化は、Y財（豚肉）の価格を一定として、X財（牛肉）の価格が変化（本図では低下）したことにより生じている。

※点Sは、㊗予算線と平行な補助線上にあるため、㊗価格比を反映している。

※点Rと点Sは、同じ無差別曲線上にあるため、効用は同じである。代替効果では、実質所得の増加や効用の上昇による効果は排除される（これらは、後述の所得効果で認識する）。

2 所得効果の図示

R2 15

　所得効果とは、「価格比は不変という条件の下で、実質所得の変化が最適消費点に与える影響」であるが、単純にいえば「価格が変化したことに伴って実質的に変化した予算を使って消費量を変える」ことである。結論からいうと、所得効果による最適消費点の移動は、図表2－16の点Sから点Tで示され、消費量の変化は以下のように示される。

 [2－16]

＜牛肉が上級財だった場合の所得効果＞

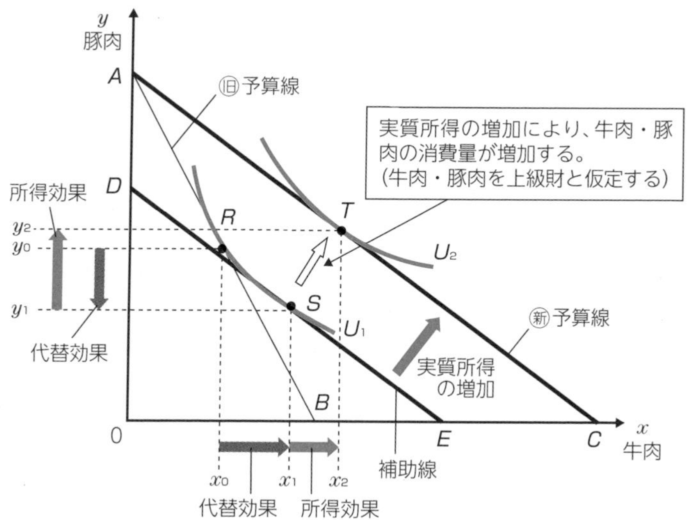

＜所得効果の読み取り方＞

① **代替効果を認識した最適消費点（点S）から、新最適消費点（点T）への変化**

X財の所得効果：点S→点Tの横軸の変化分（$x_1 \to x_2$）

Y財の所得効果：点S→点Tの縦軸の変化分（$y_1 \to y_2$）

※補助線DEと新予算線ACは平行であり、２財の価格比の変化を排除した（代替効果で認識済）実質所得の増加（予算集合の拡大）を示している（第２節参照）。

※実質所得の増加により、効用がU_1からU_2に上昇している（単調性が成り立っていることが前提。第１節参照）。

※財が上級財である場合、実質所得の増加により消費量が増加する（第５節参照）。

❺▶代替効果と所得効果による消費量の変化

R3 16
R2 15

❶ 代替効果

X財とY財のように2つしか財がないケースでは、X財の価格が低下した場合、代替効果は必ずX財の消費量を増加させ、もう一方のY財の消費量を減少させることになる。X財の価格が上昇する場合には逆にX財の消費量を減少させ、Y財の消費量を増加させる。

代替効果では、割安になった財の消費量は増加し、割高になった財の消費量は減少する。代替効果は、財の種類（上級財・中立財・下級財）に依存しない。

R2 15

❷ 所得効果

所得効果に関しては、その財の種類によって効果（消費量の増減）が変わってくる。それぞれの変化は下記のとおりである。

		➡	**上級財なら消費量は増加**
一方の財の価格低下 ➡	**実質所得の増加**	➡	**中立財なら消費量は不変**
		➡	**下級財なら消費量は減少**
		➡	**上級財なら消費量は減少**
一方の財の価格上昇 ➡	**実質所得の減少**	➡	**中立財なら消費量は不変**
		➡	**下級財なら消費量は増加**

図表2－16では、**補助線*DE*から㊪予算線*AC*への実質所得の増加に対しX財の消費量は増加している。これは、X財が上級財であることを意味している。**また、**Y財についても消費量が増加しているため、Y財も上級財**であると解釈することができる。

一方、図表2－17では**実質所得の増加に対しX財の消費量が減少しているためX財は下級財である。Y財は消費量が増加しているため、上級財**となる。

[2−17]

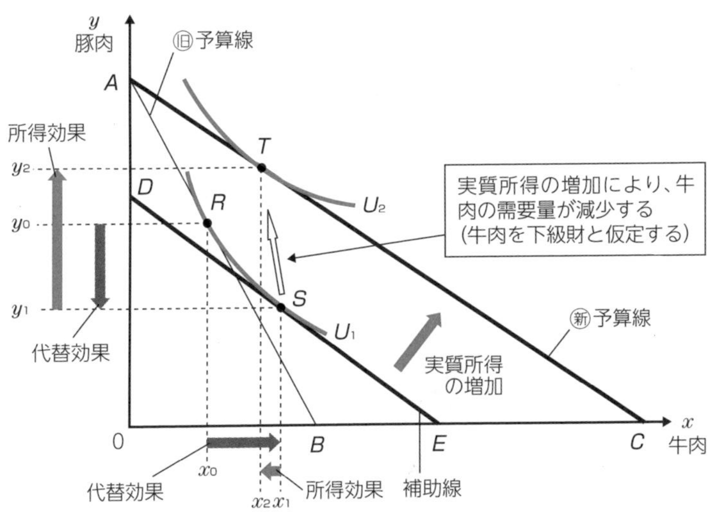

2 ギッフェン財

ギッフェン財とは、スルツキー分解の観点から次のような財のことを表す。

> **ギッフェン財** ➡ ①下級財
> ②代替効果の大きさ＜所得効果の大きさ
>
> ※①と②の両方を満たすことが条件となる。

また、本来**ギッフェン財とは、それ自体の価格の上昇に対し消費量が増加（逆にいえば価格の低下に対し消費量が減少）する財**のことを指す。これはスルツキー分解の考え方により説明することができる。例えば、X財がギッフェン財であり、その価格が上昇したとする（実質所得は減少する）。代替効果では、割高となり消費量は減少する。一方、所得効果では、ギッフェン財は「下級財」であるため実質所得の減少により消費量は増加する。ギッフェン財は「代替効果の大きさ＜所得効果の大きさ」となるため、代替効果による消費量の減少幅よりも所得効果による消費量の増加幅のほうが大きくなる。つまり、代替効果と所得効果を合わせた価格効果としては消費量が増加することとなる。以上より、ギッフェン財はそれ自体の価格の上昇に対し消費量が増加することがわかる。

図表2−18では、所得効果が代替効果を上回っているので、X財がギッフェン財であることがわかる。

仮に下級財であったとしても、所得効果が代替効果より小さければ、点Tは点Rの右側（点Rと点Sの間）にくることになり、ギッフェン財とはならない（単なる下級財）。図表2−17では、図表2−18と同様にX財が下級財となっているが、所得効果の大きさが代替効果の大きさよりも小さいのでギッフェン財にはなっていない。

[2−18]

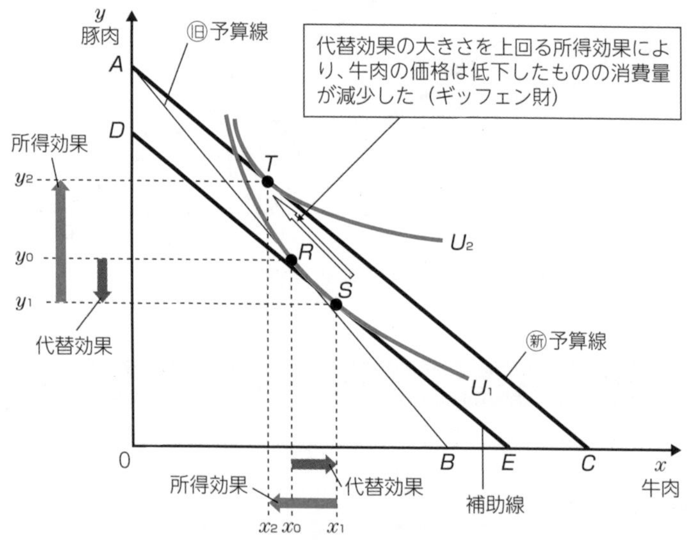

● **財による代替効果と所得効果（まとめ）**

パターン① **X財の価格が低下**、Y財の価格は一定 ⇒ **実質所得の増加**

	代替効果	所得効果	価格効果
X財 （価格低下）	消費量 ↑ （割安）	上級財：増加 ↑ 中立財：不変 → 下級財：減少 ↓ ギッフェン財：減少 ↓↓	上級財：増加 ↑↑ 中立財：増加 ↑ 下級財：増加 ↑ or 不変 → ギッフェン財：減少 ↓
Y財 （価格一定）	消費量 ↓ （割高）	上級財：増加 ↑ 中立財：不変 → 下級財：減少 ↓	上級財：不明 中立財：減少 ↓ 下級財：減少 ↓↓

パターン②　**X財の価格が上昇**、Y財の価格は一定　⇒　**実質所得の減少**

	代替効果	所得効果	価格効果
X財 (価格上昇)	消費量 ↓ (割高)	上級財：減少　↓ 中立財：不変　→ 下級財：増加　↑ ギッフェン財：増加 ↑↑	上級財：減少　↓↓ 中立財：減少　↓ 下級財：減少　↓ or 不変　→ ギッフェン財：増加 ↑
Y財 (価格一定)	消費量 ↑ (割安)	上級財：減少　↓ 中立財：不変　→ 下級財：増加　↑	上級財：不明 中立財：増加　↑ 下級財：増加　↑↑

※X財の価格が一定でY財の価格が変化した場合は、上表のX財とY財を入れ替えれば対応可能。
※表中の「下級財」は、ギッフェン財を除く下級財を指す。また、Y財にギッフェン財が示されていないのは、Y財は「価格一定」が前提だからである。ギッフェン財はそれ自体の価格が変化する場合において定義されるものである。

設　例

下図は、2つの財（X財とY財）のみを消費する消費者の効用最大化行動を描いたものである。当初の予算制約線はABで与えられ、効用を最大にする消費量の組み合わせは、無差別曲線U_1との接点、すなわち座標（G, E）として与えられている。このとき、X財の価格が下落し予算制約線がACへと変化すると、効用を最大にする消費量の組み合わせは無差別曲線U_2との接点すなわち座標（I, D）へと変化する。なお、補助線（破線）は、予算制約線ACと同じ傾きを持ち、無差別曲線U_1と接するものとする。

この図の説明として、最も適切なものを下記の解答群から選べ。

〔H24－17改題〕

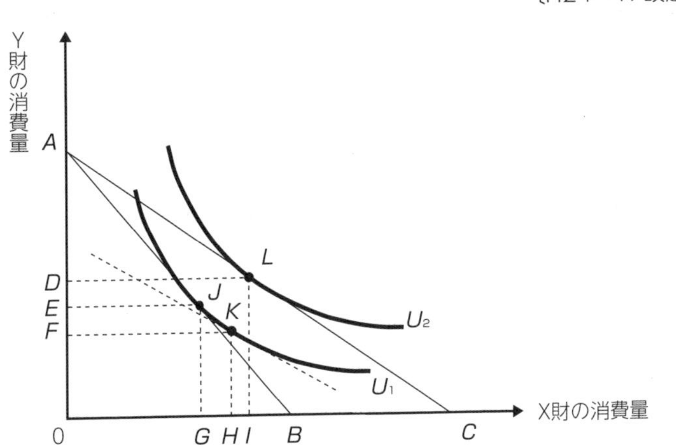

〔解答群〕

ア　X財に生じた所得効果は線分*HI*の長さで測られ、Y財に生じた所得効果は線分*EF*の長さで測られる。

イ　X財の価格の低下は、X財の消費量の減少を引き起こしている。

ウ　X財はギッフェン財である。

エ　Y財に生じた所得効果の絶対値は、Y財に生じた代替効果の絶対値よりも大きい。

オ　座標（*H*, *F*）の効用水準は、座標（*G*, *E*）の効用水準よりも低い。

解　答　**エ**

<手順>

①　価格下落前と価格下落後の予算線、最適消費点を確認する。

②　①により特定した最適消費点のシフト（価格効果）を、代替効果と所得効果の２つに分解する。

価格効果は点*J*→点*L*、代替効果は点*J*→点*K*、所得効果は点*K*→点*L*で示される。

ア　×：Y財に生じた所得効果は線分*DF*の長さで測定される。

イ　×：X財の消費量は線分*GI*の長さに相当する分だけ増加している。

ウ　×：価格低下に対して消費量が増加しており、かつ所得効果で消費量が増加していることからX財は上級財である。

エ　○：正しい。Y財の代替効果の絶対値は線分EFの長さに相当し、所得効果の絶対値は線分*FD*の長さに相当する。

オ　×：両者は同じ無差別曲線上にあり、効用水準は同じである。

設　例

ギッフェン財は下級財であり、価格が低下した場合、代替効果に伴う消費の減少分が所得効果に伴う消費の増加分を上回る。

H23−19　イ改題　（**×**：所得効果に伴う消費の減少分が、代替効果に伴う消費の増加分を上回る。）

R6 15
R5 15
R4 16

参考

等費用線、等産出量曲線（等量曲線）

等費用線と等産出量曲線を使ったモデルでは生産要素を資本と労働の２種類とし、生産要素と生産量の関係を表している。本モデルは企業行動の分析のひとつであるが、２財モデルと対比すると理解しやすいため、本章に掲載している。

等費用線とは一定の総費用のもとで利用できる生産要素（資本と労働）の投入量の組み合わせを表すものである。資本１単位あたりの調達価格をレンタル価格（r）、労働１単位あたりの調達価格を賃金率（w）というが、資本量をK、労働量をLとすると、総費用Cは$C=rK+wL$で表すことができる。これを変形すると

$$K=-\frac{w}{r}L+\frac{C}{r}$$

となる。この数式から、グラフ上では右下がりの直線であり、等費用線のy切片（次図のC_1）は費用のすべてを資本に投入した場合の資本量、x切片（次図のC_2）は費用のすべてを労働に投入した場合の労働量を表すことがわかる。さらに、資本のレンタル価格と賃金率の比を要素価格比率といい、等費用線の傾きの大きさ（絶対値）と等しくなる。

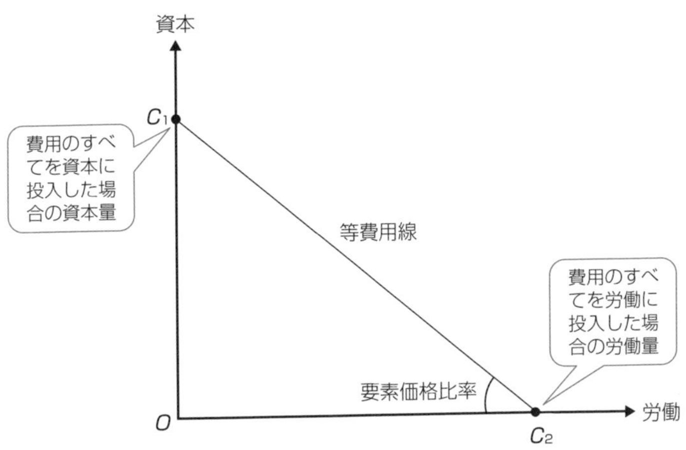

また、等費用線は予算制約線と同様、**レンタル価格が上昇すればy切片は下に移動し、賃金率が上昇すればx切片は左に移動し、総費用が増加すれば右にシフトする。**

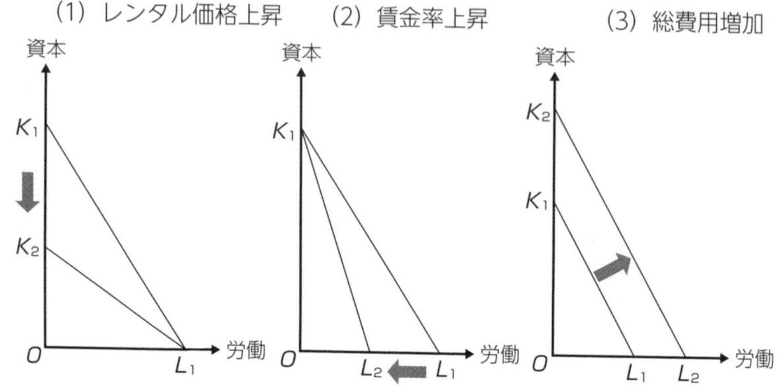

一方、**等産出量曲線（等量曲線）とは、産出量が一定になる資本と労働の組み合わせを結んだ線**である。通常は、資本を減らすと同じ産出量を維持するためには労働を増加させなければならないため、等産出量曲線の形状は右下がりとなる。また、労働投入量が１単位増加したとき、生産量を維持する前提で減らせる資本投入量を、労働の資本に対する技術的限界代替率という。これは、グラフ上では、等産出量曲線への接線の傾き（の絶対値）で表される。さらに、等産出量曲線は無数に存在し、異なる等産出量曲線どうしは交わらない、**右上にある等産出量曲線のほうが、産出量が大きい**（図の$Q_1 < Q_2 < Q_3$）といった特徴がある。

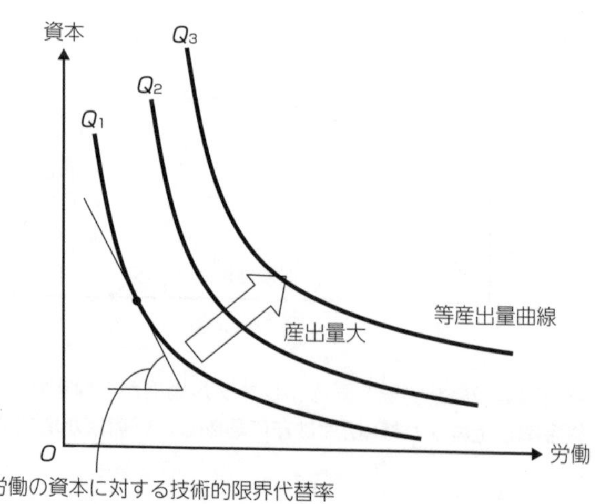

等費用線と等産出量曲線を使って費用最小化点を導出する。次図の３点*A*、*B*、*C*は同じ等産出量曲線上の点であるため、どの点も同じ産出量である。さ

らに、等費用線は右側へ行くほど総費用が大きいため、点Cがこの等産出量曲線上の点で、最も費用が小さい点である。このような点を費用最小化点といい、通常、**等費用線と等産出量曲線の接点**で与えられる。そして、この点において、技術的限界代替率と要素価格比率が一致している。(等産出量曲線の接線の傾きと等費用線の傾きが一 致している。) なお、1つの産出量に対して費用を複数考えることで費用最小化点を導出したが、1つの費用に対して生産量を最大化するケースにも応用できる。

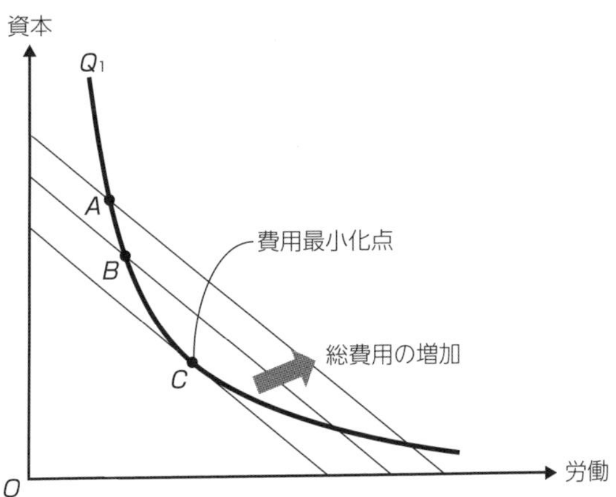

最後に、2財モデルと等費用線、等産出量曲線を使ったモデルの比較をまとめると以下の表のようになる。

2財モデル	等費用線、等産出量曲線を使ったモデル	備考
所得全部を使って購入できるY財の量	費用のすべてを資本に投入した場合の資本量	縦軸の切片
所得全部を使って購入できるX財の量	費用のすべてを労働に投入した場合の労働量	横軸の切片
無差別曲線	等産出量曲線	一般的には右下がり 交わらない
限界代替率	技術的限界代替率	無差別曲線、等産出量曲線への接線の傾きの大きさの絶対値
2財の価格比	要素価格比率	予算制約線、等費用線の傾き
最適消費点	費用最小化点	無差別曲線と予算制約線の接点 等産出量曲線と等費用線の接点

設 例

下図には、等費用線が描かれている。この等費用線に関する記述として、最も適切なものを下記の解答群から選べ。 〔H29－15〕

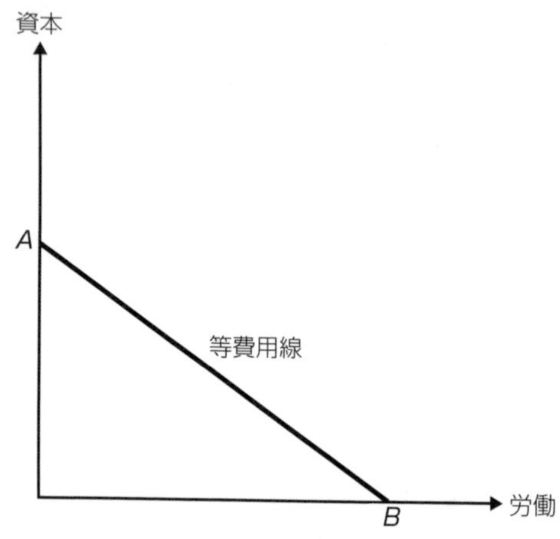

〔解答群〕

ア　資本のレンタル価格が上昇する場合、横軸上の切片*B*は不変のままで、縦軸上の切片*A*が上方に移動する。

イ　縦軸上の切片*A*は、資本の最大投入可能量を示している。

ウ　賃金率が上昇する場合、横軸上の切片*B*は不変のままで、縦軸上の切片*A*が下方に移動する。

エ　費用が減少すると、等費用線は右方にシフトする。

解　答　**イ**

ア　×：資本のレンタル価格が上昇すると、縦軸上の切片*A*は下方に移動する。

イ　○：正しい。

ウ　×：賃金率が上昇すると、横軸上の切片*B*は左方に移動する。

エ　×：費用が減少すると、等費用線は左方にシフトする。

8 期待効用仮説

ここでは不確実性やリスクがある状況下での消費者の行動を考える。不確実な状態とは、将来起こりうる状態が複数あり、それぞれが起こる確率を予測できない状態をいい、リスクがある状態とは、将来起こりうる状態が複数あるが、それぞれが起こる確率を予測できる状態をいう。こうした状況に直面した場合の人々の資産選択を扱ったものとして期待効用仮説がある。なお、ここでは不確実性とリスクの厳密な区別を用いないで説明する。

1 危険回避的、危険愛好的

図表2－19の２つのグラフ（これも効用関数という）は、**危険回避的**（**リスク回避的**）な人と**危険愛好的**（**リスク愛好的**）な人の所得と、その所得から得ることのできる効用を表している。

[2－19]

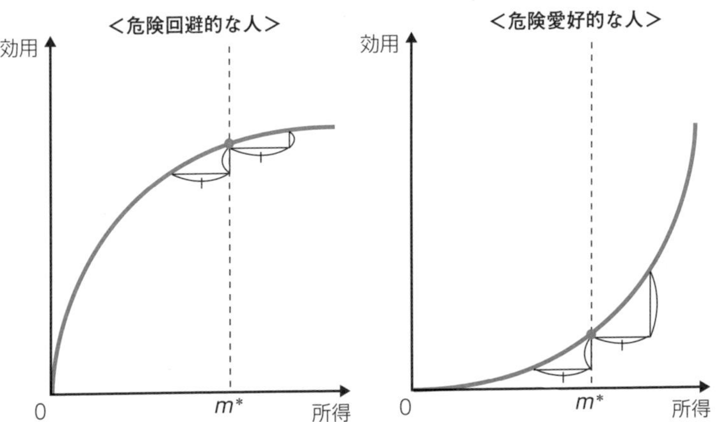

危険回避的な人は、**限界効用**（この場合は所得が１単位増えた場合の効用の上昇分であり、効用曲線の接線の傾きで求めることができる）が低所得の場合に大きく、高所得になるにつれて小さくなっている。逆に危険愛好的な人は、限界効用が低所得の場合に小さく、高所得になるほど大きくなっている。すなわち、**危険回避的な人の限界効用は逓減**し、**危険愛好的な人の限界効用は逓増**することがわかる。経済学等の学問では通常、危険回避的な人間を前提に置く。

※左のような効用関数をもつ人の場合、現在の所得m^*よりも１単位所得が増加してもタテ軸の効用はさほど上昇しないが、現在の所得m^*よりも１単位所得が減少すると効用は大きく減少する。このような人は危険を冒して所得を上げようとするよりも、現在の所得を維持しようとするだろう（危険回避的）。

※右のような効用関数をもつ人の場合、現在の所得m^*よりも１単位所得が増加するとタテ軸の効用は大きく上昇するが、現在の所得m^*よりも１単位所得が減少しても効用はさほど減少しない。このような人は危険を冒して所得を上げようとするだろう（危険愛好的）。

2 期待効用仮説

リスク回避型投資家について考察する際に、確実性等価やリスク・プレミアム（リスク・ディスカウント）という概念が用いられることがある。

❶ 基本的な考え方

次のような例を考えてみる。

資産Ａ：１年後に資産額が100となる確率が50％で、400になる確率も50％である。
資産額の期待値＝100×50％＋400×50％＝250
資産Ｂ：１年後には確実に（100％）資産額が250となる。
資産額の期待値＝250×100％＝250

どちらの資産も１年後の資産額の**期待値**（ある試行を行ったとき、その結果として得られる数値の平均値のこと。「とる可能性のある値×その確率」の和で求められる）は250である。ＡかＢかの選択に直面した場合、多くの人（リスク回避型）はＢを選択するだろう。つまり不確実性を回避するように行動する（仮にＢの資産額が225であったとしてもＢが選ばれることが多いだろう）。

一般に確実に得られうる値は、不確実な変数の期待値より小さくてもよいと評価される。厳密な定義は後述するとして、まずはこの確実に得られうる値のことを**確実性等価**というと考えておけばよい。この例の場合、資産Ａの確実性等価は250より小さい値となる（不確実な250よりも、250を下回っても確実に得られる資産を選択する）。

このことを「**リスク回避者は確実に得られる価値に対して正のプレミアム（割増金）を払う**」と言い換えることができる。このプレミアムを、「**リスク・プレミアム**」という。この例の場合、資産Ａと同等に評価される確実な資産額が仮に225だとしたら、期待値の250との差である25がリスク・プレミアムである。つまりリスク回避者は、リスクが回避されるのであれば、期待値が25下がってもよいと考えるため、リスク・プレミアムを**リスク・ディスカウント**という場合もある。

❷▶確実性等価とリスク・プレミアムの算出

確実性等価の定義は、「不確実性を伴う投資の期待効用（効用の期待値）と効用が等しくなる確実な資産額（期待効用と同じ効用水準を得られる確実な資産の額）」となる。

確実性等価 ➡	「不確実性を伴う投資の期待効用＝確実な資産から得られる効用」を満たす確実な資産額

たとえばある投資家の効用関数が$U=\sqrt{W}$（W＝所得）で表されるとする。この投資家は確率50％で100の、確率50％で400の所得を得るという不確実性に直面しているとする。この場合の期待効用は、$\sqrt{100}\times0.5+\sqrt{400}\times0.5=15$になる。一方、確実性等価$X$は、$15=\sqrt{X}$より、$15^2=225$となる。つまり、不確実な投資（50％で100、50％で400）と確実に225得られる投資はどちらも効用水準が15で同じとなるということである。

一方、**リスク・プレミアム（リスク・ディスカウント額）**は、「不確実性を伴う投資の資産額の期待値と確実性等価との差」と定義される。

リスク・プレミアム （リスク・ディスカウント額） ➡	不確実性を伴う投資の資産額の期待値 －確実性等価

不確実性を伴う投資の資産額の期待値は、「100×50％＋400×50％＝250」であり、確実性等価は225であるため、リスク・プレミアムは「250－225＝25」となる。

【解法の手順】

ある投資家の効用関数が$U=\sqrt{W}$（W＝所得）と表されるとする。この投資家は確率50％で100の、確率50％で400の所得を得るという不確実性に直面している。この場合の確実性等価およびリスク・プレミアムを求めよ。

① **所得の期待値**を求める。
　(所得100×確率0.5)＋(所得400×確率0.5)＝250

② **期待効用**（効用の期待値）を求める。
　(所得100の効用$\sqrt{100}$×確率0.5)＋(所得400の効用$\sqrt{400}$×確率0.5)＝15

③ **確実性等価**を求める。
　効用関数$U=\sqrt{W}$のUに②の期待効用15を代入する。
　$W=15^2=225$

④ **リスク・プレミアム**を求める。
　リスク・プレミアム＝①所得の期待値250－③確実性等価225＝25

図表 [2−20]

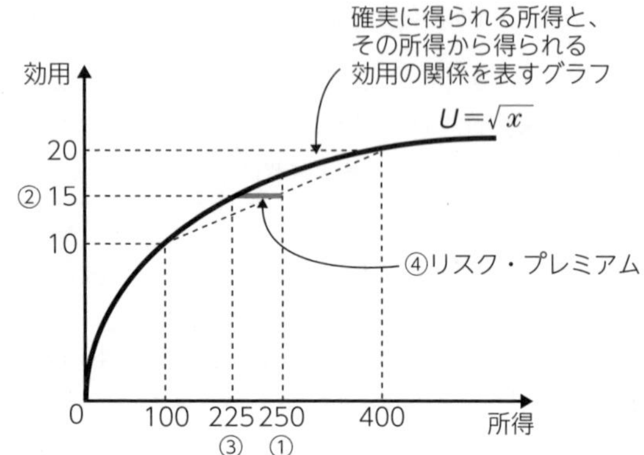
確実に得られる所得と、
その所得から得られる
効用の関係を表すグラフ
効用
$U=\sqrt{x}$
20
② 15
10
④リスク・プレミアム
0
100
225
250
400
所得
③
①

第3章

市場均衡と厚生分析

Registered Management Consultant

本章の体系図

●市場均衡＝需要と供給が一致

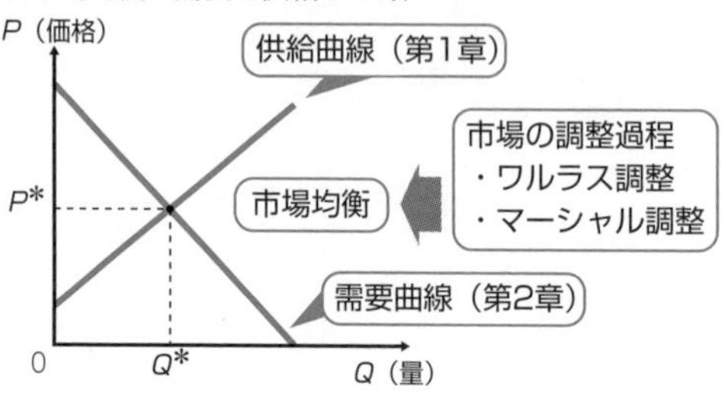

●社会的総余剰＝社会全体での厚生

社会的総余剰＝消費者余剰＋生産者余剰＋政府余剰

<完全競争市場>
社会的総余剰最大化
(パレート効率的)

<政府の介入：課税、補助金交付など>
社会的総余剰は最大化されない

●国際貿易

・国際間分業による貿易の利益　⇒　比較生産費説
・貿易発生時の余剰分析

<自由貿易>
社会的総余剰は最大化

<政府の介入：関税導入など>
社会的総余剰は減少

❗ 本章のポイント

◇ どのような場合に需要曲線（あるいは供給曲線）が右（あるいは左）にシフトし、その結果、市場均衡価格と均衡取引量がどのように変化するか。
◇ ワルラス的調整過程、マーシャル的調整過程の違いは何か。
◇ 所与の需要曲線と供給曲線の状態は、ワルラス的に（あるいはマーシャル的に）安定した（あるいは不安定な）状態なのか。
◇ 所与の図から消費者余剰、生産者余剰、政府余剰、死荷重はどこにあたるのか。
◇ パレート効率的な状態とは何か。
◇ 所与のデータから比較優位にある財は何か。
◇ 関税導入は輸出入や社会的総余剰にどのような影響を与えるのか。

1 市場均衡

本節では、第1・2章で学んだ市場全体での供給曲線、需要曲線を用い、市場で成立する価格と市場での取引量がどう決定されるかを学ぶ。

1 完全競争市場と市場均衡

❶▶完全競争市場

完全競争市場 ➡	消費者も企業もプライステイカー（価格受容者）であるような市場

消費者も企業もプライステイカーであるということは、その市場へ参加する消費者、企業の数が十分に多数であり、かつ個々の参加者の影響力が小さいということである。

❷▶市場均衡

市場均衡 ➡	需要と供給が等しくなるような価格が成立している状態

完全競争市場では、市場が均衡するように価格が決まると想定される。

1 市場均衡の図解

ある財の需要曲線、供給曲線がそれぞれ図表3－1のD、Sのように描けるとする。需要量と供給量が一致し、取引が成立するとき、**市場は均衡している**という。つまり、需要曲線と供給曲線が交わる点Aで均衡しているといえる。点Aを**市場均衡点**、P^*を**市場均衡価格**、Q^*を**均衡取引量**という。

図表 [3－1]

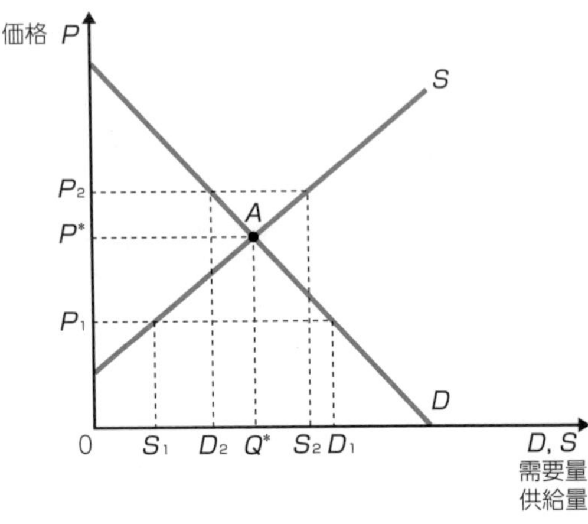

2 不均衡

図表3－1で、価格がP_1の場合には、需要量（D_1）と供給量（S_1）は一致せず、（D_1-S_1）分の超過需要が発生している。同様に価格がP_2の場合には、（S_2-D_2）分の超過供給が発生している。このような状態を、市場は均衡していない、あるいは不均衡状態にあるという。

R5 12
R4 13
R3 13
R3 14

2 需要、供給曲線のシフトによる均衡の変化

需要、供給曲線が変化すれば均衡点も変化する。以下では、さまざまな要因に対し市場均衡がどう変化するかを学習する。

❶▶需要曲線のシフト

需要曲線がシフトする要因として次のようなものがある。

1 所得水準の変化

上級財のケースは、以下のとおりである。

所得増	➡	**需要増**	➡	**需要曲線右シフト**	➡	**均衡価格上昇** **均衡取引量増加** (図表3－2(a))
所得減	➡	**需要減**	➡	**需要曲線左シフト**	➡	**均衡価格低下** **均衡取引量減少** (図表3－2(b))

下級財のときには、逆の効果になる。

2 他の財の価格の変化

他の財（代替財）の価格上昇	➡	当該財の需要増	➡	需要曲線右シフト	➡	均衡価格上昇 均衡取引量増加 （図表3－2(a)）
他の財（補完財）の価格上昇	➡	当該財の需要減	➡	需要曲線左シフト	➡	均衡価格低下 均衡取引量減少 （図表3－2(b)）

❷▶供給曲線のシフト

1 技術進歩

技術進歩	➡	生産費用（限界費用）低下	➡	供給増	➡	供給曲線右シフト	➡	均衡価格低下 均衡取引量増加 （図表3－2(c)）

2 生産要素価格の変化

生産要素価格の上昇	➡	生産費用（限界費用）上昇	➡	供給減	➡	供給曲線左シフト	➡	均衡価格上昇 均衡取引量減少 （図表3－2(d)）

[3－2]

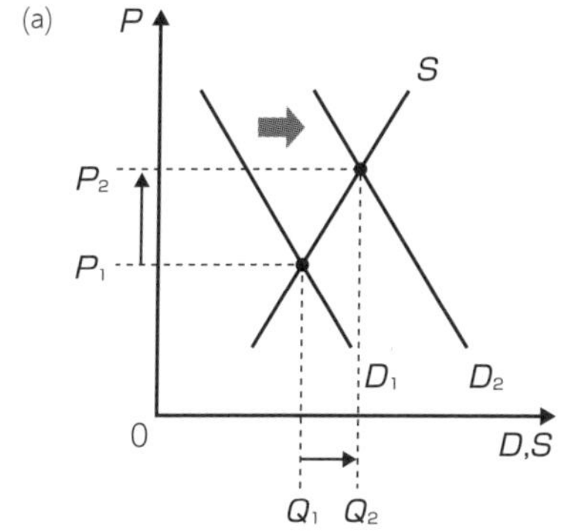

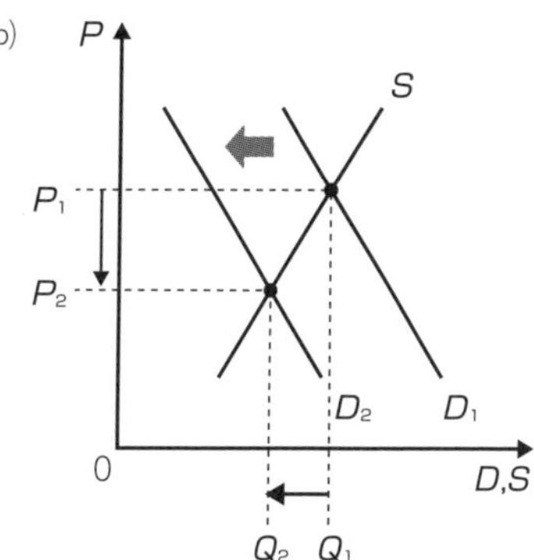

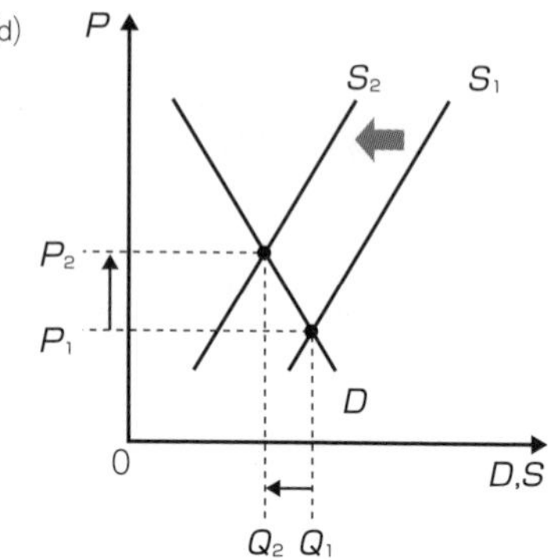

設例

次のうち、ある財の需要曲線をシフトさせないものはどれか。

〔H17－9改題〕

ア　一時的な所得があった時
イ　所得が下がった時
ウ　代替財の価格が変化した時
エ　当該財に関する嗜好が変化した時
オ　当該財の価格が変化した時

解　答　**オ**

まずどのような場合が「曲線上の均衡点の移動」であり、どのような場合が「曲線自体の移動（シフト）」であるのかを確認する。

・縦軸、横軸のうち、一方の数量（数値）の変化による他方の数量（数値）の変化は、曲線上の移動である。

・縦軸、横軸以外の数量の変化により、縦軸や横軸の数量が変化するとき、曲線自体がシフトする。

ア　×：縦軸、横軸以外の数量の変化である。たとえば上級財の場合、一時的な所得があれば、同じ価格であっても需要量は増加するであろう。

イ　×：縦軸、横軸以外の数量の変化である。たとえば上級財の場合、所得が下がれば、同じ価格であっても需要量は減少するであろう。

ウ　×：縦軸、横軸以外の数量の変化である。代替財の価格の上昇（低下）があれば、同じ価格であっても需要量は増加する（減少する）であろう。

エ　×：縦軸、横軸以外の数量の変化である。当該財の嗜好が変化したのであれば、同じ価格であっても需要量は変化するであろう。

オ　○：正しい。縦軸、横軸のうち、一方の数量の変化による他方の数量の変化である。価格が上昇すれば（低下すれば）、需要量は減少する（増加する）であろう（ギッフェン財等を除く）。

2 市場の調整過程

均衡が成立していない（つまり、不均衡状態にある）とき、どのように均衡に調整されていくのかということについてはいくつかの考え方がある。ここでは価格によって需給が調整されるというワルラス的調整過程と、供給量の変化によって需給が調整されるというマーシャル的調整過程を学習する。

1 ワルラス的調整過程

ワルラス的調整過程は**価格**の変化による以下のような調整過程である。

状態		調整過程
供給量＞需要量（超過供給）	➡	**価格が低下していく**
需要量＞供給量（超過需要）	➡	**価格が上昇していく**

ワルラス的調整過程では、供給量が需要量を上回っているときには売れ残りを生じさせないように価格が低下し（安くしないと売り切ることができない）、逆に、需要量が供給量を上回っているときには品不足となるので価格が上昇するというように調整が行われる（価格を上げても買ってくれる人がいる）。

図表3－3でP_1という価格が成立しているとする。このとき市場は超過供給の状態にあるため、価格は低下し、P^*に近づいていく（結果、需給差は縮小する）。逆に、P_2という価格が成立している場合は超過需要であるため、価格は上昇していく（結果、需給差は縮小する）。

図表 [3−3]

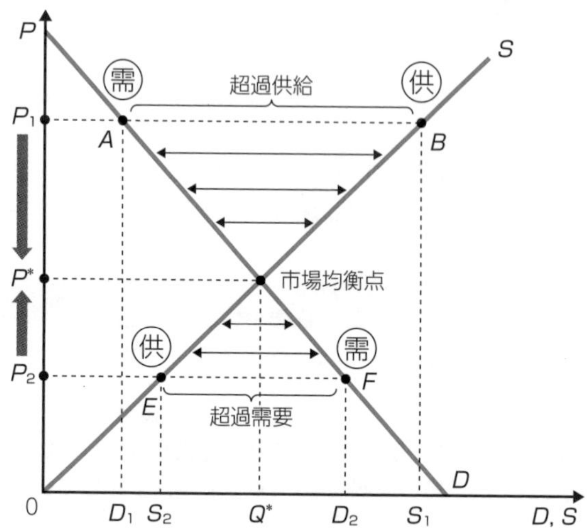

2 マーシャル的調整過程

次に、**供給量**の変化による調整過程であるマーシャル的調整過程を見る。

❶▶需要者価格と供給者価格

1 需要者価格と供給者価格

図表3−4である供給量S_0をとる。そして、需要曲線、供給曲線において、S_0に対応する価格を、それぞれP_D、P_Sとする。P_Dを**需要者価格**、P_Sを**供給者価格**という。

図表　[3－4]

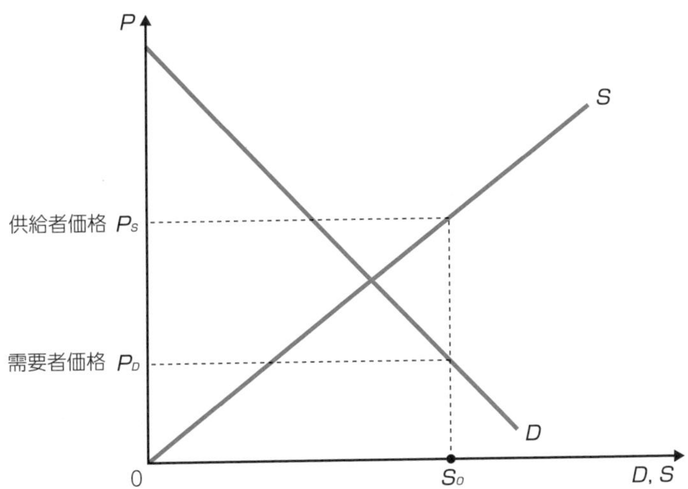

供給者価格（P_S）	➡	S_0に対し生産者が最低限支払ってほしい価格 **（生産者が希望する販売価格）**
需要者価格（P_D）	➡	S_0に対し消費者が支払ってもよいと考える価格 生産者は、この価格で販売することができる **（実際の購買（販売）価格）**

市場価格の決定には供給者ではなく需要者がポイントとなる。もし供給者が高い価格で売りたいと思っても、需要者がその価格に納得しなければその製品は売れないことになる。一方、供給者が低い価格をつけたとしても需要者がより高い価格で購入する意思があるのであれば、供給者はあえて低い価格に設定せず、需要者が許容する価格で販売するであろう。したがって、需要者価格が実際の購買（販売）価格になるのである。

❷▶マーシャル的調整過程

マーシャル的調整過程とは数量（供給量）の変化による次のような調整過程である。

状態		調整過程
需要者価格（P_D）＞供給者価格（P_S）	➡	**供給量を増加させる**
供給者価格（P_S）＞需要者価格（P_D）	➡	**供給量を減少させる**

需要者価格は実際の販売価格を表すので、需要者価格＞供給者価格ということは、生産者の売りたい価格よりも高い価格で販売できるということを意味している。このため、生産者は供給量を増加させる。一方、供給者価格＞需要者価格のときは、生産者が売りたい価格よりも低い価格でしか販売できないので、生産者は供給量を減少させる。

図表3−5で、S_2の供給量が成立していたとする。このとき、需要者価格P_{D2}が供給者価格P_{S2}を上回っているため、生産者は供給量を増加させる（結果、価格差は縮小する）。逆に、S_1という供給量が成立しているときには、需要者価格（P_{D1}）＜供給者価格（P_{S1}）であるため、生産者は供給量を減少させる（結果、価格差は縮小する）。

図表 [3−5]

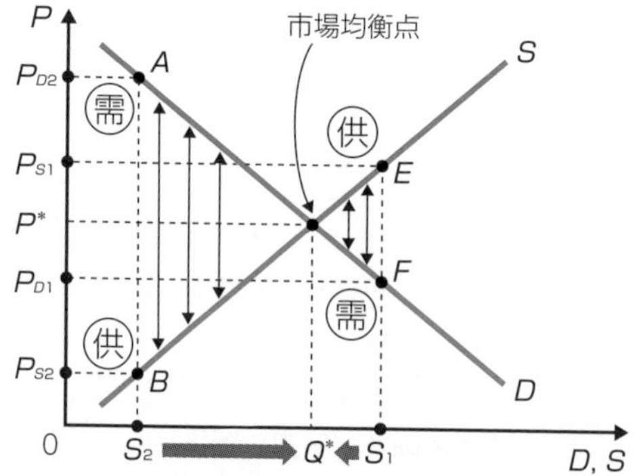

3 市場の不安定

市場均衡とは、市場における需要量と供給量が等しい状態をいう。そして、経済が均衡状態から外れたときに**再び均衡状態に戻る力が働き、最終的に均衡状態になる**とき、「市場は**安定的**」であるという。反対に、経済が均衡状態から外れたときに再び**均衡状態に戻る力が働かず、最終的に均衡状態に戻らない**とき、「市場は**不安定**」という。

ワルラス的に安定している例

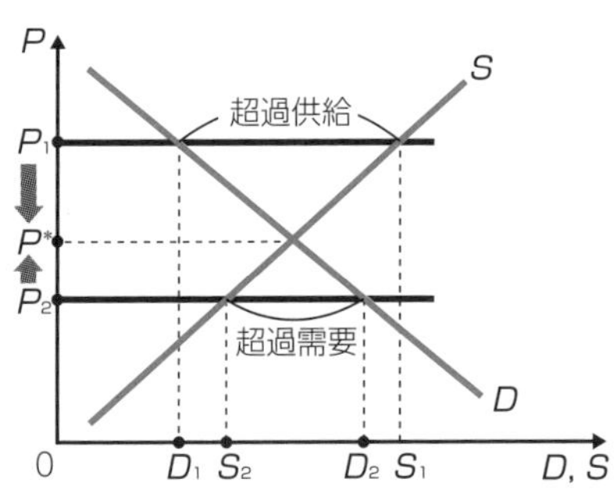

ワルラス的に不安定な例

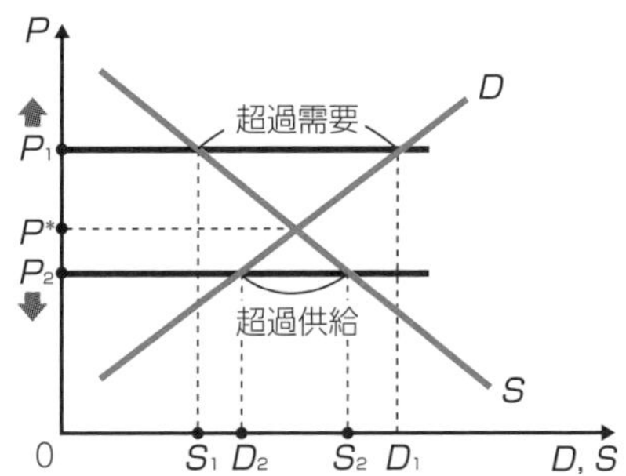

右のグラフを見ると、P_1という価格においては超過需要（$S_1<D_1$）が生じており、価格はP^*に向かうのではなく上昇してしまい均衡状態に戻る力が働かない。一方、P_2という価格においては超過供給（$D_2<S_2$）が生じており、価格はP^*に向かうのではなく下落してしまい均衡状態に戻る力が働かない。

〈ワルラス的に「安定」か「不安定」かの判断手順〉

① 均衡していないある水準の価格を基準として、図にある黒の太線のような横線を引く。

② 引いた横線と需要曲線および供給曲線との交点から得られる需要量（横線と需要曲線との交点）と供給量（横線と供給曲線との交点）の大小関係を把握する。

③ ワルラス的調整過程の結果、均衡価格に向かえば「ワルラス的に安定」、均衡価格から離れれば「ワルラス的に不安定」と判断できる。

●ワルラス的調整過程

供給量＞需要量（超過供給）→価格が低下していく

需要量＞供給量（超過需要）→価格が上昇していく

マーシャル的に安定している例

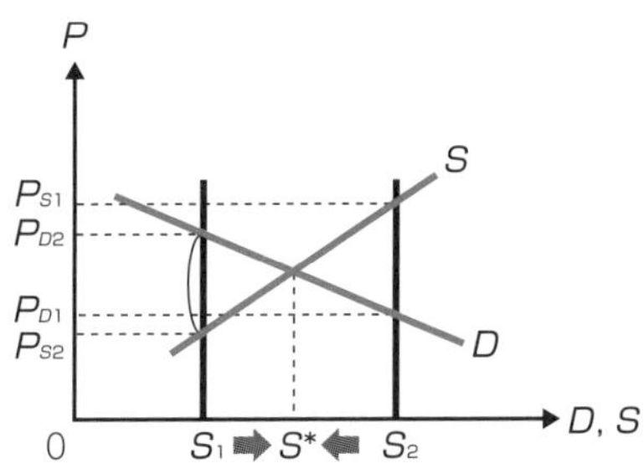

マーシャル的に不安定な例

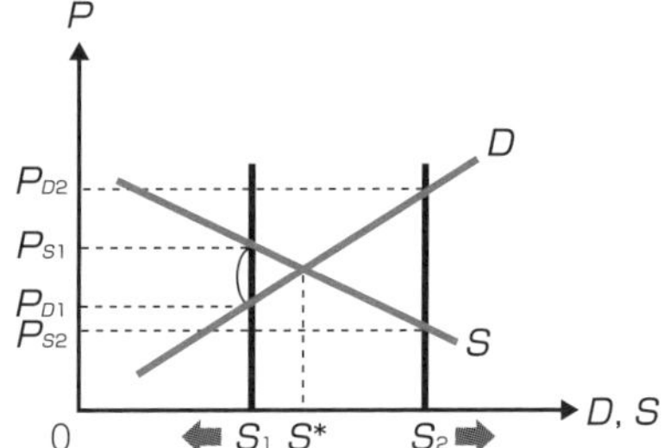

右のグラフを見ると、供給量S_1においては供給者価格が需要者価格を上回っている（$P_{D1}<P_{S1}$）ため供給量は減少し、均衡取引量（S^*）から離れていく。供給量S_2においては需要者価格が供給者価格を上回っている（$P_{D2}>P_{S2}$）ため供給量が増加し、均衡取引量（S^*）から離れていく。

〈マーシャル的に「安定」か「不安定」かの判断手順〉

① 均衡していないある水準の供給量を基準として、図にある黒の太線のような縦線を引く。

② 引いた縦線と需要曲線および供給曲線との交点から得られる需要者価格（縦線と需要曲線との交点）と供給者価格（縦線と供給曲線との交点）の大小関係を把握する。

③ マーシャル的調整過程の結果、均衡取引量に向かえば「マーシャル的に安定」、均衡取引量から離れれば「マーシャル的に不安定」と判断できる。

●マーシャル的調整過程

需要者価格＞供給者価格→供給量を増加させる

供給者価格＞需要者価格→供給量を減少させる

設 例

下図には、相対的に緩い傾斜の需要曲線が破線で描かれ、相対的に急な傾斜の供給曲線が実線で描かれている。これら需要曲線と供給曲線の交点は、点Eとして与えられている。この図に関する説明として、下記の文章の正誤判定をせよ。　〔H28－14改題（イ・ウ省略）〕

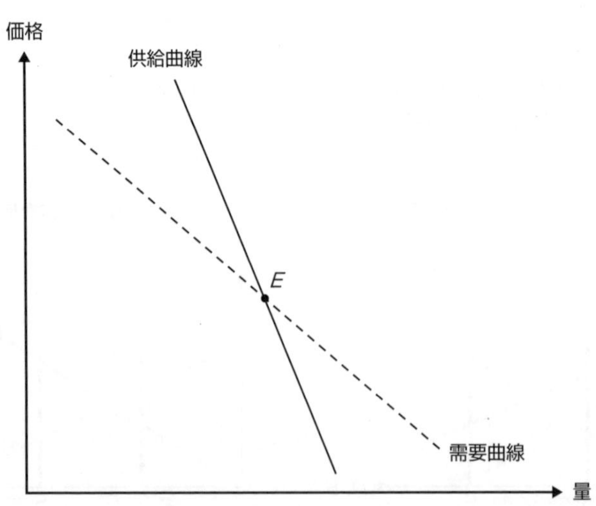

〔解答群〕

ア　供給曲線が右下がりであるため、ワルラス的調整を通じて点Eへ収束する力は働かない。

エ　交点よりも数量が少ないとき、供給価格が需要価格よりも高いため、マーシャル的な数量調整を通じて点Eへ収束する力が働く。

解　答　ア：×　エ：×

ア：均衡点Eに対応する価格より高い場合、「供給量＞需要量」となり、超過供給が生じる。この場合、価格は下落し均衡価格に向かって調整される。つまり、「ワルラス的に安定」といえる。なお、均衡点Eに対応する価格より低い場合、「供給量＜需要量」となり、超過需要が生じる。この場合、価格は上昇し均衡価格に向かって調整される。

エ：均衡点Eに対応する生産量より少ない場合、「供給者価格＞需要者価格」となる。この場合、生産者は生産量を減少させるため、均衡取引量に収束しない。つまり、「マーシャル的に不安定」といえる。なお、均衡点Eに対応する生産量より大きい場合、「供給者価格＜需要者価格」となる。この場合、生産者は生産量を増加させるため、均衡取引量に収束しない。

3 余剰分析

本節では、消費者、生産者（企業）の厚生を測る指標として使われる消費者余剰、生産者余剰という概念について学ぶ。また、余剰を用いて政策の効果を分析する。なお余剰とは「取引による利益」ととらえればよい。社会全体での余剰（社会的総余剰）は、完全競争市場の場合が最も大きくなる。政府の介入が見られる場合や不完全競争（後述）の場合は、それよりも社会的総余剰が小さくなる。

R5 12
R4 11
R3 20
R2 12

1 消費者余剰

❶▶需要曲線の別の解釈

1 需要曲線＝消費者が支払うつもりのある額

例　自動車に対する需要が次の表で与えられているとする（図表3−6も参照）。

価格（万円）	300	250	200	150	100
需要量（台数）	1	2	3	4	5

図表 [3−6]

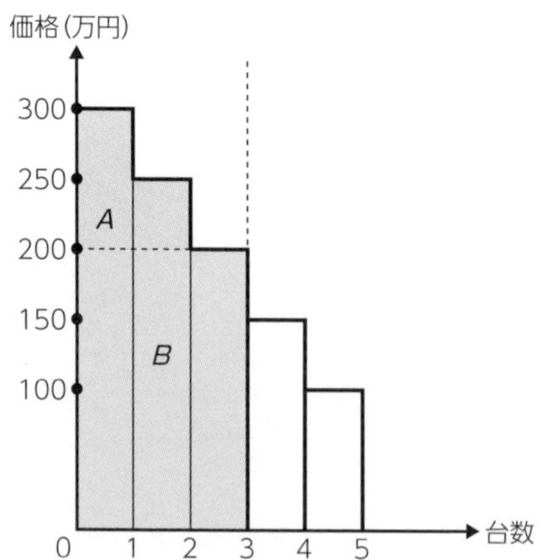

図表3−6は、需要曲線をより具体的な数値をもとに棒グラフで示したものである。この自動車について、価格が300万円では１台の需要が発生し、250万円になるともう１台の需要が発生して需要量は合計で２台となる。このように価格が下がるほど、「この価格だったら買ってもよい（対価を支払って購入する意思がある）」

と考える人が増加することで需要量が増えていくこととなる。そして、需要曲線の高さは次のように解釈することができる。

需要曲線の高さ　➡　消費者が支払うつもりのある額

※需要曲線の見方に注意すること。「価格が300万円で１台の需要、価格が250万円で２台の需要があるので、価格が250万円なら市場全体で３台需要がある」ということではない。「価格が300万円なら市場全体で１台の需要がある。価格が250万円であれば、市場全体では300万円支払ってもよいと考える人（１人）に加えて、250万円なら支払ってもよいと考える人（１人）が現れ、合計２台の需要が発生している」こととなる。

2 需要曲線の下の面積

図表3－6において、200万円という価格が成立しており（市場均衡価格＝200万円）、３台が消費されているとしよう。このとき、この３台全体に対し、消費者の支払うつもりのある総額は、300＋250＋200＝750(万円)と求められる。これは、３台までの需要曲線の下側の面積（$A+B$）に等しい。

需要曲線の下、需要量より左の面積 ($A+B$)	➡	**消費者が支払うつもりのある総額**

❷▶消費者余剰

1 消費者余剰

消費者余剰	➡	消費者が支払うつもりがある額と、実際に支払った額の差額のこと（≒消費者が支払わなくて済んだ金額の合計）

支払うつもりのある額とは、言い換えれば、消費者の財に対する評価（**便益**：効用を貨幣評価したもの）を表している。よって、消費者余剰が大きいとは、高く評価している財を少ない支払いで購入することができたということを意味する。このように、**消費者余剰の大きさは、消費者が受ける正味の便益の大きさを表現しているもの**と解釈できるため、消費者の厚生を表す１つの指標として使われる。

数値例

図表3－6において200万円という価格が成立しているときの消費者余剰を計算する。

消費者余剰＝消費者の支払うつもりの額－実際に支払う額
＝(300＋250＋200)－200×３
＝150(万円)

2 消費者余剰の図示

図表3－6で、消費者余剰の大きさを求める。まず、支払うつもりのある額は、棒グラフの面積に等しいので、*A*と*B*の面積の和となる。一方、実際に支払った額600万円は、図の*B*の面積に相当する。よって、消費者余剰は、*A*の面積に相当する。

❸▶需要曲線と消費者余剰

通常使われる滑らかな需要曲線にも同じ考え方を適用すればよい。たとえば、図表3－7で価格P_1が成立しているとき（需要量はD_1）の消費者余剰は、*A*の面積で与えられる。

 [3－7]

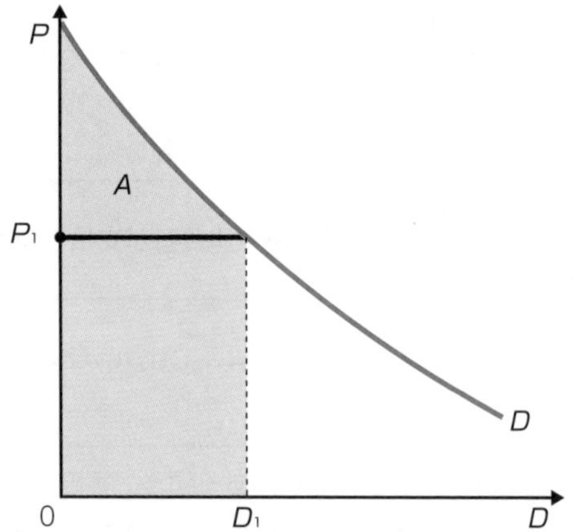

消費者余剰の大きさ ➡ 需要曲線より下、価格より上、取引量より左の面積

設　例

下図には、需要曲線が描かれている。この図に関する記述の正誤の組み合わせとして、最も適切なものを下記の解答群から選べ。　〔R4－11〕

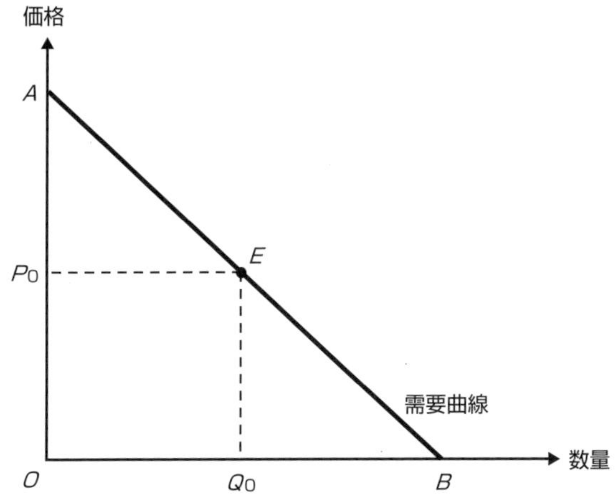

a　価格が下落すると、消費者の限界価値が低下する。
b　価格がP_0のときの消費者の支払意思額は三角形AEP_0で示される。
c　価格がP_0のときの実際の支払額は四角形OP_0EQ_0で示される。

〔解答群〕

ア　a：正　b：正　c：正
イ　a：正　b：誤　c：正
ウ　a：正　b：誤　c：誤
エ　a：誤　b：正　c：正
オ　a：誤　b：正　c：誤

解　答　**イ**

a　○：正しい。限界価値とは消費を追加的に1単位増やす場合に、どれだけ余分に支払ってもよいか（消費者が支払うつもりのある額）を意味するものである。
b　×：支払意思額（消費者が支払うつもりのある総額）は四角形$OAEQ_0$で示される。
c　○：正しい。消費者の実際の支払額はP_0O（価格）×OQ_0（数量）＝四角形OP_0EQ_0で示される。

R6 16
R4 12
R2 12

2 生産者余剰

消費者側の厚生を表現するのに消費者余剰が用いられるのに対し、企業側の厚生を表現するには生産者余剰という概念が使われる。

❶▶生産者余剰

生産者余剰とは、供給者が取引によって得る利益のことであり、収入から可変費用を引くことで求めることができる。固定費用は取引が発生しなくても生じる費用であるため、考慮しない。

＜財務会計＞		＜経済学＞
売 上 高		収　入
－変 動 費		－可変費用
限界利益	➡	生産者余剰
－固 定 費		－固定費用
利　益		利　潤

また、第１章で学習したように、可変費用は限界費用の合計である。よって、生産者余剰は収入から限界費用の合計を引くことによって求められることになる。

> **生産者余剰**　➡　収入－可変費用
> 　　　　　　　　　　　＝限界費用の合計

❷▶限界費用曲線と可変費用

1 限界費用

企業の限界費用が、次の表で与えられているとする（図表3－8も参照）。

生産量（台数）	0	1	2	3	4
限界費用（万円）	50	100	150	200	250

図表 [3−8]

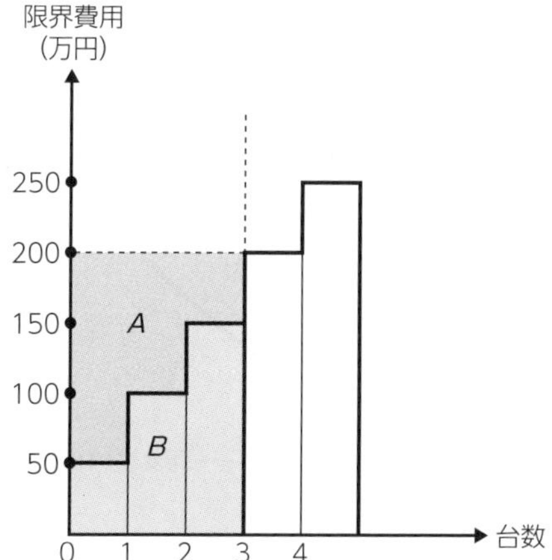

つまり、最初の１台目を生産するには50万円の追加的な費用がかかり、次の１台を生産するには追加的に100万円の費用が発生する……という関係が成立している。

❷ 限界費用曲線の下の面積

ここで、３台生産するのにかかる可変費用を考える。可変費用は、限界費用の合計で求めることができる。

３台生産するための可変費用
　＝(はじめの１台を生産する限界費用)＋(次の１台を生産する限界費用)
　　＋(次の１台を生産する限界費用)
　＝50万円＋100万円＋150万円
　＝300万円

可変費用は限界費用の合計であるから、可変費用は限界費用曲線（＝供給曲線）の下側の面積で求めることができる。これは図表3−8の*B*の面積に等しい。

限界費用曲線の下、供給量より左の面積　➡　可変費用の総額

❸▶供給曲線と生産者余剰

完全競争市場の場合、企業はプライステイカーであり、限界費用曲線が供給曲線となった。したがって、図表3−9で価格P_1が成立しているとすると、供給量は限界費用曲線からS_1となる。したがって、「**生産者余剰＝収入(P_1×S_1)－可変費用(*B***

の面積）＝Aの面積」と表すことができる。

図表 [3－9]

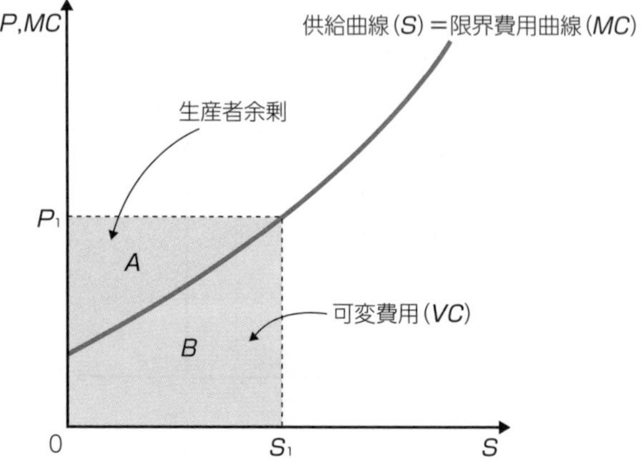

生産者余剰の大きさ ➡ 供給曲線より上、価格より下、取引量より左の面積

例　図表3－8において市場価格が200万円、市場での取引量（供給量）が３台の場合の生産者余剰を計算する。

生産者余剰＝収入－３台生産するための可変費用
＝200×３－（50＋100＋150）
＝300（万円）

設　例

短期の完全競争市場下における価格と企業の生産との関係を考える。下図には、ある財の生産に関する限界費用曲線MC、平均費用曲線ACおよび平均可変費用曲線AVCが描かれており、価格が与えられると企業は最適生産を実現するものとする。ただし、P_1はACの最小値、P_3はAVCの最小値に対応している。

価格がP_0のときの生産者余剰として、最も適切なものはどれか。

〔R6－16（設問１）〕

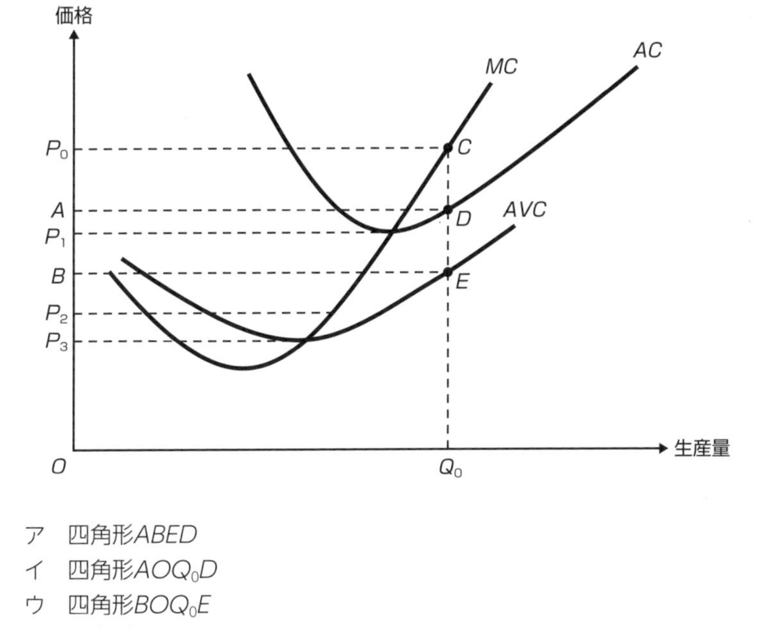

ア　四角形$ABED$
イ　四角形AOQ_0D
ウ　四角形BOQ_0E
エ　四角形P_0ADC
オ　四角形P_0BEC

解　答　**オ**

収入：価格×生産量＝$P_0 \times Q_0$＝四角形P_0OQ_0C
可変費用：平均可変費用×生産量＝$EQ_0 \times Q_0$＝四角形BOQ_0E
生産者余剰：収入－可変費用＝四角形P_0BEC

3 社会的総余剰

R2 12

社会全体で享受する余剰は、**社会的総余剰**とよばれ、以下のように定義される。

社会的総余剰＝消費者余剰＋生産者余剰＋政府の余剰

政府の余剰とは、税収などの政府の収入（プラスの余剰）や補助金の拠出など政府の支出（マイナスの余剰）を指す。政府の政策を考慮しなければ、この項目はゼロとなる。

❶▶完全競争市場における社会的総余剰

図表3－10に、完全競争市場における社会的総余剰が図示されている。

図表 [3−10]

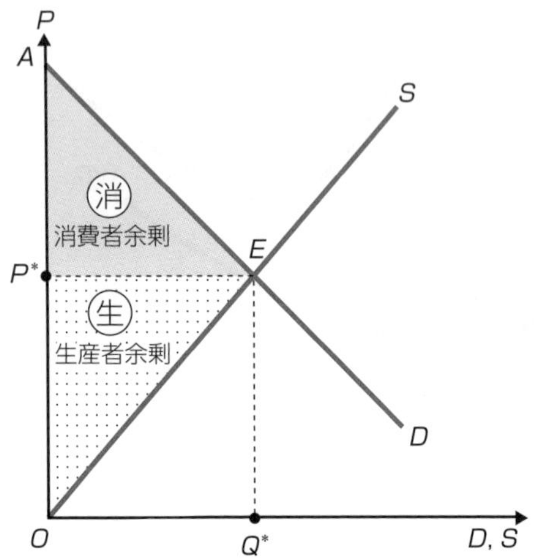

社会的総余剰＝消費者余剰＋生産者余剰＋政府余剰（ゼロ）
＝△AP^*E＋△P^*OE＝△AOE

❷▶競争均衡と社会的総余剰

完全競争市場では社会的総余剰が最大化される

完全競争市場では、政府の介入が行われていないときに社会的総余剰が最も大きくなるということがわかっている。つまり、政府の介入がなく、各経済主体の自由な取引が行われているときに、社会の享受できる余剰が最も大きくなる。

R5 13

4 政府の政策と社会的総余剰

政府の政策が経済にどのような効果を与えるかを、余剰を用いて分析する。

❶▶生産に対する従量税

ここでは、生産1単位につき t 円の従量税が課されることの社会的総余剰への効果を考える。

図表3−11では、需要曲線はD、課税前の供給曲線はSで与えられている。課税前の均衡点は点Aであり、市場均衡価格、均衡取引量はそれぞれP^*、Q^*である。

課税前の余剰（図表3－11の上のグラフ）

消費者余剰　＝□COQ^*A（支払うつもりのある額）－□P^*OQ^*A（支払う額）
＝△CP^*A　…(a)
生産者余剰　＝□P^*OQ^*A（収入）－△OQ^*A（可変費用）
＝△P^*OA　…(b)
社会的総余剰　＝(a)＋(b)＝△COA

ここで生産者に従量税が課されたとする。第１章第５節で学習したように、t円の従量税は供給曲線をtだけ上にシフトさせるので、新しい供給曲線はS_1となり、課税後の均衡点は点Bとなる。市場均衡価格はP_cとなる。しかし、生産者が受け取る価格は税金t分だけ低いP_Sとなる。

課税後の余剰（図表3－11の下のグラフ）

消費者余剰　＝□COQ_1B（支払うつもりのある額）－□P_cOQ_1B（支払う額）
＝△CP_cB　…(a)
生産者余剰　＝□P_cOQ_1B（収入）－△OQ_1F（生産活動に伴う可変費用）
－□$GOFB$（税額）
＝△P_cGB　…(b)
政府の余剰（税収）＝□$GOFB$　…(c)
社会的総余剰　＝(a)＋(b)＋(c)＝□$COFB$
課税前の社会的総余剰＝△COA
課税による死荷重　＝△COA－□$COFB$＝△BFA

※生産者余剰を求める際には、**税額を控除する**ことに注意する（**従量税の支払い分も可変費用**となる）。

課税の導入は、社会的総余剰の減少をもたらすことになる。課税によって失われてしまった余剰（△BFA）のことを課税による**死荷重**（dead weight loss）もしくは**厚生の損失**という。

図表 [3−11]

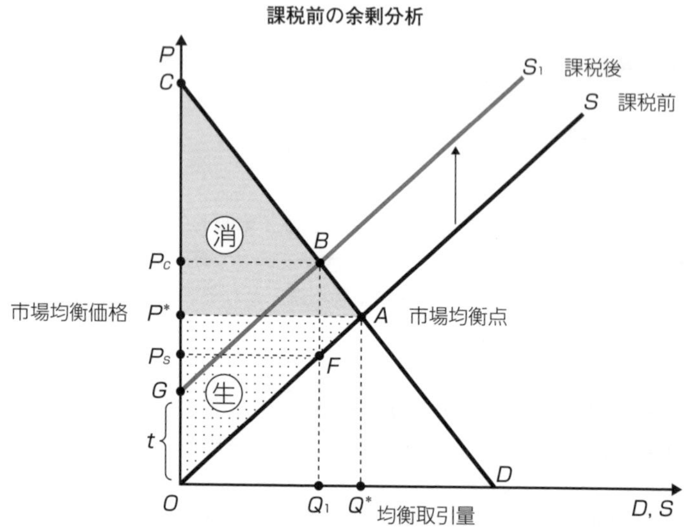

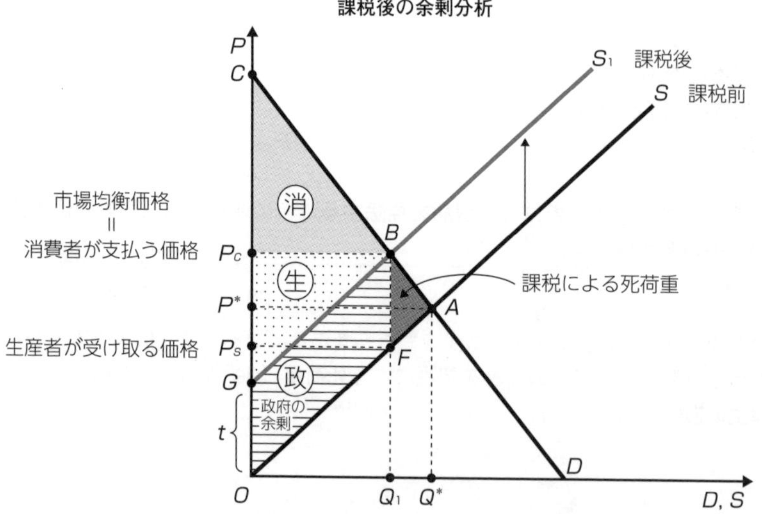

図表3−11の下のグラフでは課税により消費者の支払価格がP^*からPcに上昇し、生産者の受取価格がP^*からPsに下落する（生産者の受取価格Ps＝消費者の支払価格Pc−１単位あたり税額（$Pc-Ps$））。

余剰を表す場合には、その形状ではなく面積（余剰の大きさ）に重点が置かれる。したがって、生産者余剰と政府余剰については次のように表すこともでき、グラフで示すと図表３－12のようになる。

生産者余剰　　＝□P_SOQ_1F（税金支払い分を差し引いた収入）
　　　　　　　－△OQ_1F（生産活動に伴う可変費用）
　　　　　　　＝△P_SOF　……（b'）
政府余剰（税収）＝□P_CP_SFB　……（c'）

図表 [3－12]

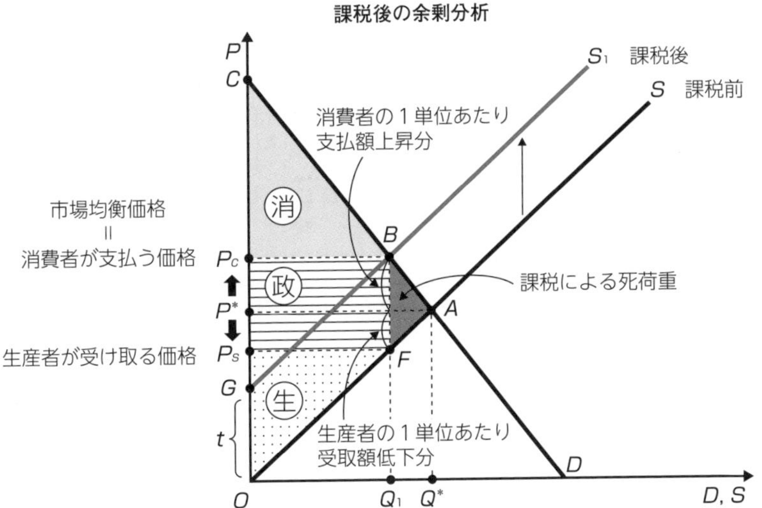

また、図表３－13より、課税前と比較して消費者の支払い価格は$P^* \rightarrow P_C$へ上昇し、生産者の受取価格は$P^* \rightarrow P_S$へ下落している。**課税対象（税金を納める経済主体）はあくまで企業であるが、課税により市場均衡価格が上昇することで実質的には消費者も税の一部を負担している**ことになる。これを**税の転嫁**といい、消費者と生産者それぞれの税負担のことを**消費者の税負担**、**生産者の税負担**という。

図表 [3−13]

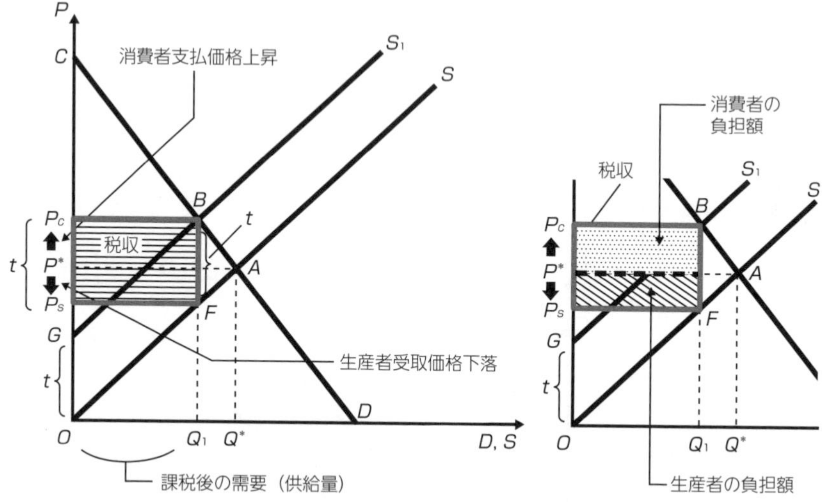

税収（政府余剰）＝消費者の税負担分＋生産者の税負担分

・税収＝１単位あたり税額（t）×取引量（Q_1）

・消費者の税負担分＝消費者支払価格の上昇分（$P^* \rightarrow P_C$）×取引量（Q_1）

・生産者の税負担分＝生産者受取価格の下落分（$P^* \rightarrow P_S$）×取引量（Q_1）

参考

※図表３－11は、政府が生産者に対して従量税を課すケースを分析している。政府が生産者に従価税を課すケースもあり、その場合の課税後の供給曲線は、課税前の供給曲線よりも傾きが大きく（傾きが急に）なるが（第１章第５節参照）、余剰の考え方は従量税と変わらない。

※ほかに、消費者に課税するケースもある。購入価格が、生産者の出荷する価格に税金を上乗せした価格となっているケースである。この場合、図表３－11、３－12のような供給曲線の上方（左方）シフトではなく、需要曲線の下方（左方）シフトで図示することがある。余剰の考え方は、供給曲線の上方（左方）シフトの場合と同様である。

● 考え方のヒント

生産に対する従量税が課された場合、次のようなプロセスでグラフの変化を理解しよう。

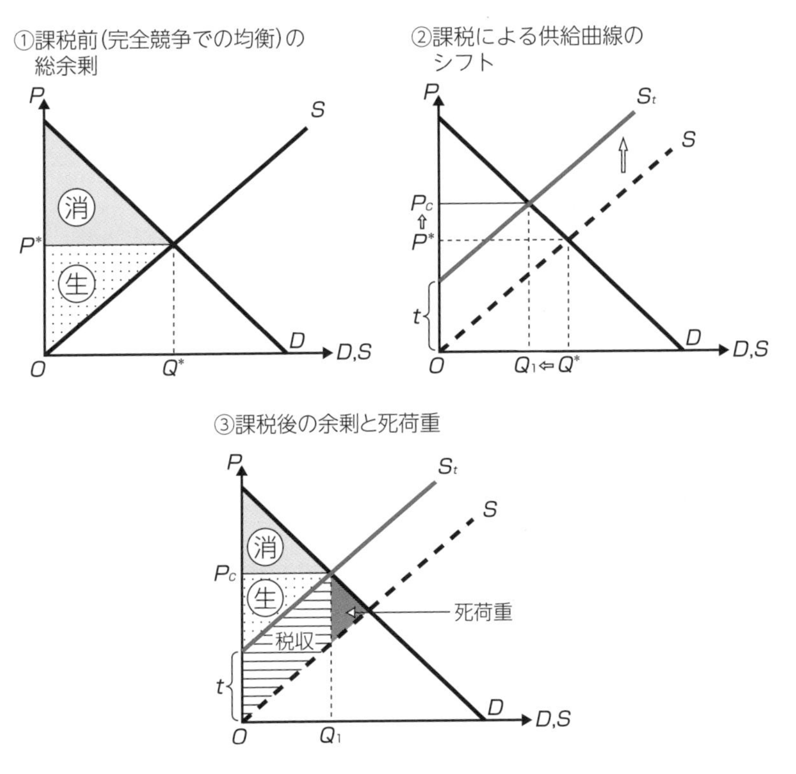

❷ ▶ 生産補助金の効果 R3 18 R2 17

政府が生産の拡大を促すために生産者に補助金を交付した場合の効果を考える。ここでは、生産1単位につき t 円の補助金が交付されたとする。

図表3−14では、需要曲線は D、補助金交付前の供給曲線は S で与えられている。補助金交付前の市場均衡点は点 A であり、市場均衡価格、均衡取引量はそれぞれ P^*、Q^* である。

図表 [3−14]

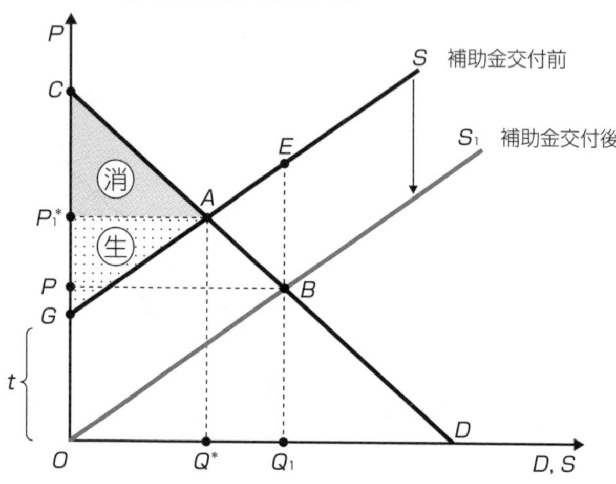

補助金交付前の余剰	
消費者余剰	$=\square COQ^*A$（支払うつもりのある額）$-\square P_1^*OQ^*A$（支払う額）
	$=\triangle CP_1^*A$ …(a)
生産者余剰	$=\square P_1^*OQ^*A$（収入）$-\square GOQ^*A$（可変費用）
	$=\triangle P_1^*GA$ …(b)
社会的総余剰	$=(a)+(b)=\triangle CGA$

ここで生産者に補助金が交付されたとする。補助金の交付を受けた生産者にとって、生産１単位につき t 円の費用の低減が生じる。このため、供給曲線を t だけ下にシフトさせると、新しい供給曲線はS_1となり、補助金交付後の均衡点は点B（価格P_1、数量Q_1）となる。補助金の交付は生産費用の一部を政府が負担することとなり、生産量はQ^*からQ_1へと増加する。

補助金額は、１単位あたりの補助金 t 円と生産量 Q_1の積であり、四角形$GOBE$に等しくなる。歳出である補助金は、マイナスの余剰として計上される。

図表 [3−15]

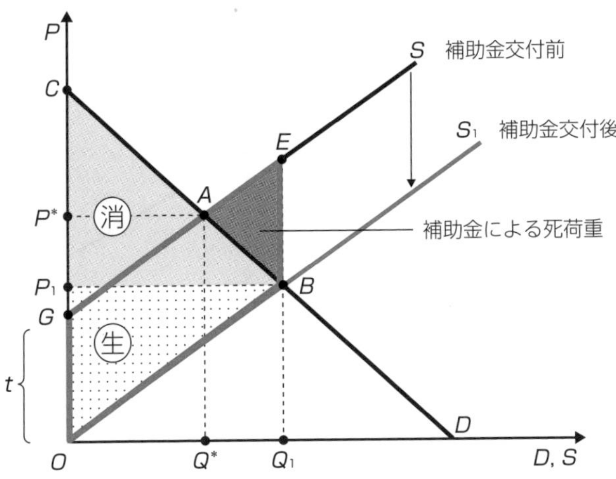

補助金交付課税後の余剰

消費者余剰　$=\square COQ_1B$（支払うつもりのある額）$-\square P_1OQ_1B$（支払う額）
$=\triangle CPB$　…(a)

生産者余剰　$=\square P_1OQ_1B$（収入）$-\triangle OQ_1B$（可変費用）
$=\triangle P_1OB$　…(b)

政府の余剰（補助金）$=-\square GOBE$　…(c)

社会的総余剰$=$(a)$+$(b)$+$(c)$=\triangle CGA-\triangle ABE$

補助金交付前の社会的総余剰$=\triangle CGA$

補助金による死荷重$=\triangle CGA-(\triangle CGA-\triangle ABE)=\triangle ABE$

市場の失敗（後述）がない限り、市場での自由な取引によって社会的総余剰は最大化され、政府の介入はかえって余剰を減少させてしまうことになる。

設 例

下図は、最低賃金制度や農産物の価格支持政策のような価格の下限規制を描いたものである。

完全競争市場における均衡は、需要曲線D_0D_1と供給曲線S_0S_1の交点Eで実現し、均衡価格はP_0、均衡量はQ_0である。ここで、均衡価格より高いP_1の水準で価格の下限が規制されたとする。このとき、取引量はQ_1に減少する。

この図の説明として、最も不適切なものを下記の解答群から選べ。

〔H22−10〕

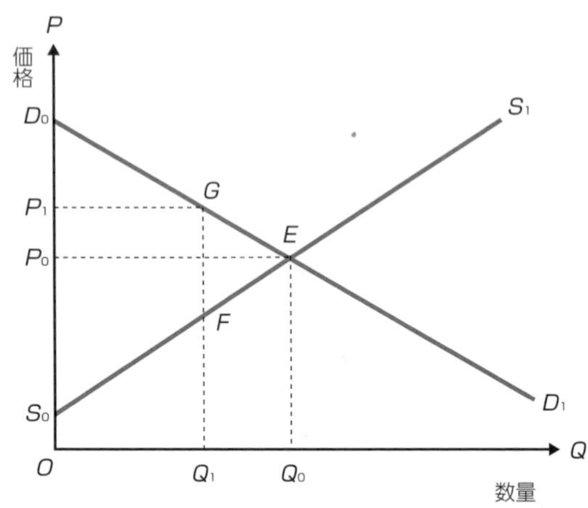

〔解答群〕

ア　価格の下限が規制された場合でもパレート最適が実現する。

イ　価格の下限規制により、経済余剰の損失は三角形EFGになる。

ウ　価格の下限規制により、消費者余剰は減少し、三角形D_0GP_1に相当する。

エ　価格の下限規制のもとでは、生産者余剰は台形S_0FGP_1に等しくなる。

解　答　**ア**

価格規制前の余剰

消費者余剰　＝□D_0OQ_0E（支払うつもりのある額）
　－□P_0OQ_0E（支払う額）
＝△D_0P_0E　…(a)

生産者余剰　＝□P_0OQ_0E（収入）－□S_0OQ_0E（可変費用）
＝△P_0S_0E　…(b)

社会的総余剰　＝(a)＋(b)＝△D_0S_0E

P_1に価格規制後の余剰

P_1に価格規制された場合の需要量はQ_0からQ_1に減少する。一方、価格上昇により供給量は増加しそうであるが、需要量より多く生産しても売れ残ってしまうため、供給量も需要量Q_1までとなる。また、価格規制（政府の介入）が行われているが、政府には税収や補助金支出が発生していないため、政府余剰はゼロである。

消費者余剰　＝□D_0OQ_1G（支払うつもりのある額）
　－□P_1OQ_1G（支払う額）
＝△D_0P_1G　…(a)

生産者余剰　$=\square P_1OQ_1G$（収入）$-\square S_0OQ_1F$（可変費用）
$=\square P_1S_0FG$　…(b)
社会的総余剰　$=$(a)$+$(b)$=\square D_0S_0FG$　…(c)
価格規制前の社会的総余剰$=\triangle D_0S_0E$　…(d)
価格規制による死荷重　$=$(d)$-$(c)$=\triangle GFE$

価格規制により社会的総余剰は最大化されないので、パレート最適は実現しない（次節参照）。

4 パレート効率性

前節で学んだ「余剰」という概念は、1つの財に焦点をあてた場合の分析で主に用いられる。一方、多数の財が存在するような場合の分析にも適用できる厚生の基準として、パレート効率性という概念がある。

R5 15

1 パレート効率性（最適性）

❶▶パレート効率性の定義

ある状態がパレート効率的 ➡	他の誰かの効用を悪化させない限り、どの人の効用も改善することができない状態

言い換えれば、パレート効率的でない状態は、誰の効用も下げずに少なくとも1人の効用を改善することができる方法が存在しているのに、それが行われていないという意味で**ムダが存在している**状態である。

❷▶パレート効率的な状態の例

例 リンゴ10個とビール10本があり、これをAさんとBさんに分け与えるとしよう。ただし、Aさんはリンゴも好きだしビールも飲むが、Bさんはビールは飲まないとしよう。このとき、2人に両財を5個ずつ分け与えている状態はパレート効率的ではない。なぜならば、ビールを飲まないBさんから、飲むAさんに5本のビールを回すことで、ビールを飲まないBさんの効用を一定に保ったまま、Aさんの効用を向上させることができるからである。つまり、5個ずつ持っているという状態は、Aさんの効用を向上させるという機会を見逃しているという点でムダが存在している状態なのである。

一方、リンゴもビールもすべてAさんがもらうという（不公平ともいえる）状態はパレート効率的である。なぜなら、AさんからBさんにリンゴでもビールでも少しでも回すと、Bさんの効用は上がるかもしれないが（ビールの場合は上がらない）、同時にAさんの効用が必ず低下してしまうからである。

❸▶パレート効率性と公平性

上記の例からわかるように、パレート効率性というのはあくまで、**「ムダ」があるかないかということを判断する基準**である。言い換えれば、**誰がどれだけ受け取っているのか（いわゆる所得分配、公平性の問題）ということはまったく考慮しない基準**である。

❹▶競争均衡はパレート効率的である

完全競争市場において均衡が実現する状態はパレート効率的である。これを**厚生経済学の第一定理**という。

完全競争市場において政府の介入がない場合には、社会的総余剰が最大化されており（これ以上社会的総余剰は増やせない）、その限られた社会的総余剰を市場参加者で分け合っているということになる。よって、たとえば消費者の余剰が増加すれば、生産者の余剰が減少するといったことが生じる。

一方、政府の介入があった場合は死荷重が発生するので、パレート効率的な状態ではない。なぜならば政府が介入しないことで、社会的総余剰を最大化できる余地があるからである。

設例

パレート最適な状態から配分を変更して別のパレート最適な状態へ移行するとき、ある個人を有利にすれば、必ず他の個人は不利になってしまう。
H23－14　エ　（**○**）

5 国際貿易

本節では、国際間の貿易がどのような利益を生み出すのかということを示した最も基本的な考え方であるリカードの比較生産費説を学ぶ。

R6 22
R4 18

1 比較生産費説

技術的に劣った国と優れた国との間の貿易は、優れた国の一人勝ちにつながり、劣っている国にとって損害をもたらすのではないかという懸念が一般によく見られる。しかし、そのように技術的に格差のある２国の間の貿易が両国にとって利益をもたらし得るということが、リカードによって示されている。これをリカードの**比較生産費説（比較優位の理論）**という。

❶▶例

例として、イギリスとインドの２つの国を考える。農産物と工業製品の２つの財を生産すると仮定する。

各財を１単位生産するための必要労働量

	農産物	工業製品
イギリス	２人	４人
インド	３人	９人

イギリスでは工業製品を１単位生産するのに、４人必要。

❷▶絶対優位

１単位生産するために必要な人数をもとに、**各財についてそれぞれどちらの国のほうが生産に優れている**か確認する。

<農産物>

イギリス（２人）＜インド（３人）

→ インドに比べてイギリスのほうが少ない人数ですむため、生産に優れていると判断できる。これを農産物の生産について**イギリスはインドに対して絶対優位をもつ**という。

<工業製品>

イギリス（４人）＜インド（９人）

→ インドに比べてイギリスのほうが少ない人数ですむため、生産に優れていると判断できる。これを工業製品の生産について**イギリスはインドに対して絶対優位をもつ**という。

上記より、農産物も工業製品もイギリスはインドに対して絶対優位をもつことがわかる。

❸▶比較優位

絶対優位の判別より、イギリスは両財においてインドよりも生産に優れていることがわかった。では、それぞれが自国で必要な分だけ農産物と工業製品を生産すればよいのだろうか。実は、両国がそれぞれ別の財の生産に特化し、貿易を行うほうが双方に利益をもたらすことになる。では、どちらの国がどちらの財に特化すればよいだろうか。

<イギリス>
農産物（2人）< 工業製品（4人）→　農産物のほうが優れている

<インド>
農産物（3人）< 工業製品（9人）→　農産物のほうが優れている

両国とも工業製品よりも農産物の生産のほうが優れている。しかし、優れているほうの財がそうでないほうの財と比較してどれだけ優れているかの程度は国によって異なる。一方の財がもう一方の財よりどれだけ優れているかの程度を両国間で比較し、2国のうちどちらがその財の生産に特化したほうが全体として効率がよいのかを考えるのが比較優位である。

<各財を1単位生産するための必要人数>

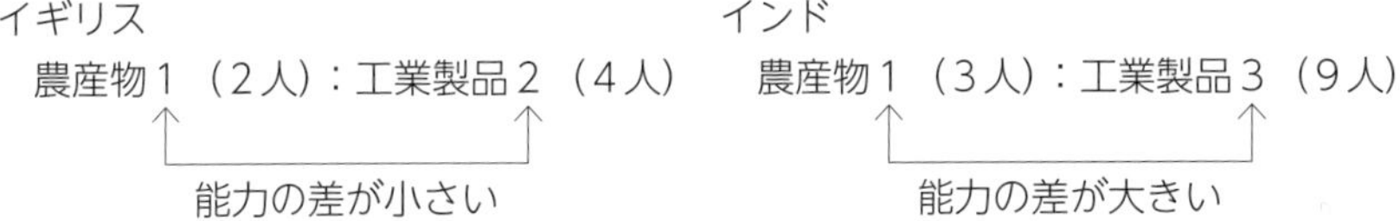

イギリスは、工業製品を生産するのに農産物の生産に必要な人数の2倍ですむのに対し、インドは3倍の人数が必要となる。したがって、イギリスが工業製品を生産し、インドはもう一方の農産物を生産したほうが効率的であると考える。

すなわち、イギリスは工業製品に比較優位をもち、インドは農産物に比較優位をもつといえる。

比較優位の判別方法として以下のような手順がある。

<比較優位の判別手順>

① 一方の財（ここでは農産物）の必要労働量を両国とも1人と置く。

② ①に伴い、比の考え方を利用してもう一方の財（工業製品）の必要労働量の数字を変換する。

→イギリスの必要労働量の比は、2人（農産物）：4人（工業製品）＝1：2
　インドの必要労働量の比は、3人（農産物）：9人（工業製品）＝1：3

③ 必要労働量を1に揃えていないほうの財（工業製品）に着目し、人数が少ないほうの国がその財について比較優位をもつと判断する。

→必要労働量を1に揃えていないほうの財（工業製品）について、イギリス（2人）＜インド（3人）であるため、より必要労働量が少ない**イギリスが工業製品に比較優位をもつ**と判断する。

	農産物	工業製品
イギリス	2人	4人
インド	3人	9人

➡

	農産物	工業製品
イギリス	1人	2人
インド	1人	3人

※1つの国がすべての財について比較優位をもつということはない。

→ イギリスが工業製品に比較優位をもつのであれば、農産物についてはインドが比較優位をもつこととなる。これは、上記判断手順①においてもう一方の財（工業製品）の必要労働量を1人と置くことで確認できる。つまり、最初に必要労働量を1と置く財をどちらにしても同じ結果が得られるということである。

<比較優位の判別手順>

① 一方の財（ここでは工業製品）の必要労働量を両国とも1人と置く。

② ①に伴い、比の考え方を利用してもう一方の財（農産物）の必要労働量の数字を変換する。

→イギリスの必要労働量の比は、4人（工業製品）：2人（農産物）＝1：$\frac{1}{2}$

→インドの必要労働量の比は、　9人（工業製品）：3人（農産物）＝1：$\frac{1}{3}$

③ 必要労働量を1に揃えていないほうの財（農産物）に着目し、人数が少ないほうの国にその財について比較優位をもつと判断する。

→必要労働量を1に揃えていないほうの財（農産物）について、イギリス（$\frac{1}{2}$人）＞インド（$\frac{1}{3}$人）であるため、より必要労働量が少ない**インドが農産物に比較優位をもつ**と判断する。

	農産物	工業製品
イギリス	2人	4人
インド	3人	9人

➡

	農産物	工業製品
イギリス	$\frac{1}{2}$人	1人
インド	$\frac{1}{3}$人	1人

❹▶比較生産費説（比較優位の理論）

比較生産費説	➡	各国が、自らの比較優位にある財の生産に特化し、貿易を行うことは両国にとって利益をもたらす

イギリスはインドと比較し両財について絶対優位をもっている。つまり、どちらの財に関してもイギリスのほうが効率的に生産することが可能である。このような場合、一見するとイギリスはインドとは貿易をせず自国で両財とも生産したほうがよいのではないかと考えられる。しかし、比較生産費説は、仮にどちらかの国が両財について絶対優位をもつ場合でも、各国が比較優位をもつ財の生産に特化し貿易を行うことで、両国とも利益を得ることができるということを明らかにしたのである。

イギリスが工業製品の生産に、インドが農産物の生産に特化し、互いに貿易を行うことは、貿易がない場合と比較し両国にとって望ましいということである。

❺▶貿易パターン

たとえば、前掲のマトリックスの労働量を各国の人口と仮定し、イギリスの人口を6人、インドの人口を12人とする。次の図から、各国が比較優位をもつ財の生産に特化して貿易を行うことで、両国の農産物と工業製品の合計生産量が増加することを確認することができる。

〈自給自足の場合〉

	農産物	工業製品
イギリス （総人口6人）	2人	4人
インド （総人口12人）	3人	9人

➡

	農産物	工業製品
イギリス	1	1
インド	1	1

（総生産量4）

〈各国が比較優位の製品に集中的に労働力を投じ、貿易を行った場合〉

	農産物	工業製品
イギリス (総人口６人)	０人	６人
インド (総人口12人)	12人	０人

➡

	農産物	工業製品
イギリス	0	1.5※
インド	4※	0

(総生産量5.5)

※12人(総人口)÷３人(インドの農産物１単位生産するために必要な労働量)＝4
６人(総人口)÷４人(イギリスの工業製品１単位生産するために必要な労働量)＝1.5

設例

次の文章を読んで、下記の設問に答えよ。

下表は、Ａ国とＢ国が、農業製品または工業製品を１単位生産するのに必要な生産要素量を示している。ここで、簡単化のために、Ａ国とＢ国の２国のみを想定し、それぞれの国は、農業製品ならびに工業製品のみを生産すると考える。さらに、生産要素として労働力のみを考え、両国間で労働力の移動はないものとする。〔H19－14（設問１)(設問２)〕

	農業製品	工業製品
A国	5	6
B国	3	1

(設問１)

Ａ国とＢ国の比較優位、絶対優位に関する説明として、最も適切なものはどれか。

ア　Ａ国は、工業製品に比較優位を持っているが、絶対優位は持っていない。

イ　Ａ国は、農業製品に比較優位を持っているが、どちらの製品に関しても絶対優位は持っていない。

ウ　Ｂ国は、工業製品に比較優位を持っているが、どちらの製品に関しても絶対優位は持っていない。

エ　Ｂ国は、農業製品に比較優位を持っており、かつ、どちらの製品に関しても絶対優位を持っている。

(設問２)

Ａ国とＢ国が比較優位の原理にしたがって貿易を行おうとするとき、両国間での貿易のパターンとして、最も適切なものはどれか。

ア　A国は、工業製品も農業製品も輸出できない。

イ　A国は、両国間で貿易が行われるとすれば、農業製品を輸出する。

ウ　B国は、A国に比べ同程度の生産要素の賦存量を持つとすると、農業製品を輸出するが、A国に比べ賦存量が大きいと、工業製品を輸出する。

エ　B国は、両国間で貿易が行われるとすれば、農業製品を輸出する。

解　答　（設問1）**イ**　（設問2）**イ**

（設問1）

B国はA国と比べて、両財ともに少ない生産要素投入量で1単位の生産が可能である。よって、B国は両財について絶対優位をもつ。一方、A国の「工業製品1単位生産に要する労働力／農業製品1単位生産に要する労働力」は$\frac{6}{5}$であり、他方、B国のそれは$\frac{1}{3}$である。したがって、$\frac{6}{5}>\frac{1}{3}$より、A国は農業製品に比較優位をもち、B国は工業製品に比較優位をもつ。よって、イが正解である。

（設問2）

A国は比較優位のある農業製品の生産に特化し、輸出を行う。B国は比較優位のある工業製品の生産に特化し、輸出を行う。

❻▶ヘクシャー＝オリーンの定理

ヘクシャー＝オリーンの定理 ➡ **資本豊富国は資本集約財に比較優位をもち、労働豊富国は労働集約財に比較優位をもつ。**

比較生産費説は生産要素を労働のみとしていたが、ヘクシャー＝オリーンの定理では生産要素は**労働**と**資本（機械・設備）**とする。また、財についても、相対的に資本を多く必要とする**資本集約財**と、相対的に労働を多く必要とする**労働集約財**の比較優位を考える。

労働よりも資本の方が相対的に多く存在する資本豊富国は、**利子率（資本のレンタル価格）**が賃金率より相対的に低いため、資本集約財に比較優位をもつこととなる。一方、資本よりも労働のほうが相対的に多く存在する労働豊富国は、**賃金率（労働のレンタル価格）**が利子率（資本のレンタル価格）より相対的に低いため労働集約財に比較優位をもつこととなる。

❼▶要素価格均等化命題（ヘクシャー＝オリーンの第二定理）

資本集約財に比較優位をもつ資本豊富国は、資本集約財の生産に特化し、輸出を行うが、それにより国内の資本需要は増加し、当初低かった利子率は上昇していく。一方、労働集約財に比較優位をもつ労働豊富国は、労働集約財の生産に特化し、輸出を行うが、それにより国内の労働需要は増加し、当初低かった賃金率は上昇していく。このように、**貿易により生産要素価格比（$\frac{\text{賃金率}}{\text{利子率}}$）は均等化していく**ことを**要素価格均等化命題（ヘクシャー＝オリーンの第二定理）**という。

6 自由貿易の理論

これまでの余剰分析では、市場均衡価格や均衡取引量は国内市場で決定されるとし、海外（貿易）については考慮していなかった。ここでは、国内の市場均衡価格（国内価格）と国際価格の差から貿易が生じる場合の余剰分析について確認していく。

1 自由貿易均衡と自由貿易の利益

❶▶閉鎖経済

ある国（A国）のX財の市場を取り上げる。この市場を完全競争市場と仮定し、また、A国はX財について貿易を行っていないとすれば、市場均衡は国内のX財に関する需要曲線と供給曲線の交点で決定される。この均衡を**自給自足均衡**という。つまり、これまで見てきたのは自給自足均衡のケースであり、この場合、社会的総余剰は△*ABE*で示された。以下、△*ABE*を基準として、貿易等により社会的総余剰がどれくらい変化するかを確認する。

図表 [3−16] **自給自足均衡のグラフ**

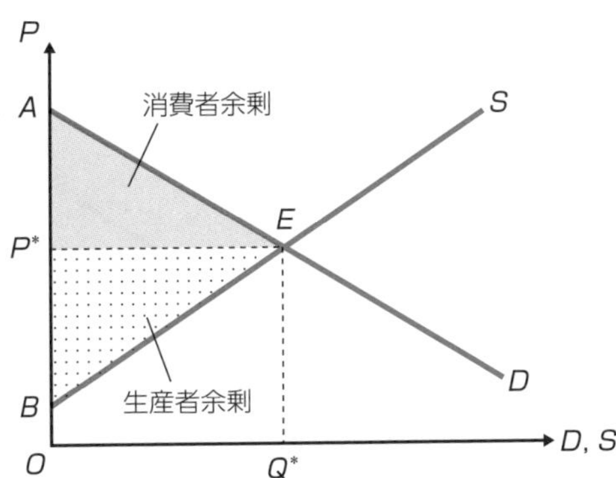

❷▶小国の仮定

開放経済における余剰分析では、小国の仮定のもと考察していくことがある。**小国の仮定**とは当該国を小国であると仮定するものであり、世界中に多数の国々が存在する中、当該国はその中の一国に過ぎず、当該国における当該財の輸出入量が当該財の国際価格に影響を与えることはない、というものである（たとえば、当該国が当該財の輸入量を増加させたところで国際価格が上昇するようなことは起こらない）。

R5 21
R3 23

❸▶開放経済（自由貿易）

X財について、世界市場で成立している均衡価格をP^*（国際価格）とし、国内市場において市場均衡が成立している価格（国内価格）をP_1とする。

このとき、$P_1 > P^*$であれば、国内価格がP^*になるまで、X財が輸入されることになる（消費者がより安価な輸入品を選択することにより、国内の取引価格は国際価格まで下落する）。この場合、国内企業による供給は、P^*（国際価格＝国内価格）に対応する生産量Q_1だけ行われ、P^*に対応する需要量Q_2との差分（$Q_2 - Q_1$）が海外から輸入される（図表3－17）。

また、$P^* > P_1$の場合には、国内価格もP^*となり、国内需要との差分が輸出される（海外では国内価格よりも高い価格で販売することができ、国内価格も国際価格まで上昇する）。すなわち、国内企業による生産量はQ_4、P^*に対応する国内需要量はQ_3であるから、その差分（$Q_4 - Q_3$）が海外へ輸出されることとなる（図表3－18）。

以上から、国際価格P^*と自給自足均衡での国内価格P_1との大小関係によって、輸入が生じるか輸出が生じるかが決定される。

国内価格P_1＞国際価格P^*　⇒　輸入が生じる
国際価格P^*＞国内価格P_1　⇒　輸出が生じる

図表 [3－17] **輸入が生じる場合のグラフ**

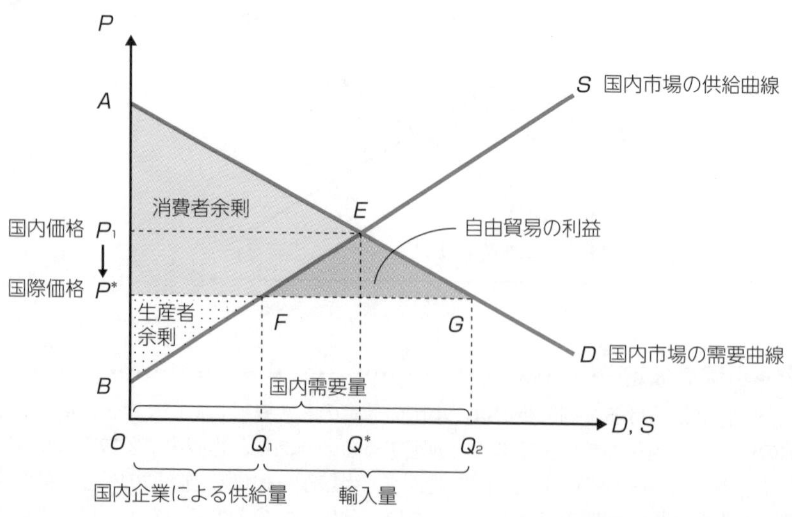

	貿易前	貿易後	変化分
消費者余剰	△AP_1E	△AP^*G (□AOQ_2G－□P^*OQ_2G)	＋□P_1P^*GE
生産者余剰	△P_1BE	△P^*BF (□P^*OQ_1F－□BOQ_1F)	－□P_1P^*FE
社会的総余剰	△ABE	□$ABFG$	＋△FGE

※消費者余剰および生産者余剰の求め方は、これまでと同様である。

※海外業者に国内市場が開放されて、消費者は当該財を安く購入できるようになり、需要量を増加させ余剰が増加する。一方、国内生産者は価格が下落するため、供給量を減らすことで、余剰が減少する。

図表 [3－18] **輸出が生じる場合のグラフ**

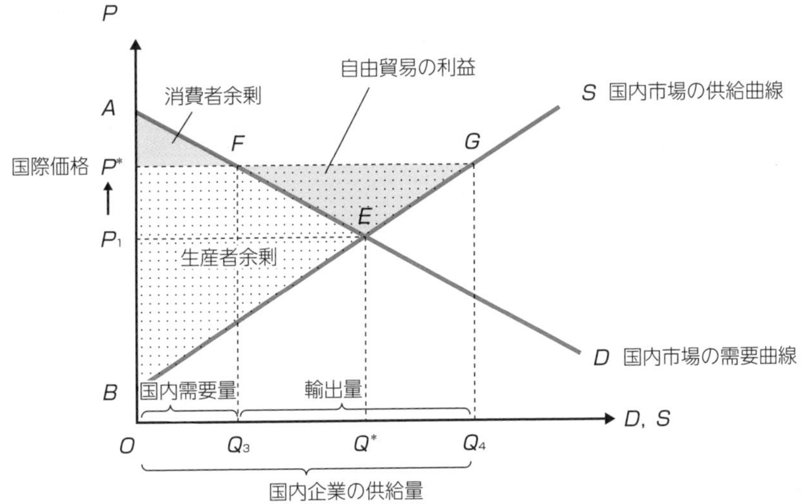

	貿易前	貿易後	変化分
消費者余剰	△AP_1E	△AP^*F (□AOQ_3F－□P^*OQ_3F)	－□P_1P^*FE
生産者余剰	△P_1BE	△P^*BG (□P^*OQ_4G－□BOQ_4G)	＋□P_1P^*GE
社会的総余剰	△ABE	□$ABGF$	＋△FEG

※国内生産者が海外へ高価格で輸出するようになるため、供給量を増やし、国内市場での価格も上昇して余剰が増加する。一方、消費者は価格の上昇を受け、需要量が減り、余剰が減少する。

※図表3－17、図表3－18に描かれた**需要曲線および供給曲線はそれぞれ国内需要**

者、国内供給者のものである。輸入が生じる場合の輸出国による供給量や、輸出が生じる場合の輸入国における需要量は、需要曲線、供給曲線に加味されていない。

❹▶自由貿易の利益

図表3－17と図表3－18により、余剰分析を行う。

輸入が生じる場合には、消費者余剰は△AP^*Gとなり、閉鎖経済のときよりも増大する。また、生産者余剰は△P^*BFとなり、閉鎖経済のときよりも減少するが、両者を合わせた社会的総余剰は□$ABFG$となり、**閉鎖経済における社会的総余剰を上回る。**

同様に、輸出が生じる場合には、消費者余剰は閉鎖経済よりも△AP^*Fへ減少する一方、生産者余剰は閉鎖経済よりも△P^*BGに拡大する。また、両者を合計した社会的総余剰は□$ABGF$となって、**閉鎖経済における社会的総余剰を上回る。**

以上より、自由貿易が行われる場合には、閉鎖経済の場合と比べて、社会的総余剰は増加し、その増加分である△FGEの大きさを**自由貿易の利益**という。

2 関税政策の効果

❶▶開放経済（輸入従量税）

国内への輸入に対して課税する輸入関税を考える。

Ａ国がＸ財の輸入国であり、政府がＸ財の輸入に対し１単位あたりtの輸入従量税を課したとする。このとき、国際価格はP^*であっても、国内の販売価格は国際価格P^*に１単位あたり税額tを加えたP^*+tとなり、$P_1>P^*+t$である場合には輸入が行われる。この場合、国内企業による供給は、P^*+tに対応する生産量Q_1'であり、P^*+tに対応する需要量Q_2'との差分（$Q_2'-Q_1'$）が海外から輸入される。

この結果、関税政策を実施しない自由貿易均衡と比較して、△FJHと△IKGの**死荷重**が発生する。

[3−19]

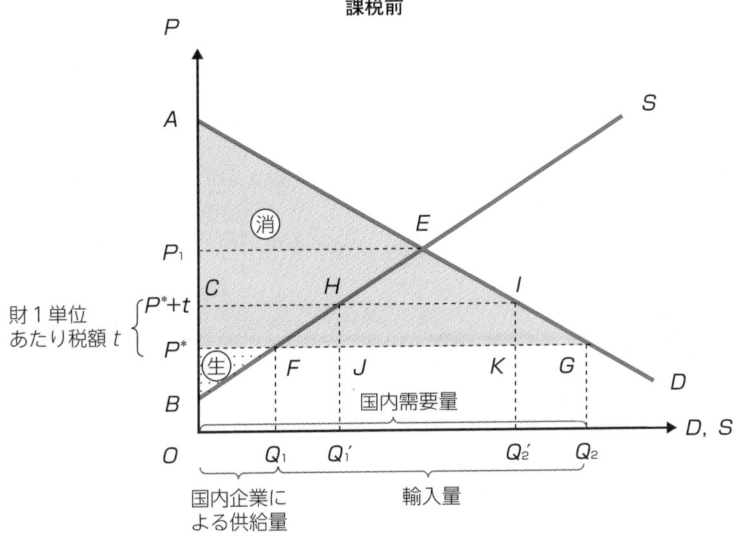

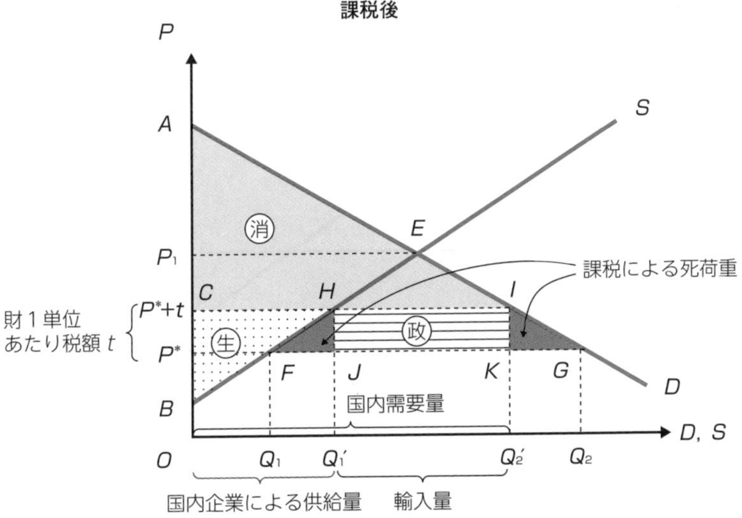

※関税は海外業者が支払うため、国内の消費者や生産者が直接支払うことはない。

	課税前	課税後
消費者余剰	△AP^*G (□AOQ_2G－□P^*OQ_2G)	△ACI (□$AOQ_2'I$－□$COQ_2'I$)
生産者余剰	△P^*BF (□P^*OQ_1F－□BOQ_1F)	△CBH (□$COQ_1'H$－□$BOQ_1'H$)
政府余剰 (関税収入)	なし	□$HJKI$
社会的総余剰	□$ABFG$	図形$ABHJKI$ ※死荷重＝△FJH＋△IKG (□$ABFG$－図形$ABHJKI$)

設 例

TPP協定では、関税引き下げが交渉されている。

いま、ある農産物の輸入には禁止的高関税が従量税で課されており、輸入が起こらない状況であるとする。そこに、当該農産物の輸出国との間で貿易交渉が行われ、関税が大幅に引き下げられた結果、この農産物は図中のP_1の価格で輸入されることとなった。関税が引き下げられた場合の余剰と輸入量に関する記述として、最も適切なものを下記の解答群から選べ。〔H27－21〕

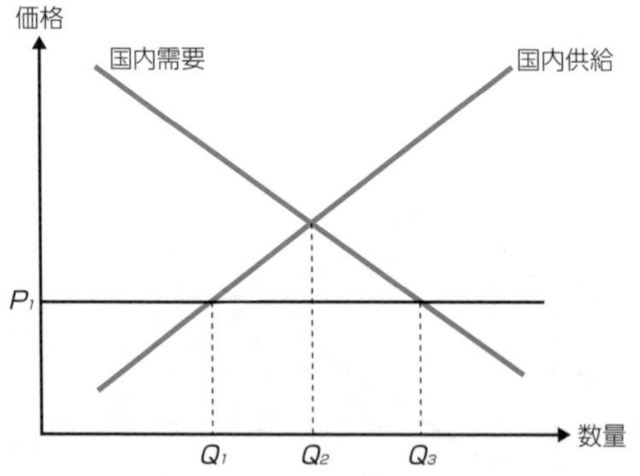

〔解答群〕

ア　生産者余剰は減少し、消費者余剰は増加するものの、両者の余剰合計は変わらない。また、輸入量はQ_3となる。

イ　生産者余剰は減少し、消費者余剰は増加するが、両者の余剰合計は増加する。また、輸入量は「Q_3-Q_1」となる。

ウ　生産者余剰は増加し、消費者余剰は減少するが、両者の余剰合計は減少する。また、輸入量はQ_1となる。

エ　生産者余剰は増加し、消費者余剰は減少するものの、両者の余剰合計は変わらない。また、輸入量は「Q_3-Q_2」となる。

解答 イ

国際貿易（関税引き下げの効果）に関する問題である。問題文には示されていないが、解説の便宜上、国際価格を下図のP_2、関税引き下げ前の国内価格（国内需要と国内供給の均衡点Eでの価格）をP^*とする。関税引き下げ前は輸入が起こらない状況であったことから、「P^*-P_2」に相当する禁止的高関税が課せられ、輸入量はゼロであった。ここで関税が大幅に引き下げられた結果、図中のP_1の価格で輸入されることになった。

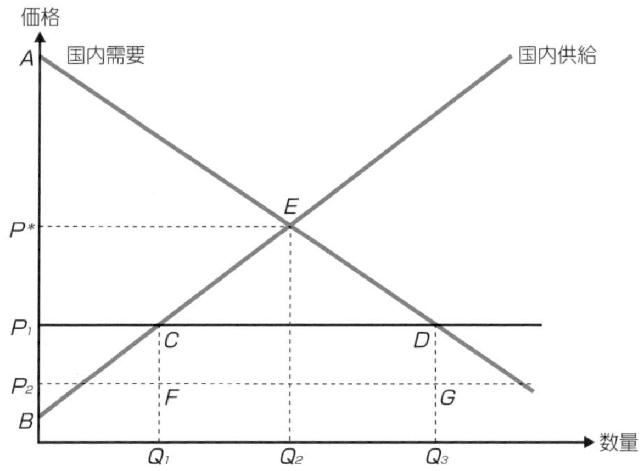

●関税引き下げ前

消費者余剰：$\triangle AP^*E$

生産者余剰：$\triangle P^*BE$

消費者余剰＋生産者余剰：$\triangle ABE$

政 府 余 剰：なし（輸入は起こらない）

社会的総余剰：$\triangle ABE$

●関税引き下げ後

消費者余剰：$\triangle AP_1D$

生産者余剰：$\triangle P_1BC$

消費者余剰＋生産者余剰：$\square ABCD$（$=\triangle ABE+\triangle CDE$）

政 府 余 剰：$\square CFGD$（このときの輸入量はQ_3-Q_1）

社会的総余剰：図形$ABCFGD$

生産者余剰は$\triangle P^*BE$から$\triangle P_1BC$に減少し、消費者余剰は$\triangle AP^*E$から$\triangle AP_1D$に増加する。両者の合計は$\triangle ABE$から図形$ABCD$に$\triangle CDE$分だけ増加する。また、関税引き下げ後の輸入量は「Q_3-Q_1」である。

第4章

不完全競争

Registered Management Consultant

本章の体系図

<完全競争市場>
すべての参加者がプライステイカー

<不完全競争市場>
価格支配力をもつ主体が存在
・独占市場
・寡占市場
・独占的競争市場

社会的総余剰が最大化
※政府の介入がない場合

●独占市場　⇒　１社しか企業（供給者）が存在しない

・独占企業の利潤最大化条件：「限界収入＝限界費用」となる生産量
・完全競争市場と比べて低供給、高価格となり、社会的総余剰は減少

●寡占市場　⇒　少数の価格支配力がある企業が存在

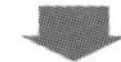

ライバルの出方をうかがいつつ自社の戦略を決定

<分析モデル>
①クールノーモデル、ベルトランモデル、シュタッケルベルクモデル
②ペイオフマトリックス（利得行列）

●独占的競争市場　⇒　各企業の製品が差別化されており、
自社製品に対してある程度独占力を発揮できる

<短期>
プライスメイカーとして
十分な需要と利益
（$P \times Q > AC \times Q$）

<長期>
・同様の製品を供給する企業が新規参入
・競争激化により超過利潤はゼロになる
（$P \times Q = AC \times Q$）

本章のポイント

◇ 完全競争企業と独占企業の利潤最大化条件の違いはどのようなものか。
◇ 所与の図において、完全競争市場と独占市場の両方の価格、供給量、余剰はどこにあたるか。
◇ 各寡占モデル（クールノーモデル、ベルトランモデル、シュタッケルベルクモデル）の戦略変数の違いは何か。
◇ 所与のデータから、ナッシュ均衡解は何か。囚人のジレンマの有無はどうか。
◇ 短期均衡の図において、独占的競争企業の市場価格、収入、総費用、短期利潤はどこにあたるか。
◇ 長期均衡の図において、独占的競争企業の生産量はどこか。

1 不完全競争市場

第３章までは、消費者も企業もプライステイカーであるような完全競争市場（多数の参加者が存在する市場）を想定していた。本節では、価格支配力をもつ企業が存在するような市場（不完全競争市場）を分析するためのさまざまな概念を学ぶ。具体的には、独占市場、寡占市場、独占的競争市場がこれに該当する。

1 不完全競争市場

R4 17
R2 20

不完全競争市場 ➡ 売り手、買い手に価格支配力をもつ主体がいる市場

この章では、売り手（供給者）側が価格支配力をもつケースを考える（試験対策上、買い手（需要者）が１人（１社）しか存在しない市場については扱わない）。

完全競争市場とは、下表の４つの条件をすべて満たす市場のことをいう。そして、不完全競争市場とは完全競争市場ではない市場のことを指し、その具体的なものには以下のような市場がある。

①**独占市場** → 売り手（供給者）が**１社**しか存在しない市場
②**寡占市場** → 売り手（供給者）が比較的**少数**しか存在しない市場
※特に２社のみで占められている市場を**複占市場**という。
③**独占的競争市場** → 完全競争市場の４つの条件のうち、「財の同質性」が満たされない市場

	完全競争	独占	寡占	独占的競争
売り手、買い手ともに多数存在	○	×（１社）	×（少数）	○
財の同質性	○	― （１社しかない）	○× （ある場合とない場合がある）	× （ある程度の差別化）
財に関する情報の完全性	○	○	○	○
市場への参入・退出の自由	○	×	×	○

設例

完全競争と不完全競争における市場の特徴に関する記述の正誤の組み合わせとして、最も適切なものを下記の解答群から選べ。〔R4－17〕

a　完全競争市場の売り手は多数であるのに対して、独占的競争市場では売り手が少数である。

b　完全競争市場の売り手はプライス・テイカーであるのに対して、不完全競争市場における売り手はプライス・メイカーである。

c　完全競争市場の売り手が同質財のみを生産するのと同様に、不完全競争市場における売り手も同質財のみを生産する。

〔解答群〕

ア　a：正　b：正　c：正
イ　a：正　b：誤　c：誤
ウ　a：誤　b：正　c：正
エ　a：誤　b：正　c：誤
オ　a：誤　b：誤　c：正

解答　**エ**

a　×：独占的競争市場では売り手が多数である。

b　○：正しい。

c　×：寡占市場の一部と独占的競争市場の場合では、財の同質性が満たされていない。

2 独占市場

ここでは不完全競争市場の典型的なケースとして独占市場を学ぶ。独占とは売り手（供給者）が１社しか存在しないような市場である。

1 独占市場

独占市場 ➡ 売り手（供給者）が１社しか存在しないような市場

(完全競争市場と比較した）独占市場の特徴
① **供給量が過小となる**
② **市場価格が高くなる**
③ **①②により、社会的総余剰が小さくなる**

独占市場はまれにしか存在し得ないと考えられている。というのは、独占という地位を利用し高い利潤を得ることは、新しい企業の参入を招くからである。言い換えれば、仮にある市場で独占という状態が長く持続している場合には、きわめて高い**参入障壁**が存在している、あるいは当該市場が**自然独占**（第５章５節）となっているなどの特殊な理由が存在すると考えられる。

2 独占均衡

❶▶独占企業の限界収入

1 独占企業の直面する需要曲線

完全競争企業はそのシェアが十分に小さいため、生産量を変化させても市場における価格は変化しないというものであった（プライステイカー）。

しかし、**独占企業は自らの供給量の変化により価格が変化することを認識しつつ行動する**（これをプライスメイカーという)。たとえば、図表4－1でQ_1から１単位生産量を増加させたとする。このとき価格はΔPだけ低下することになる。生産量が多いほど、価格を低くしなければ売り切れなくなるからである。独占企業はこれを認識したうえで行動する（利潤最大化を目指す)。

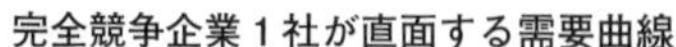

完全競争企業１社が直面する需要曲線

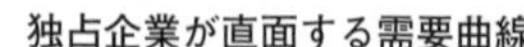

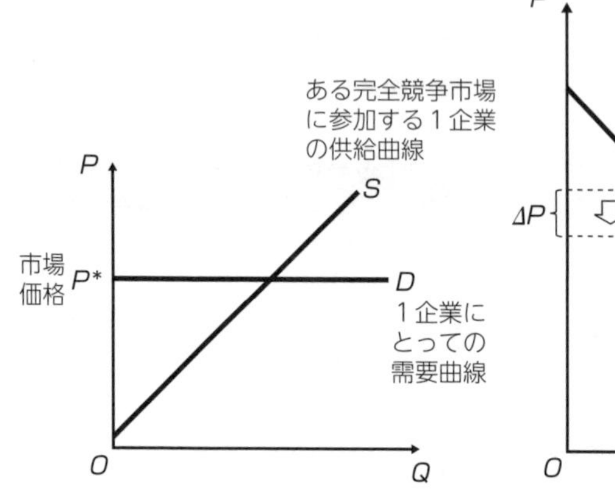

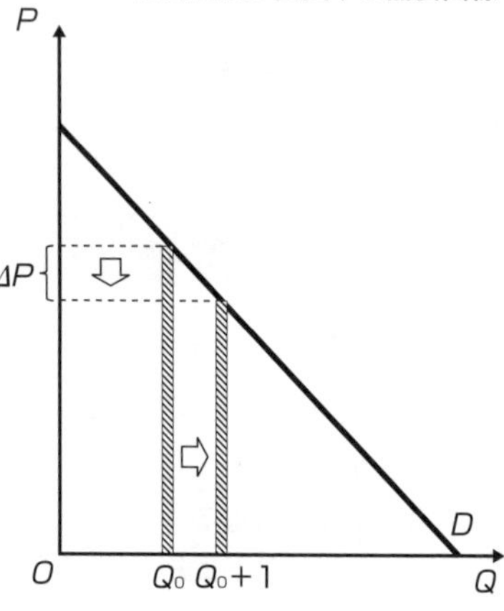

<＜補足＞

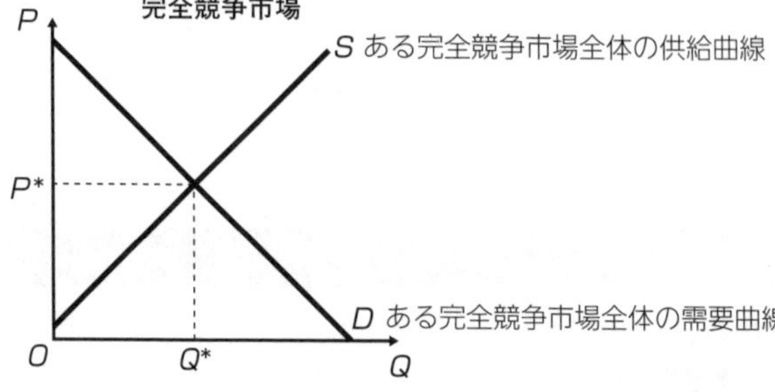

2 限界収入

限界収入 (marginal revenue：*MR*)	➡	生産量を１単位増加させたときに増加する収入の額

収入は、収入(*R*)＝価格(*P*)×生産量(*Q*)で与えられていた。完全競争企業はプライステイカーであり、価格は一定と考えるため、限界収入＝市場価格（一定）となる（生産量を１単位増加させると当該財の単価分だけ追加的に収入が得られる)。しかし独占企業の場合、生産量を増加させるほど価格は低下するため、生産量増加による収入の増加分が、価格低下による収入の減少分を補えず限界収入は価格よりも低くなると考える（ある価格*P*と生産量*Q*を基準に、そこから生産量を（*Q*＋１）に増加させたとき、価格は*P*より低下する)。

限界収入

競争企業	➡	**プライステイカー**	➡	**価格＝限界収入**
独占企業	➡	**プライスメイカー**	➡	**価格＞限界収入**

 [4－2]

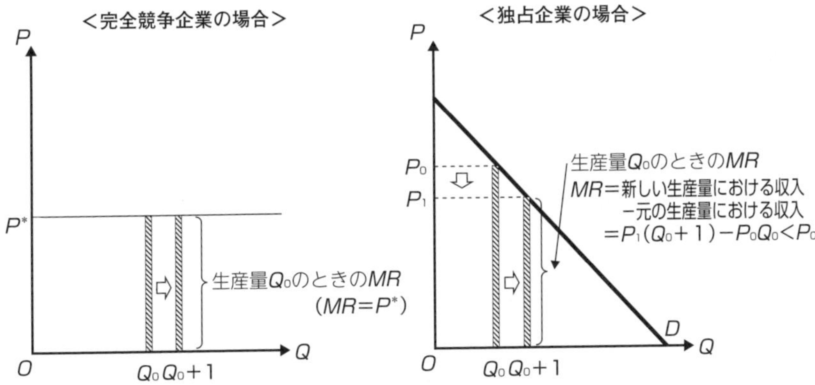

考え方のヒント

独占企業の場合には「価格＞限界収入」となることを、実際に数値をあてはめて考えてみる。

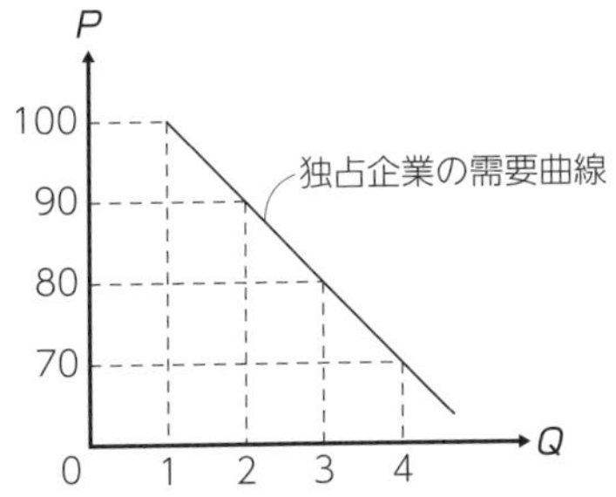

価格	生産量	収入	*MR*
100	1	100	
			80 (価格100、生産量1の場合のMR)
90	2	180	
			60 (価格 90、生産量2の場合のMR)
80	3	240	
			40 (価格 80、生産量3の場合のMR)
70	4	280	

需要曲線をまとめた右の表を確認すると、**限界収入は逓減し、かつ価格よりも小さいことが確認できる。**生産量を増加させるほど価格を下げなければ売り切ることができないため、このような状況となる。

3 限界収入曲線

各生産量についての限界収入の値をプロットしたものを**限界収入曲線**という。需要曲線が、図表4－3のように直線の場合には、限界収入曲線は次のように描ける。

独占市場（企業）の限界収入曲線
① **需要曲線と同じ切片を持ち、**
② **傾きが2倍の直線**

[4－3]

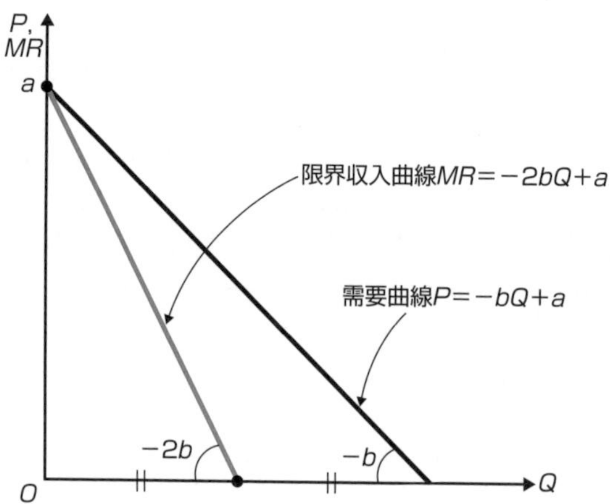

参考

この関係は数式から導くことができる。

需要関数が次のように与えられたとする。需要関数(曲線)は、縦軸が価格、横軸が需要量である。

$$P(Q)=-bQ+a$$

この価格と需要量で独占企業が財を供給した場合、この企業の収入関数は、

$$R(Q)=P(Q)\times Q$$
$$=(-bQ+a)\times Q$$
$$=-bQ^2+aQ$$

と表すことができる。さらに、限界収入関数は、収入関数をQで微分することで求めることができる。

$$MR(Q)=R'(Q)=-2bQ+a$$

※導出過程を覚える必要はない。

❷ ▶利潤最大化

1 独占企業の利潤最大化条件

独占企業の利潤最大化条件 ➡ 限界収入（MR）＝限界費用（MC）となるように生産量を決める

※完全競争企業の場合と異なり「価格＝限界収入」が成立しないが「限界収入＝限界費用」という条件は同じである。

2 解釈

独占企業の利潤最大化条件の解釈は、完全競争企業の場合と同じである。**限界収入は生産量を 1 単位増加させたときの収入の増加分を、限界費用は生産量を 1 単位増加させたときの費用の増加分を表す。**

限界収入＞限界費用となっているときには、もう 1 単位生産量を増加させることで得られる収入の増加分が費用の増加分を上回っているので、生産量を増加させることで利潤が増加する。よって、利潤が最大化されている状態にはなっていないことになる。

限界収入＜限界費用のときには逆に考えればよい。したがって、限界収入＝限界費用が成り立っている場合に利潤が最大化されていると考えることができる。

● **考え方のヒント**

独占企業の利潤最大化条件の考え方は、完全競争企業の利潤最大化条件と同じ手法で理解するとよい。

・供給量がQ^*より少ない状態では、「$MR>MC$」となる。つまり供給量を 1 単位増加させることで得られる収入のほうが、追加でかかる費用よりも大きく、その差額分利潤が生じる。よって、供給量を増加させることで利潤の合計額を増やすことができる。

・供給量がQ^*より大きい状態では、「$MR<MC$」となる。つまり供給量を 1 単位増加させると、得られる収入よりも追加でかかる費用のほうが大きく、その差額分損失が生じる。よって、供給量を減少させたほうが利潤の合計額を増やすことができる。

以上より、$MR=MC$となる供給量Q^*が、利潤が最大化する供給量となる。

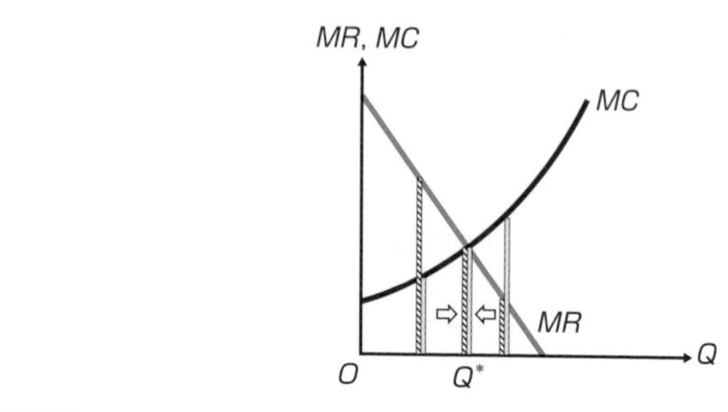

参考

利潤関数は、$\pi(Q)=R(Q)-C(Q)$で与えられる。利潤を最大化する（限界利潤がゼロとなる）Qは、$\pi'(Q)=R'(Q)-C'(Q)=MR(Q)-MC(Q)=0$で与えられる。つまり、$MR(Q)=MC(Q)$ である。

R6 17
R3 19

❸▶独占均衡の図示

❶ 独占生産量、独占価格

図表4－4には、需要曲線D、この需要曲線から導かれた限界収入曲線MR、および限界費用曲線MCが描かれている。独占企業は、利潤最大化条件より、「限界収入＝限界費用」となる生産量を選ぶので、Q_0という生産量が実現する。一方、価格については生産量Q_0に対する供給者価格（E）と需要者価格（P_0）に乖離がある。この場合、需要者がP_0という価格を支払う意思があるのに、供給者はわざわざそれよりも低い価格には設定しないだろう。したがって、取引価格はP_0となる。このように、市場価格は供給者側ではなく需要者側主導で決定される。

図表 [4－4]

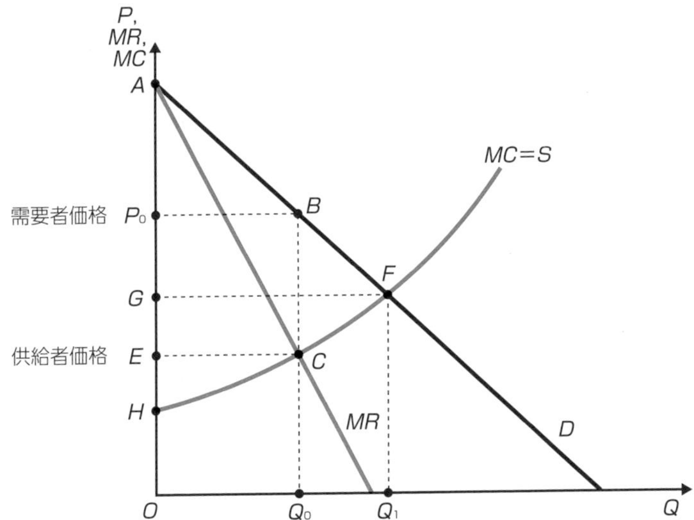

<完全競争企業として利潤最大化行動をとった場合の価格と生産量の見方>

① 需要曲線Dと供給曲線（限界費用曲線）Sの交点（市場均衡点）である点Fをもとに市場均衡価格と生産量（均衡取引量）が決定される。

② 完全競争市場の価格　：G

③ 完全競争市場の生産量：Q_1

※完全競争企業は、市場価格を受容し（プライステイカー）、生産量を決定する。

<独占市場（企業）における価格と生産量の見方>

① 独占企業の利潤最大化条件「限界収入MR＝限界費用MC」となる点Cをもとに市場（企業）の生産量が決定される。

② 独占市場（企業）の生産量：Q_0

③ 独占市場（企業）の価格　：P_0（価格は市場の需要曲線によって決定する）

※独占企業は、利潤最大化条件により、生産量を決定し、市場に見合った価格を決定する（プライスメイカー）。

図表４－４より、独占企業においては、価格P_0は、限界収入Eを上回ることが確認できる。

独占企業 ➡	価格P（生産量を増やすごとに低下する）＞限界収入MR＝限界費用MC
（完全競争企業 ➡	価格P（市場均衡価格で一定）＝限界収入MR＝限界費用MC）

また、前述の独占市場の特徴である、**供給量が過小（$Q_0<Q_1$）となり、市場価格が高くなる（$P_0>G$）**ことが確認できる。

R6 17
R3 19

❹▶独占による厚生の損失

図表４－５を用いて、完全競争市場と独占市場の余剰の違いを確認する。

図表 [4−5]

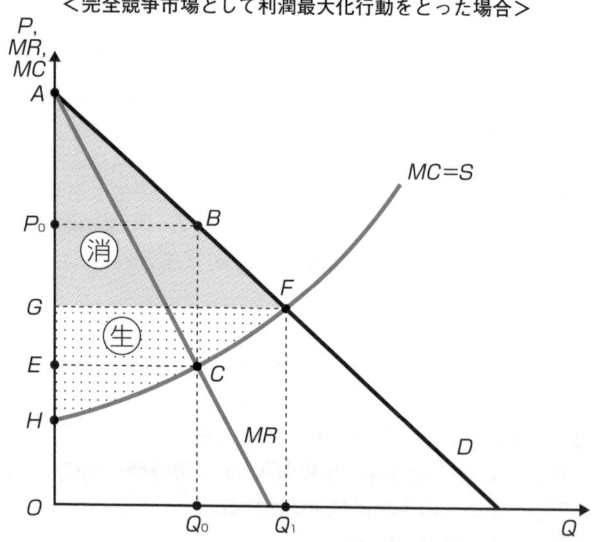

＜独占企業の利潤最大化行動＞

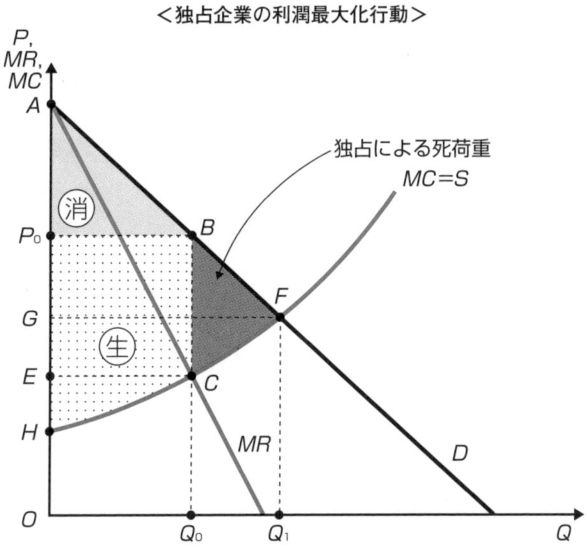

	完全競争市場	独占市場
消費者余剰	△AGF (□AOQ_1F－□GOQ_1F)	△AP_0B (□AOQ_0B－□P_0OQ_0B)
生産者余剰	図形GHF (□GOQ_1F－図形HOQ_1F)	図形P_0HCB (□P_0OQ_0B－図形HOQ_0C)
社会的総余剰	図形AHF	図形$AHCB$ ※死荷重＝図形BCF

以上より、独占市場の特徴である、**社会的総余剰が小さくなる**ことが確認できる。

設 例

下図によって独占企業の利潤最大化を考える。Dは独占企業の市場需要曲線、MRは独占企業の限界収入曲線、MCは独占企業の限界費用曲線である。

この図に関する記述として、最も不適切なものを下記の解答群から選べ。

〔R3－19〕

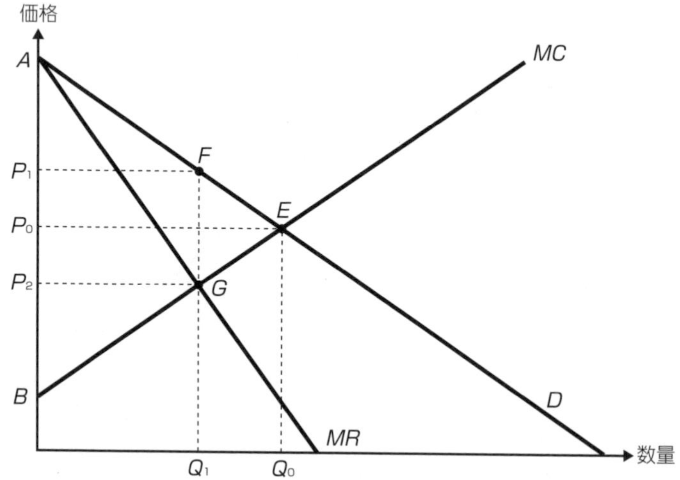

〔解答群〕

ア　社会的に望ましい生産量はQ_0で実現し、そのときの総余剰は三角形ABEである。

イ　生産量がQ_1のとき、この独占企業の平均収入はP_1である。

ウ　独占企業が利潤を最大化させるときの消費者余剰は台形AP_2GFである。

エ　独占企業の利潤を最大化する生産量はQ_1である。

解 答　**ウ**

独占企業は「MR（限界収入）$=MC$（限界費用）」となるように生産量を決定する。このようにして決定された生産量（Q_1）は、完全競争市場における生産量（Q_0）と比較して過小であり、生産量に対応する市場価格は高く、その結果、社会的総余剰が小さくなる。

本問では、独占企業は点Gの水準であるQ_1に生産量を決定する。価格は需要曲線により決定され、生産量Q_1に対応する点Fの水準であるP_1となる。

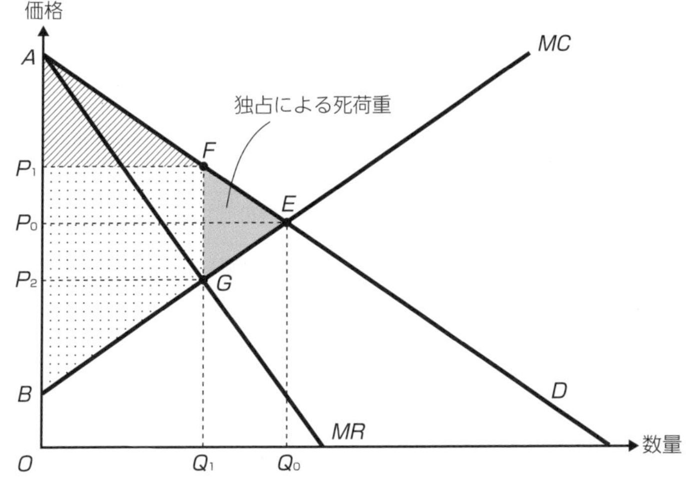

※解説の便宜上、一部加筆・修正。

価格　　　　：P_1

生産量　　　：Q_1

消費者余剰　：△AP_1F

（□AOQ_1F－□P_1OQ_1F）

生産者余剰　：□P_1BGF

（□P_1OQ_1F－□BOQ_1G）

社会的総余剰：□$ABGF$

（△AP_1F＋□P_1BGF）

独占による死荷重：△FGE

（△ABE－□$ABGF$）

ア　○：正しい。社会的に望ましい生産量は、社会的総余剰が最大となる生産量Q_0で実現する。

イ　○：正しい。平均収入は「総収入÷生産量」であり、価格（P_1）と一致する。

ウ　×：独占企業が利潤を最大化させるときの消費者余剰は△AP_1Fである。

エ　○：正しい。

❺▶独占状態を表す指標（ラーナーの独占度）

ラーナーの独占度は、企業の価格支配力がどれほど強いかを測る指標である。

式による証明は割愛するが、独占企業の利潤最大化条件から次の関係式が成り立つ。

$$\frac{\text{価格}(P)-\text{限界費用}(MC)}{\text{価格}(P)}=\frac{1}{\text{需要の価格弾力性}(\overset{\text{イプシロン}}{\varepsilon})}$$

価格と限界費用の乖離率＝需要の価格弾力性の逆数

これを**ラーナーの独占度**（あるいは**ラーナー指数**）という。

ラーナーの独占度が高い（低い） ➡ **価格と限界費用の乖離率が大（小）** ➡ **価格支配力が大きい（小さい）**

上記の流れを換言すると、以下のようにも表現できる。

独占度が高い（低い） ➡ 需要の価格弾力性が低い（高い） ➡ 取引価格が高い（低い）

設例

同一の財を取引する２つの市場A・Bにおいて、需要の価格弾力性が低い市場Aの価格は、市場Bの価格よりも高くなる。

H27-19　d改題　（**○**：需要の価格弾力性が低い市場は、独占度が高く、価格は高くなる。）

3 寡占市場

寡占市場とは、価格支配力を有した少数の企業が存在するような市場をいう。現実にある市場は、1社による独占ではなく、一部の企業がシェアの大多数を占めているようなことが多い。このような状況では、ライバル企業の動向をうかがいながら自社の戦略を決めるという傾向がある。ここでは寡占モデルのうち2社モデル（複占モデル）を扱う。

1 寡占市場

❶▶市場集中度

市場における供給企業の集中度（**市場集中度**）を測る指標としては、ハーフィンダール・ハーシュマン指数（HHI）が代表的である。

ハーフィンダール・ハーシュマン指数（HHI）は、市場に参入しているすべての企業のマーケットシェアの自乗の和として定義される。この**指数が大きいほど**（最小で0、最大で10,000）、**市場集中度が高い**と判断される。

例
・独占市場の場合
$HHI = 100(\%)^2 = 10{,}000$
・寡占市場（シェア：全4社のうち、1社70%、他の3社各10%）
$HHI = 70^2 + 10^2 + 10^2 + 10^2 = 5{,}200$
・寡占市場（シェア：4社とも25%）
$HHI = 25^2 + 25^2 + 25^2 + 25^2 = 2{,}500$

❷▶完全競争市場、独占市場との違い

完全競争	➡	**プライステイカー**	➡	**ライバルは考慮せず**
独占	➡	**自社だけがプライスメイカー**	➡	**ライバルは存在しない**
寡占	➡	**少数のプライスメイカー**	➡	**他の企業がどう行動するかで、自社の利潤は変わる**

例　同じような財を供給している他の企業が大きく価格を低下させたとすると、相手に需要を奪われるというようなことが起こる。

お互いの行動が、お互いの利潤に影響を与え合う	➡	企業は、その相互依存関係を考慮しながら行動を決定する

2 代表的な寡占モデル

代表的な寡占モデルには、クールノーモデル、ベルトランモデル、シュタッケルベルクモデルの３つがある。

[クールノーモデル]

■ 市場に**同質な財**を供給する２社のライバル企業が存在すると想定。

■ これらの２社が**相手企業の供給量に対応し、自社の最適な供給量を決める。**

[ベルトランモデル]

■ 市場に**同質ではない財**を供給する２社のライバル企業が存在すると想定。

■ これらの２社が**相手企業の価格に対応し、自社の最適な価格を決める。**

[シュタッケルベルクモデル]

■ ２つの企業が**生産量を戦略変数**とし、**先導者は追随者の行動を読み込んで利潤最大化**を行い、**追随者は先導者の行動を所与として利潤最大化**を行う。

■ **寡占企業は先導者として行動するとき、より大きな利潤を得る。**

3 ゲーム理論

寡占市場に参加する企業のように、相手の行動を考慮した上で自らの意思決定を行うことがある。このような戦略的行動は、企業のみならずさまざまなところに存在する。**ゲーム理論**とは、互いに影響を与え合うプレイヤーによる意思決定に関する理論である。ゲーム的状況は、「非協力ゲーム理論（プレイヤーが話し合いをせず、それぞれが独立して意思決定を行う）」と「協力ゲーム理論（話し合いを前提とした協力関係のもと共同行動する）」の２つに大別できるが、本節では「非協力ゲーム理論」を中心に学習する。

R5 22
R4 20
R2 22

❶▶標準型ゲーム

標準型ゲームは、各プレイヤーが独立して戦略を決定するものである。これは、自らが戦略を決定する時点において相手がどのような意思決定を行うのかはわからないということである。標準型ゲームでは、「プレイヤー」「戦略」「利得」が示された表（**ペイオフマトリックス（利得行列）**）を用いて各プレイヤーの意思決定についてみていく。

例 A社とB社の２つのプレイヤーが存在し、それぞれが２つの戦略（「高価格」もしくは「低価格」）のうちどちらを選択するかという意思決定について考える。

		B社	
		高価格	低価格
A社	高価格	(10、10)	(4、12)
	低価格	(12、4)	(6、6)

括弧内の数字は、各企業の利得を表している（左側の数字がＡ社の利得、右側の数字がＢ社の利得)。たとえば、左下の（12、４）はＡ社が低価格、Ｂ社が高価格をつけたときに、Ａ社は12の利得を、Ｂ社は４の利得を得るということを意味している。

<戦略決定の手順>

●Ａ社の意思決定

Ｂ社（相手）の戦略について場合分けをして考察していく。

①　Ｂ社が「高価格」を選択した場合のＡ社の最適な戦略を決定する。

Ｂ社が「高価格」を選択　→　Ａ社は「高価格」を選択すれば10の利得
　　　　　　　　　　　　　　Ａ社は「低価格」を選択すれば12の利得

よって、Ｂ社が「高価格」を選択した場合は、Ａ社は「低価格」が最適な戦略となる。

②　Ｂ社が「低価格」を選択した場合のＡ社の最適な戦略を決定する。

Ｂ社が「低価格」を選択　→　Ａ社は「高価格」を選択すれば４の利得
　　　　　　　　　　　　　　Ａ社は「低価格」を選択すれば６の利得

このように、プレイヤーが自らの利得を最大にするために最適な戦略をとることを最適反応という。

よって、Ｂ社が「低価格」を選択した場合は、Ａ社は「低価格」が最適な戦略となる。

●Ｂ社の意思決定

Ａ社（相手）の戦略について場合分けをして考察していく。

①　Ａ社が「高価格」を選択した場合のＢ社の最適な戦略を決定する。

Ａ社が「高価格」を選択　→　Ｂ社は「高価格」を選択すれば10の利得
　　　　　　　　　　　　　　Ｂ社は「低価格」を選択すれば12の利得

よって、Ａ社が「高価格」を選択した場合は、Ｂ社は「低価格」が最適な戦略となる。

②　Ａ社が「低価格」を選択した場合のＢ社の最適な戦略を決定する。

Ａ社が「低価格」を選択　→　Ｂ社は「高価格」を選択すれば４の利得
　　　　　　　　　　　　　　Ｂ社は「低価格」を選択すれば６の利得

よって、Ａ社が「低価格」を選択した場合は、Ｂ社は「低価格」が最適な戦略となる。

❶ 支配戦略

上記の例でみると、A社は相手のB社の戦略が「高価格」であっても「低価格」であっても、結局は「低価格」を選択することが最適な戦略となる。このように、相手の戦略に関係なく自らの戦略が1つに決まるとき、その戦略のことを**支配戦略**という。**支配戦略はゲームの設定（利得など）によって、存在する場合と存在しない場合がある（必ず存在するわけではない）**。

❷ ナッシュ均衡

ナッシュ均衡とは、各プレイヤーが最適な戦略をとりあっている状態のことをいう（先の手順により最適な戦略に○を付していった結果、両者の利得に○が付されている状態）。**ナッシュ均衡はゲームの設定によって複数存在することや存在しない場合もある（常に1つの組み合わせとは限らない）**。

		B社	
		高価格	低価格
A社	高価格	(10、10)	(4、⑫)
	低価格	(⑫、4)	(⑥、⑥)

❸ 囚人のジレンマ

先の例において、仮にA社とB社が協調的行動をとって（話し合いを行い）、お互いが「高価格」を選択すれば利得合計が最も大きくなり、(10、10）の利得を得ることができる。しかし、相手が裏切った場合を考えると、裏切って「低価格」を選択したプレイヤーはより高い12の利得を得られるのに対し、裏切られたプレイヤー（「高価格」を選択）は4の利得しか得られないことを恐れ、非協調的な行動をとることとなってしまい、(6、6）の利得にとどまることとなる。

各プレイヤーが非協調的に戦略決定を行った結果、両者にとって高い利潤を得ることが可能であるのに、非協調的な行動の結果、より低い利潤しか得られなくなってしまうというようなパレート非効率的な状況を**囚人のジレンマ**という。

❹ パレート効率的（パレート最適）⇔パレート非効率

他の誰かの効用を悪化させない限り、どの人の効用も改善することができない状態を**パレート効率的（パレート最適）**という。裏を返せば、他者の効用を悪化させることなく、効用を改善できる状態は**パレート非効率**な状態であるといえる。たとえば、先の表で両者が「低価格」を選択している状態は、B社（他者）の効用を悪化させることなく、A社の効用を改善できる余地がある（両者が「高価格」を選択するケースがある）。

5 繰り返しゲーム

1回限りのゲームでは、仮に両者が互いに「高価格」を選択すれば双方の利得が大きくなる（10、10）とわかっていたとしても、相手の裏切りを恐れて非協調的な行動をとった結果、お互い「低価格」を選択し、囚人のジレンマに陥ることになる（協調的行動をとれば（10、10）の利得を得られるが、相手の裏切りを警戒して、結局は自分の利得最大化のみを考える）。しかし、同じゲームが繰り返される場合には、あるときの選択が次のゲームに影響を与えるため、結果的に各プレイヤーが協調的行動をとるケースがある。

❷▶協調的行動のタイプ

企業間の協調の形態としては以下のようなものがある。

1）価格カルテル

2）数量カルテル

3）入札談合

ただし、このようなあからさまなかたちのカルテルは、多くの国では、独占禁止法によって禁じられるか、制限されている。もっとも、禁じられているにもかかわらず、摘発され処罰を受ける企業が後を絶たないという事実はかえって、カルテルを組もうとする誘因がいかに強いかということを表しているともいえる。

設 例

夫婦による家事分担は重要である。会社員の太郎さんと主婦の花子さんには、夕方の家事に関して「協力する」「相手に任せる」という選択肢がある。

2人がともに「協力する」場合、楽しく家事ができ、お互いの負担を大きく減らすことができるので、ともに30の利得が得られる。また、どちらか一方が「相手に任せる」場合は、任せた方は苦労がなく50の利得が得られるが、1人で家事を行う方は－30と大きい負担となる。さらに、お互いに「相手に任せる」場合は、結果として2人が嫌々家事をすることになるので、ともに－10となる。

下表は、以上の説明を、利得マトリックスにまとめたものである。マトリックスの左側が太郎さんの利得、右側が花子さんの利得である。下表に関する記述として、最も適切なものを下記の解答群から選べ。〔R2－22〕

		花子さん	
		協力する	相手に任せる
太郎さん	協力する	30，30	−30，50
	相手に任せる	50，−30	−10，−10

〔解答群〕

ア　太郎さんと花子さんには、共通の支配戦略がある。

イ　太郎さんと花子さんは、お互いに異なる戦略をとると利得が増加する。

ウ　太郎さんの最適反応は「相手に任せる」、花子さんの最適反応は「協力する」である。

エ　ナッシュ均衡は、ともに「協力する」組み合わせである。

解　答　**ア**

		花子さん	
		協力する	相手に任せる
太郎さん	協力する	30，30	−30，(50)
	相手に任せる	(50)，−30	(−10)，(−10)

●太郎さんの意思決定

①　花子さんが「協力する」を選択することを想定した場合
- ・「協力する」を選択　→「30」の利得
- ・「相手に任せる」を選択　→「50」の利得

→太郎さんは、「相手に任せる」を選択する。

② 花子さんが「相手に任せる」を選択することを想定した場合

・「協力する」を選択 →「−30」の利得

・「相手に任せる」を選択 →「−10」の利得

→太郎さんは、「相手に任せる」を選択する。

●花子さんの意思決定

① 太郎さんが「協力する」を選択することを想定した場合

・「協力する」を選択 →「30」の利得

・「相手に任せる」を選択 →「50」の利得

→花子さんは、「相手に任せる」を選択する。

② 太郎さんが「相手に任せる」を選択することを想定した場合

・「協力する」を選択 →「−30」の利得

・「相手に任せる」を選択 →「−10」の利得

→花子さんは、「相手に任せる」を選択する。

ア ○：正しい。

イ ×：本肢では、どの状態（両者が「協力する」、もしくは「相手に任せる」）から考えるのか、誰の利得（または両者）が増加するかを明示していないため、場合分けして検討してみる。太郎さんと花子さんが「相手に任せる」を選択している状態から、太郎さんが「協力する」を選択すると太郎さんの利得は「−10」から「−30」となり、利得は減少する。また、太郎さんと花子さんが「協力する」を選択している状態から、太郎さんが「相手に任せる」を選択すると太郎さんの利得は「30」から「50」となり、利得は増加するが、花子さんの利得は「30」から「−30」となり、利得は減少する。

ウ ×：最適反応とは、プレイヤーが自らの利得を最大にするために最適な戦略をとることである。太郎さんも花子さんも最適反応は「相手に任せる」である。

エ ×：ナッシュ均衡は、ともに「相手に任せる」組み合わせである。

4 屈折需要曲線

屈折需要曲線は寡占市場における**価格の硬直性**を説明するものである。

> **<屈折需要曲線を考える上での前提>**
> ・自社が現在より**低価格**をつけた場合にはライバル企業はそれに**追随する**
> ・自社が現在より**高価格**をつけた場合にはライバル企業はそれに**追随しない**

❶▶屈折需要曲線の形状

寡占市場のある企業（T社）が、価格P_0のもとでQ_0だけ市場に財を供給しているとする。この場合、**この企業の需要曲線は点Eで屈折するように描かれる。**これは次の理由による。

図表 [4−6]

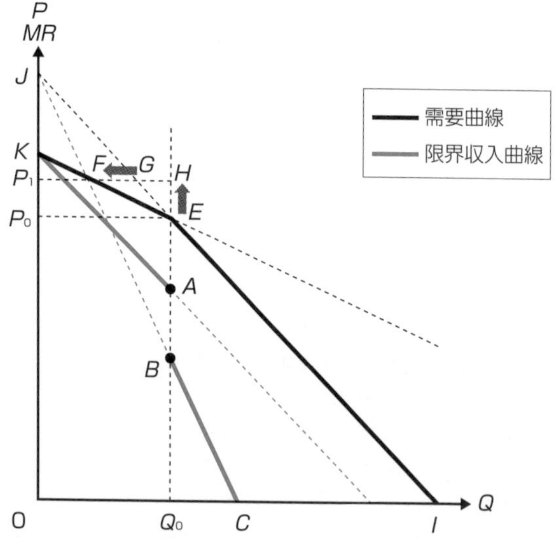

<屈折需要曲線の解釈>

・現在の均衡点を点Eとする（価格はP_0、生産量はQ_0）。
・T社がP_0からP_1（EからH）への値上げを行うとする。
・T社は需要曲線JIより、需要量はHからGに減少すると想定するが、ライバル企業は値上げに追随しないため、想定以上の需要量の減少（ライバル企業への顧客流出）を招き需要はFまで減少する（価格がP_0より高い水準では、需要曲線はJEではなくKEで描かれる）。

・ライバル企業がＴ社の価格政策に追随しないという想定の下にＴ社が値下げを行う場合、Ｔ社は需要曲線KEの延長線上の点線のような需要の伸びを想定するが、ライバル企業は値下げには追随してくるため、想定よりもＴ社の需要が増加することはなく、需要曲線はEで屈折しEIで描かれる。

❷▶屈折需要曲線の限界収入曲線

限界収入曲線は、需要曲線と同じ切片で傾きが２倍の直線となる（第４章第２節参照）。

すなわち、生産量が０からQ_0の範囲では需要曲線がKEであるから、これに対応して限界収入曲線はKAとなり、生産量がQ_0以上の範囲では需要曲線がEIとなるので、限界収入曲線はBCとなる。

結果的に屈折需要曲線の限界収入曲線は、図表4－6のように生産量Q_0の部分において乖離したものとなる。

屈折需要曲線の限界収入曲線は、不連続となる。

❸▶寡占市場における価格硬直性

不完全競争市場では、限界収入と限界費用が等しくなる生産量で利潤が最大化すると考える。たとえば図表4－7でＴ社の限界費用曲線がMC_1である場合、限界収入＝限界費用となる生産量Q_0において利潤は最大化し、その場合の価格はP_0である。

しかしながら原材料価格の変動などにより、企業の限界費用曲線の位置は変化する。たとえばMC_2に限界費用曲線が変化したとしよう。この場合でも、限界収入＝限界費用となる生産量Q_0において利潤は最大化し、価格はP_0である。

つまり、限界費用の変動が、限界収入曲線が乖離している範囲内である場合には、利潤を最大にする生産量は常にQ_0であり、価格もP_0のままで変化しない。よって、屈折需要曲線により、寡占的な産業では費用関数が変化しても価格が硬直的になることが説明できる。

図表 [4−7]

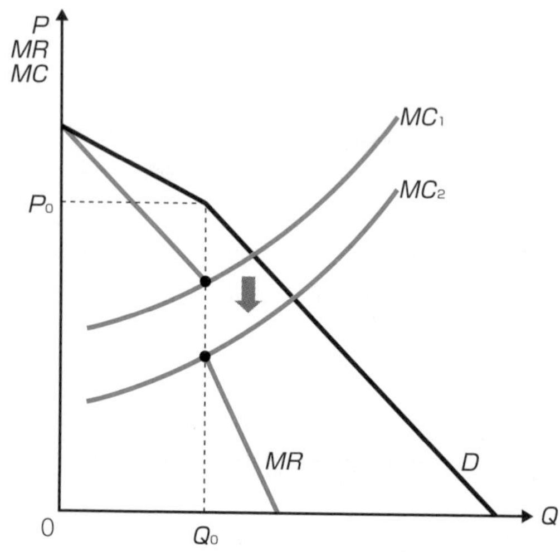

寡占市場では、費用構造（限界費用）が変化しても価格は変わりにくい。

設 例

下図では、利潤最大化を目指す合理的な企業が直面する寡占市場を念頭において、点Eで屈曲する「屈折需要曲線」DEFが描かれている。この需要曲線のDE部分に対応する限界収入曲線が線分LM、EF部分に対応する限界収入曲線が線分RSである。いま、当該市場でq_1の生産量を選択していた企業の限界費用曲線MC_1がMC_2へシフトしたものとする。下図に関する記述として、最も適切なものを下記の解答群から選べ。〔H28−23〕

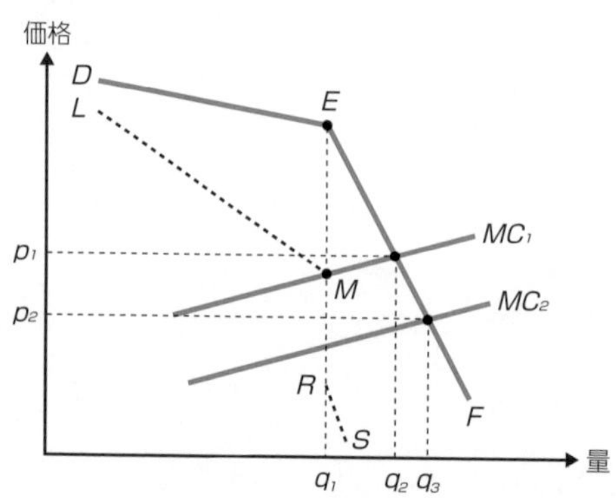

〔解答群〕

ア　限界費用曲線がMC_2へシフトしたことにより生産量をq_1からq_2へ増加させる。

イ　限界費用曲線がMC_2へシフトしたことにより生産量をq_1からq_3へ増加させる。

ウ　限界費用曲線がMC_2へシフトしても、価格は変わらない。

エ　限界費用曲線がMC_2へシフトすると、価格をp_1からp_2へ引き下げる。

解　答　**ウ**

寡占企業の屈折需要曲線に関する問題である。

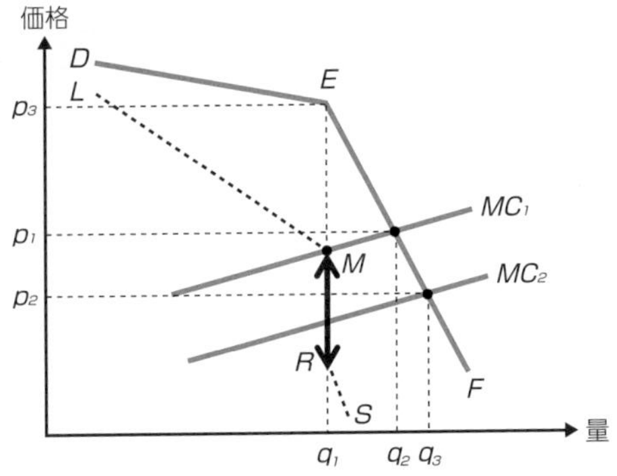

限界費用曲線がMC_1のとき、この寡占企業は利潤最大化条件に従い限界収入と限界費用が等しくなる生産量q_1を選択する。この場合、価格はp_3である。

限界費用曲線が限界収入曲線LMと限界収入曲線RSの間（MR間）に存在する限り、生産量はq_1で変わらず、価格はp_3で変わらない。

よって、ウが正解である。

4 独占的競争市場

独占と完全競争の中間的な競争モデルとして、独占的競争がある。独占的競争市場とは、「各企業の製品がブランド品のように少しずつ差別化されているので、各企業が自分の製品に対してある程度の独占力を発揮できる市場」である。独占的競争市場を考えるにあたっては、短期での均衡状態と長期での均衡状態のそれぞれについて考える必要がある。

R2 20

1 製品差別化

❶▶製品差別化

製品差別化 ➡	各企業の製品が、同じような性質、用途をもっている（密接な代替財）のだが、異なったものと消費者に認識されているような状態

このような製品差別化は、機能、デザイン、販売方法のわずかな差、あるいは商標、ブランドイメージといったものによって生み出されていることが多い。

❷▶製品差別化と価格支配力

たとえ市場に参入している企業の数が多数であっても、製品が差別化されているような状況では、各企業は自社の製品に価格支配力をもつことになる。

R2 20

2 独占的競争

❶▶独占的競争

独占的競争とは、以下のような競争モデルをいう。

1）企業は**多数存在**し、各企業の**シェアは小さい。**

→ 完全競争市場と同様の特徴である。また、寡占市場とは異なり、各企業は**他の企業との相互依存関係を考慮せず行動する。**

2）各企業の製品は**差別化**されており（代替的ではあるが同質的ではない）、各企業は自社製品に対し、**価格支配力をもつ。**

→ 各企業は自社の製品に対しては、**独占企業と同じ行動をとる（利潤最大化条件は独占企業と同様）。**

3）**長期的には、市場への参入・退出が自由**である。

→ **長期的には、正の利潤が見込める場合には参入し、損失を被る場合には退出する。**

❷▶短期の独占的競争均衡

図表4－8に、短期の独占的競争均衡が示されている。**Dはこの個別企業の製品に対する需要曲線**である。各企業は自社の製品に対し、独占企業と同じような利潤最大化行動をとるので、限界収入(*MR*)＝限界費用(*MC*)となるような生産量Q_0を選択し、価格はP_0となる。この均衡では、価格が平均費用（AC_0）を上回っているので、利潤が発生する。この利潤の存在により、長期には新たな企業が参入してくる。

図表 [4－8]

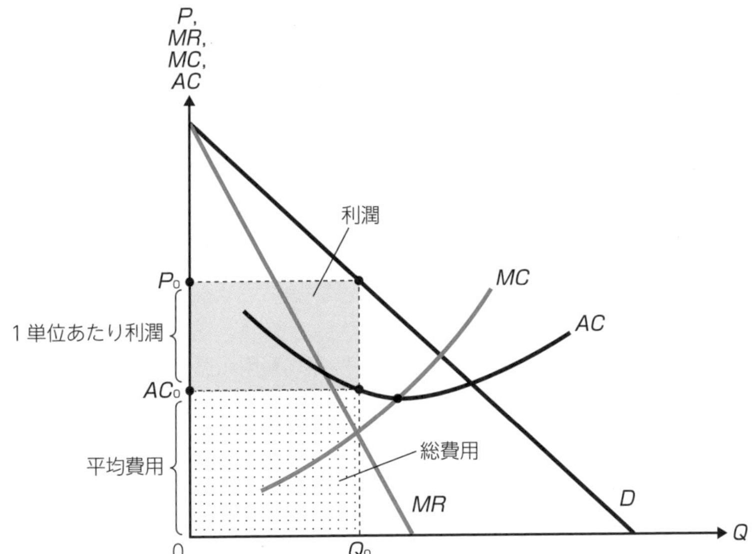

※市場全体ではなく1企業が直面する需要曲線であることに注意する。生産量を増加させるほど価格を引き下げなければ売り切ることができない。また生産量を減らせば、もともと製品が差別化されていることもあり、価格を引き上げることができるので需要曲線は右下がりになる。

※独占企業と同様、限界収入曲線は、①需要曲線と同じ切片を持ち、②傾きが2倍の直線になる。

❸▶長期の独占的競争均衡

超過利潤（独占利潤）が生じているような状況では、それを狙って新規に企業が参入し、密接な代替財を供給することになるため、結局、長期の均衡では超過利潤は生じなくなる。

新たな企業が参入し、密接な代替財を供給するようになると差別化の程度が小さくなり、この企業の財への需要は減少し、(この企業の)需要曲線が左方向へシフトする(図表4－9)。

※同じ価格でも需要量が減少するので、需要曲線は左方向にシフトする。

図表 [4－9]

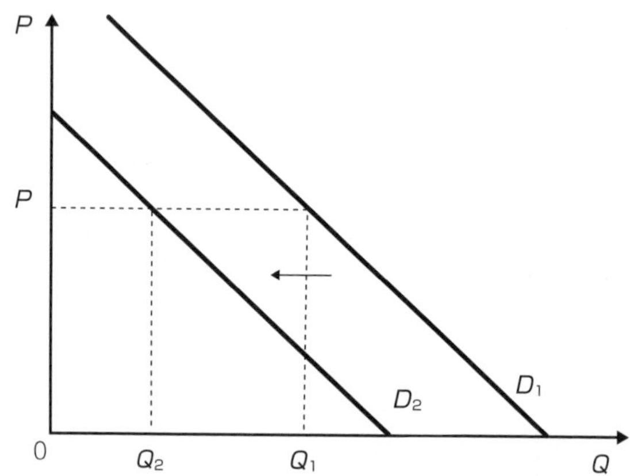

新規参入はこの企業の利潤がゼロ(価格P＝平均費用AC)になるまで続くので、長期の均衡では、図表4－10のように需要曲線(D)と平均費用曲線(AC)が接するような状態が実現する。式による証明は割愛するが、図表4－10では、限界収入＝限界費用という利潤最大化条件だけでなく、価格＝平均費用という利潤がゼロになる条件も成り立っている。

長期の独占的競争均衡	➡	**利潤最大化(MR＝MC)** **利潤ゼロ(P＝AC):需要曲線と平均費用曲線は接する**

図表 [4－10]

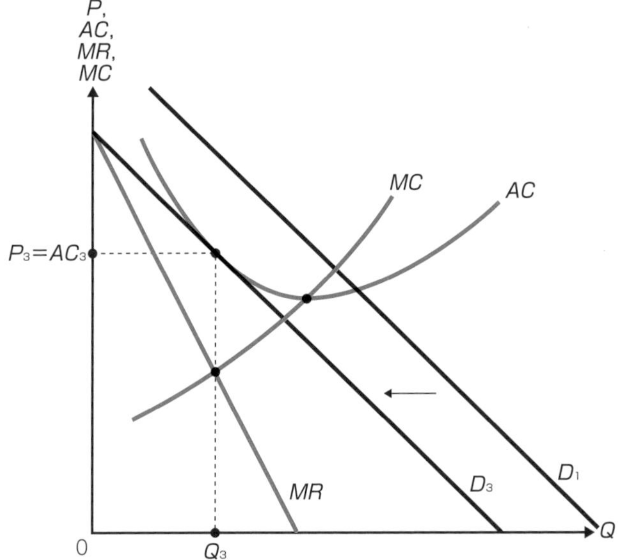

※図表4－10の限界収入曲線*MR*は、需要曲線がD_1からD_3へとシフトした後のものであり、図表4－8の限界収入曲線*MR*とは異なることに注意すること。

設 例

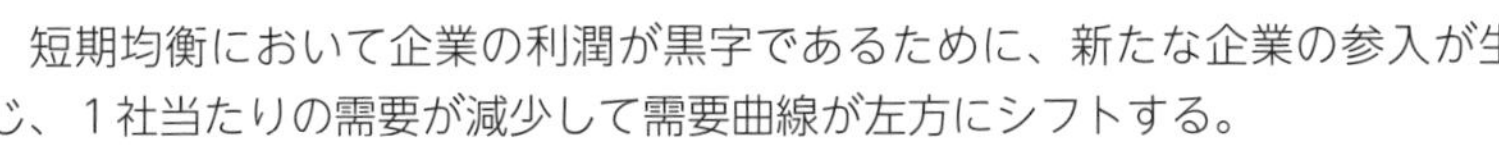

短期均衡において企業の利潤が黒字であるために、新たな企業の参入が生じ、１社当たりの需要が減少して需要曲線が左方にシフトする。
H22－12 c （○）

第5章

市場の失敗と政府の役割

Registered Management Consultant

本章の体系図

＜原則＞
市場の自由競争により
社会的総余剰が最大化

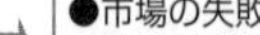

●市場の失敗
市場機構では効率的な資源配分が実現しない
・不完全競争　・外部効果の存在
・公共財の存在　・情報の不完全性
・費用逓減産業

●外部効果⇒市場を介さずに他の経済主体の経済活動に影響を与える

①正の外部効果（プラスの影響）⇒（公共財）
②負の外部効果（マイナスの影響）⇒ 供給が過大、社会的総余剰は小さくなる

＜外部性の是正手段＞
・直接規制　・ピグー税　・補助金
・排出権取引　・コースの定理　・合併

※社会的総余剰＝消費者余剰+生産者余剰+政府余剰－外部不経済

●公共財 ⇒ 非競合性と非排除性を満たす ⇒ フリーライダー問題 ⇒ 供給は過少に

●情報の不完全性

①性質に関する情報の非対称性
⇒ 一方の主体がもう一方の主体に比べ、財などの性質に関して少ない情報しか持っていない
⇒ 逆選択が生じる可能性

②行動に関する情報の非対称性
⇒ 一方の主体がもう一方の主体の行動を観察することが困難である
⇒ モラルハザードが生じる可能性

●費用逓減産業 ⇒ 平均費用が逓減 ⇒ 自然独占

＜費用逓減産業に関する規制＞
・限界費用価格規制
・平均費用価格規制　など

❗ 本章のポイント

◇ 負の外部効果をもたらす財について、「規制がない場合」と「社会的に望ましい場合」の供給量や余剰はどこか。

◇ 負の外部効果をもたらす場合の是正手段としてどのようなものがあるか。

◇ 公共財の定義とは、どのようなものか。

◇ 逆選択の例としてはどのようなものがあるか。モラルハザードの例としてどのようなものがあるか。

◇ 限界費用価格規制、平均費用価格規制、２部料金制とは何か。

1　市場機構の長所と市場の失敗

市場機構とは、財・サービスの過不足は価格の変動を通してうまく解決されるというものである（例：ある財の供給量が不足(超過需要)→価格上昇→需要の減少→供給の増加→需要と供給の均衡が実現)。本節では、市場機構の長所と短所について学ぶ。経済学では自由な市場取引に任せておけば、社会的総余剰が最大化すると考える。しかしながら、市場に取引を任せていると望ましくない状況をもたらす例外的なケースも存在し、これを市場の失敗とよぶ。

1 市場機構の長所

❶▶効率的な状態が実現できる

いくつかの条件が成立しているもとでは、**完全競争市場において社会的総余剰が最大化される（パレート効率的な状態が実現する）**ということがわかっている。

2 市場機構の短所

市場がうまく機能せず、自由な取引だけでは効率的な資源配分が実現されない(社会的総余剰が最大化されない）状況を**市場の失敗**とよぶ。

❶▶市場の失敗の例

市場の失敗が生じる代表的なケース。

1）不完全競争
2）外部効果の存在
3）公共財の存在
4）情報の不完全性
5）費用逓減産業

市場の失敗が生じるような状況では、政府による介入が有効となる。**1）**の不完全競争については第４章で学習したので、この章では**2）～5）**を取り上げる。

2 外部効果

市場の失敗が生じるケースとして、まず外部効果が存在する状況があげられる。外部効果、あるいは、外部性が存在するとは、個々の経済主体の活動が、市場を介さずに他の経済主体の経済活動に影響を与えることを指す。また、外部効果には他の経済主体に良い影響を与える正の外部効果と、悪い影響を与える負の外部効果がある。いずれにせよ、このような場合には最適な資源配分は行われなくなる。

1 外部効果

❶ ▶ 正の外部効果と負の外部効果

外部効果とは、**取引当事者以外の第三者**に対して便益（良い影響）や損害（悪い影響）を与えることをいう。

良い影響を与える ➡ **正の外部効果、正の外部性、外部経済**という

悪い影響を与える ➡ **負の外部効果、負の外部性、外部不経済**という

❷ ▶ 外部効果の例

例 **正の外部効果**

技術革新 ➡ 新たに生み出された技術により、人々の日常生活の利便性が向上する。

フラワーガーデンの開園 ➡ 園外からも花が見えることで近隣住民など利用者以外の人が癒し効果を得られる。

例 **負の外部効果**

大気汚染 ➡ 工場の有害な排煙が住民の健康や自然に悪影響を与える。

ガソリンの消費 ➡ 地球温暖化を通じて、人々の生活環境に悪影響を与える。

このように、環境問題全般は負の外部効果が生じているととらえることができる。

2 厚生損失

❶▶外部性をもたらす財の供給

外部性をもたらす財に関しては、以下の関係が成り立つ。

外部経済をもたらす財	➡	**供給は過少**になる
外部不経済をもたらす財	➡	**供給は過大**になる

どちらの場合でも**市場での自由な取引に任せていては、パレート効率的な状態は実現されない（社会的総余剰は最大化されない）**ことになる。

❷▶例

1 外部不経済の例

R6 18 R2 18

例えば、アルミニウム市場において外部不経済が生じているケースについて考える。アルミニウム工場が排出する煙には汚染物質が含まれており、近隣住民の健康に危害を及ぼす可能性がある。近隣住民は、アルミニウム市場における取引当事者（供給者、需要者）には該当しない第三者である。したがって、このケースでは外部不経済が生じているといえる。このような場合には、市場に取引を任せるよりも政府が介入したほうが社会的総余剰が大きくなる。

図表 [5－1]

<取引を市場に任せた場合（生産量 Q_0）>

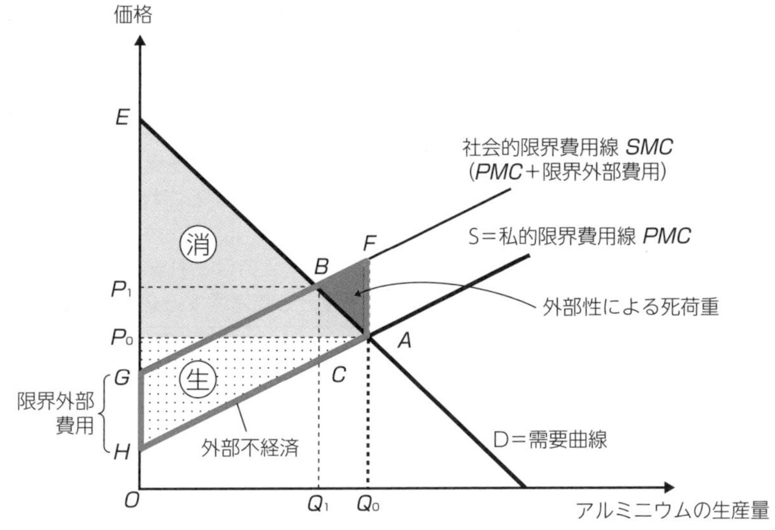

<社会的に望ましい状態（生産量Q_1）>

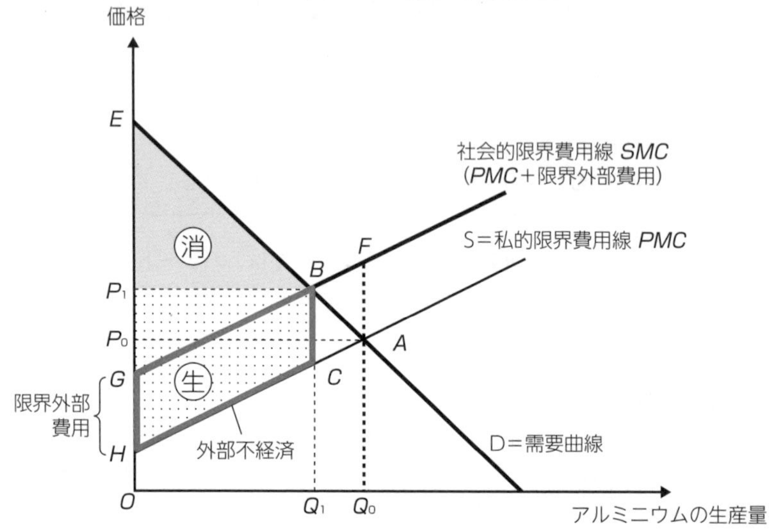

政府の介入がない（アルミニウムの取引について市場に任せる）場合、市場均衡点は点Aとなり、均衡取引量はQ_0、市場均衡価格はP_0となる。しかし、外部不経済が発生する場合には第三者が被る被害も考慮すべきである。この**被害を費用として捉えたものが外部費用**である。アルミニウムの生産に伴って社会全体が負担する費用は、アルミニウムを生産するために必要な私的限界費用PMCだけでなく、限界外部費用（線分GH）を加えた社会的限界費用（SMC）と考えるべきであるとされる。

社会的費用＝生産に必要な費用＋外部不経済（外部費用）
社会的限界費用SMC＝私的限界費用PMC＋限界外部費用（線分GH）

このときの生産量はQ_1となり、これが社会的に望ましい生産量となる。したがって、**取引を市場に任せると均衡取引量は社会的に望ましいとされる生産量よりも過大となる。**

余剰分析について、消費者余剰と生産者余剰の考え方はこれまでと同様であるが、新たに**外部不経済の大きさをマイナスの余剰**として考慮する必要がある。

社会的総余剰＝消費者余剰＋生産者余剰＋政府余剰－外部不経済

※今回の例では政府余剰は発生していない。

	取引を市場に任せた場合	社会的に望ましい状態
消費者余剰	△EP_0A (□EOQ_0A－□P_0OQ_0A)	△EP_1B (□EOQ_1B－□P_1OQ_1B)
生産者余剰	△P_0HA (□P_0OQ_0A－□HOQ_0A)	□P_1HCB (□P_1OQ_1B－□HOQ_1C)
外部不経済	□$GHAF$	□$GHCB$
社会的総余剰	△EGB－△BAF ※死荷重＝△BAF	△EGB

以上より、取引を市場に任せた場合の社会的総余剰は△EGB－△BAF、社会的に望ましい生産量の場合の社会的総余剰は△EGBとなり、取引を市場に任せた場合のほうが、△BAFだけ社会的総余剰が小さくなる（△BAFの部分を、**外部性による死荷重**とよぶ）。

3 外部性の是正手段 R5 17

以上のように、外部性が存在する状況では市場での自由な取引に任せていては社会的に望ましい状態（社会的に望ましい生産量、パレート最適な状態）は実現できない。そこで、以下のような手段で外部性を是正する必要がある。

❶ ▶政府による直接規制

これは、外部性を生む財の生産量を規制する方法をいう。アルミニウムの例でいえば、図表5－1のQ_1以上のアルミニウムの生産量を禁止するということである。

❷ ▶政府による課税（ピグー税） R2 18

これは、**個々の生産者、消費者が社会的な費用も考慮に入れて行動するように、社会的限界費用と私的限界費用の乖離分だけ、税金を課すという方法**である。

図表5－2では、生産するアルミニウム１単位につきGH（BC）の長さだけの従量税を課すと、私的限界費用曲線はGH分だけ上にシフトし、需要曲線と私的限界費用曲線は点Bで交わることになる。よって、税が課せられているもとでは社会的に望ましいQ_1という水準を実現することができる。

このように、外部不経済を発生させている主体に社会的な費用を負担させる（これを**外部性の内部化**という）ために課す税を**ピグー税**とよぶ。

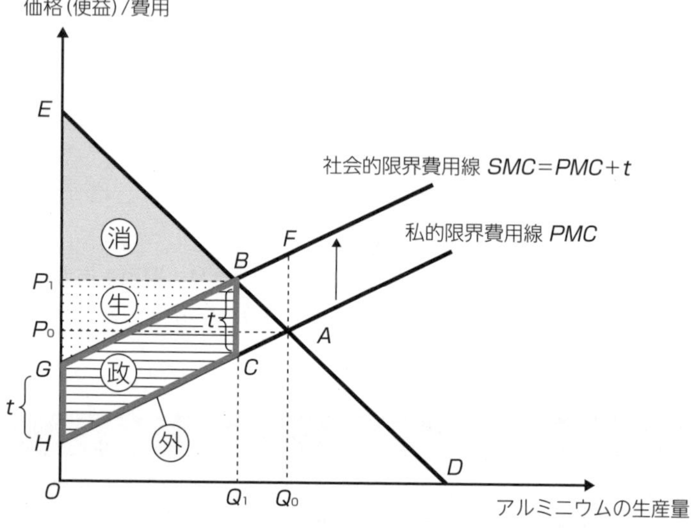

	市場に取引を任せた場合	課税後
消費者余剰	$\triangle EP_0A$ ($\square EOQ_0A-\square P_0OQ_0A$)	$\triangle EP_1B$ ($\square EOQ_1B-\square P_1OQ_1B$)
生産者余剰	$\triangle P_0HA$ ($\square P_0OQ_0A-\square HOQ_0A$)	$\triangle P_1GB$ ($\square P_1OQ_1B-\square GOQ_1B$) ※税金は可変費用となる。
政府余剰	なし	$\square GHCB$
外部不経済	$\square GHAF$	$\square GHCB$
社会的総余剰	$\triangle EGB-\triangle BAF$ ※死荷重＝$\triangle BAF$	$\triangle EGB$

※政府が課税することにより、生産者の最適生産量と、社会的に望ましい生産量（Q_1）が一致する。

❸▶政府による補助金

　ピグー税は、外部不経済をもたらす経済主体の生産活動に懲罰的な課税を行うことを考えたものである。一方、そのような経済主体が外部不経済をもたらす生産を削減することに対して補助金を交付しても同様の効果が期待できる。

　たとえば、図表5－2において、アルミニウム１単位の削減につきBCの長さの補助金を交付するとしよう。このとき、アルミニウムの生産量を１単位減らせばBCの長さの補助金がもらえるにもかかわらず、逆にアルミニウム１単位生産量を増加させると、その都度、BCの長さの補助金が失われることになるため、この分が**機**

会費用（利益が得られるある選択（この場合、生産量を削減し、補助金を得ること）を行わず、他の選択（生産量を維持すること）を行うことで得られなくなる利益）となる。このとき、私的限界費用曲線がGHの長さだけ上にシフトし（限界費用の上昇と同じ効果をもつ）、結果として、ピグー税を課した場合と同一の効果が生じることになる。

❹▶排出権取引

汚染物質等の排出量を規制するための方法の１つで、排出量の上限は決めるが、誰が排出するかは排出権（排出する権利）を市場で取引させることで決めさせるという規制である。この例としては、**二酸化炭素の排出権取引**がある。

排出権取引は、外部不経済に価格をつけることで、市場の調整メカニズムに乗せるための取組みと解釈できる。

❺▶当事者間の自発的交渉（コースの定理）

1 コースの定理（所有権の設定）

コースの定理とは、

(a) 当事者間の交渉に費用がかからない（容易に交渉ができる）という前提においては、
(b) 当事者間の所有権（財産権）の設定だけ行えば、
(c) 自発的な交渉が行われる結果として、
(d) パレート効率的な資源配分が実現し、かつ
(e) 所有権の設定の仕方は、所得分配を変更するだけで、実現する資源配分には影響を与えない

というものである。

ここで具体例を用いよう。生産のたびに海に汚染物質を流出させる工場と、その海で漁をする漁師を考え、汚染物質という負の外部効果を工場が漁師に対し与えているとする。このとき政府が、漁師に権利を与え工場から権利を剝奪するという解決もあり得る。

しかし、コースの定理は**当事者間による自発的な交渉により解決できる**ということを示している。

 コースの定理の意味

図表 [5－3]

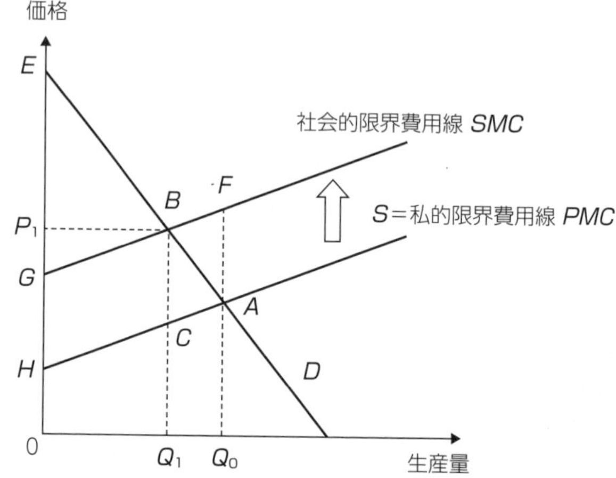

❶ 工場（負の外部効果を発生させている者）に権利がある場合

工場側に汚染物質を流出させる権利があるので、漁師は工場に減産して汚染物質を減らしてもらうよう頼むしかない。そのためには、漁師は工場に補償金を支払い生産を削減してもらうことになる。工場側は生産量を減らすほど*GH*分の補償金が得られる。逆にいえば、生産量の増加に伴い機会費用が生じることになる。

このように、**漁師が工場に1単位生産量を減らすごとに*GH*分の補償金を支払えば、これは、政府の補助金と実質的には同じ**である。工場は1単位生産を増やすことによって*GH*分の補償金を失うので、失った補償金分が機会費用となり、工場の負担する限界費用である*PMC*は*BC*分だけ上昇し、社会的限界費用（*SMC*）と同じになる。

その結果、工場の供給曲線が上方にシフトして*SMC*と同じになり、市場は点*B*で均衡する。したがって最適資源配分が実現する。

❷ 漁師（被害者）に権利がある場合

漁師側に生産量を減らして汚染物質を減少させるよう主張する権利があるため、工場側は漁師に対して補償金を支払うことで生産の許可を得ることになる。

そこで**工場は1単位生産するたびに*GH*分の補償金を支払い、これは、ピグー税と同様の効果が生じる**。工場の限界費用は*PMC*から*BC*分だけ上昇し、*SMC*と同じになる。その結果、工場の供給曲線が上方にシフトし*SMC*と同じになり、市場は点*B*で均衡する。したがって最適資源配分が実現する。

❻▶合　併

合併による解決とは、外部不経済を発生させている主体と受けている主体が合併することで、外部性を解消する方法をいう。

合併という対策が外部不経済の解決法となり得るのは、損害を与える側と受ける側が同じ主体になり、損害を出す主体がその損害の費用を負うということになるためである。上記の例では、工場と漁師が合併し工場が漁業という活動も行うようになれば、自分の流す汚染物質による漁獲量の減少が結局は自分にとっての損害になる。すると、工場は汚染物質が漁獲量を低下させるということを考慮に入れて行動することになり、社会的な費用を負担せずに汚染物質を流出していた合併前に比べて、汚染物質の量を自発的に減少させることになる。

このような意味で、合併も工場自体に汚染物質による被害を考慮して行動させる（つまり、外部性を内部化する）仕組みをもち得るのである。

設　例

外部不経済について考える。いま、マンションの建設業者と周辺住民が、新しいマンションについて交渉を行う。ここでは、周辺住民が地域の環境資源の利用権を持っているとする。マンションの建設によって、地球環境の悪化という外部不経済が発生するので、マンションの建設業者は補償金を周辺住民に支払うことで問題を解決しようとする。

下図には、需要曲線、私的限界費用曲線、社会的限界費用曲線が描かれている。この図に関する記述として、最も適切なものを下記の解答群から選べ。

〔H30－16〕

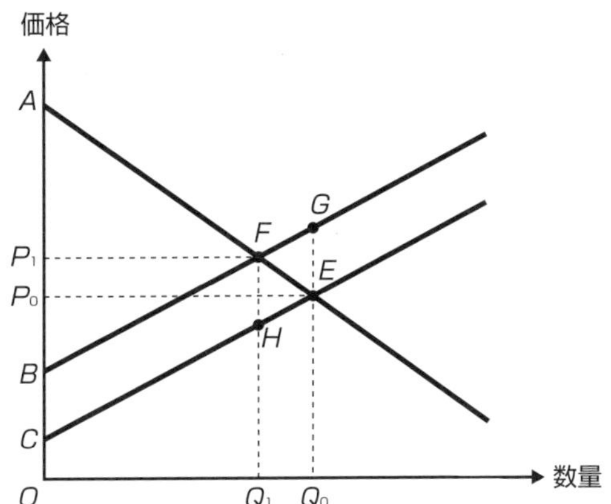

〔解答群〕

ア　資源配分が効率化する生産水準において、マンションの建設業者が補償金として支払う総額は□*BFHC*である。

イ　マンションの建設による外部不経済下の市場均衡において、外部費用は□$BFHC$で示される。

ウ　マンションの価格と、マンションの建設による社会的限界費用は、生産量がQ_0のもとで等しくなる。

エ　マンションの建設による外部不経済が発生しているもとでの生産量はQ_0になり、総余剰は△AECで示される。

解　答　**ア**

グラフにある需要曲線は、マンション市場における需要者に関する曲線であり、供給曲線はマンションの供給者に関する曲線である。周辺住民は、マンションの需要者でも供給者でもないが（市場参加者ではない）、地域環境の悪化による影響を受けることとなる。社会全体の余剰を表す社会的総余剰を考える際には、市場参加者以外の者が受ける悪影響についても外部不経済として考慮すべきとする。そして、問題文の「周辺住民が地域の環境資源の利用権を持っているとする」や「マンションの建設業者は補償金を周辺住民に支払うことで問題を解決しようとする」という記述から、コースの定理による外部不経済の是正を考えるものであると読み取る（ピグー税や補助金などのような政府の介入による是正ではない）。

<外部不経済下の市場均衡>

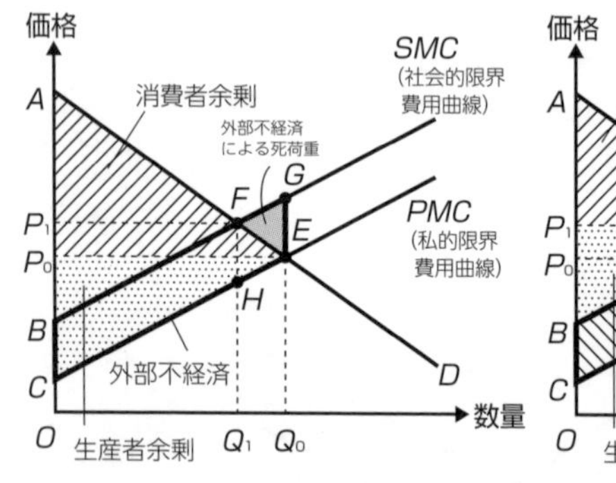

<資源配分が効率化する生産水準>

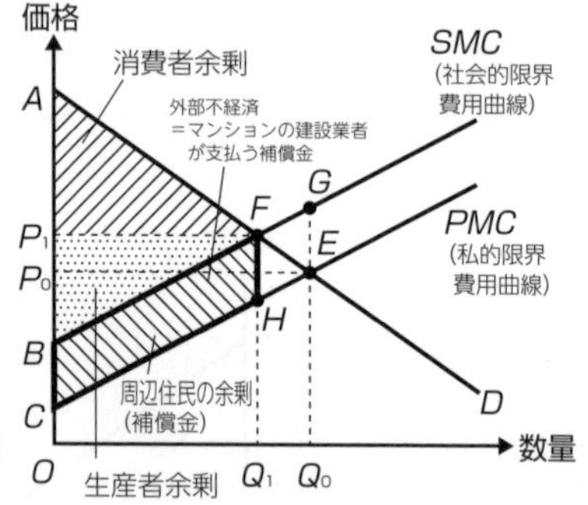

消費者余剰：△AP_0E （□AOQ_0E－□P_0OQ_0E）	消費者余剰：△AP_1F （□AOQ_1F－□P_1OQ_1F）
生産者余剰：△P_0CE （□P_0OQ_0E－□COQ_0E）	生産者余剰：△P_1BF （□P_1OQ_1F－□BOQ_1F）
	周辺住民の余剰：□$BCHF$
外部不経済：－□$BCEG$	外部不経済：－□$BCHF$
社会的総余剰：△ABF－△FEG	社会的総余剰：△ABF

※外部不経済による死荷重：△FEG（△ABF－（△ABF－△FEG））

ア　○：正しい。「資源配分が効率化する」とは、「パレート最適」つまり「社会的総余剰が最大化する」ことを表す。マンションの建設業者が補償金として支払う総額は、周辺住民が受ける悪影響の大きさ（外部不経済）に相当すると考える。

イ ×：外部不経済下の市場均衡において、外部費用は□*BCEG*となる。「外部不経済下の市場均衡」とは、供給曲線を私的限界費用曲線（*PMC*）とするときに成り立つ市場均衡のことを表していると解釈する。供給曲線が*SMC*でも*PMC*でも外部不経済は発生するが、選択肢アの「資源配分が効率化する（生産水準）」という記述と対比すると、先のように解釈できる。また、「外部費用」は「外部不経済」のことを指す。需要曲線と私的限界費用曲線（*PMC*）の交点（点*E*）より、数量はQ_0となる。外部不経済は、１単位当たり外部不経済（線分*BC*）に数量（Q_0）をかけた分だけの大きさとなる。

ウ ×：「マンションの価格」は、市場均衡点（需要曲線と供給曲線の交点）の水準に決定される。「外部不経済下の市場均衡」では、マンションの数量はQ_0となり価格はP_0となるが、この時の社会的限界費用はP_0を上回る点*G*に相当する金額となる。なお、「資源配分が効率化する生産水準」においては、マンションの価格と社会的限界費用はともにP_1で等しくなるが、この時の生産量はQ_1となる。

エ ×：「マンションの建設による外部不経済が発生している」状態とは、選択肢イと同様、供給曲線を私的限界費用曲線（*PMC*）とするときに成り立つ市場均衡のことを表していると解釈する（選択肢イの解説を参照）。この場合、生産量は需要曲線と私的限界費用曲線（*PMC*）の交点で決定されるためQ_0となるが、社会的総余剰は「△*ABF*－△*FEG*」となる。

3 公共財

ここでは、正の外部効果をもたらす財として、公共財を学習する。公共財とは、非競合性と非排除性をもつ財を指す。市場での自発的な取引の下では、公共財の供給は社会的に望ましい水準と比較し過少となると考えられている。

1 公共財

R6 19
R3 21

❶▶公共財

1 公共財の定義

公共財とは、次の２つの性質をもつ財のことをいう。

非競合性 ➡ ある人の消費によって別の人が消費できる量が減らない
非排除性 ➡ 対価を支払わない人が消費することを排除することができない

公共財は正の外部効果が働いている特殊なケースとみなせる。

2 公共財の例

例 消防、警察、国防、放送
ある人が消防車を呼んだとしても、別の人が消防車を呼べないことはない …非競合的
対価（税金）を払わない人が消防車を呼べないようにすることは困難である …非排除的

例 テレビの受像機
ある人が購入すれば、その受像機を別の人が購入することはできない…競合的
他の人間が勝手にテレビを見ないようにすることができる …排除的
➡ 公共財ではない（**私的財**という）

例 テレビの放送（番組）
ある人が見たからといって、別の人が見られないことはない …非競合的
対価を払わない人が見ないようにすることは困難である …非排除的
➡ 公共財

また、橋、道路、教育などのようにある程度の競合性や排除性をもっている公共財を**準公共財**という。

原則として公共財は、**消費の非競合性と消費の非排除性**の２つの性質をもつ財で

あるが、**どちらか一方について、少しでも満たすようであれば「公共財としての性質をもつ」と考えられる**。よって、必ず2つの性質を満たさなければ公共財ではないというわけではない。

設　例

海洋資源などの共有資源は、消費に排他性があるが、競合性のない財として定義できる。
R元－17　d　（**×**：共有資源は非排除性をもち、競合性をもつ財である。）

❷▶フリーライダー問題

公共財は、誰かが対価を支払うことで供給が行われれば、非競合性、非排除性という性質により、対価を支払わない他の人も同じように消費することができることになる。よって人々は、自らが得ている便益にかなう対価を公共財に対して支払おうとはせず、他の人にただ乗りしようとする。これを**フリーライダー（ただ乗り）問題**とよぶ。

❸▶公共財の供給は過少になる

フリーライダー問題 ➡	市場の取引に任せていては、十分な量の公共財の供給が行われない（過少供給）

このため、**公共財は政府、公的機関により供給が行われることが多い**。

4　情報の不完全性

経済主体が、取引される財などに関するすべての情報をもっていない状況を、情報の不完全性が存在するという。情報の不完全性には、性質に関する情報の不完全性と、行動に関する情報の不完全性がある。情報の不完全性が存在する場合には、最適な資源配分が行われなくなる。

1 情報の不完全性

代表的な情報の不完全性としては次の２つがある。

> 1）**性質に関する情報の非対称性** ➡ 逆選択という問題が生じ得る
> 2）**行動に関する情報の非対称性** ➡ モラルハザードという問題が生じ得る

R4 21

2 逆選択

❶▶逆選択

1 性質に関する情報の非対称性

> **性質に関する情報の非対称性** ➡ 一方の主体がもう一方の主体に比べ、財などの性質に関して少ない情報しかもっていないこと

例　中古車

中古車は、売り手のほうが、買い手よりその車の性質（良い車なのか、故障しがちな車なのか）について詳しい。よって、売り手と買い手の間に性質に関する情報の非対称性が存在する。欠陥のある車を英語でレモンとよぶことから、質の悪いもの（欠陥品）は一般に**レモン**とよばれる。

例　保険契約

保険に加入しようとしている人の健康状態についてはその人のほうが、保険会社よりも詳しい。

このように、性質に関する情報の非対称性が存在するような場合には、**逆選択（アドバースセレクション）**とよばれる問題が生じ得る。**逆選択は契約前に発生する**。

> **逆選択** ➡ 質の良い財よりも質の悪い財が多く市場に出回るようになる現象

例　良い中古車ではなく、故障しがちな中古車（レモン）ばかりが供給される。

例　健康でない人ばかりが、保険に入ろうとする。

2 逆選択が生じる理由

例　中古車の売買

まず、売り手も買い手も、良い中古車は100万円、悪い中古車は40万円の価値があると評価しているとする。ただし、売り手はどの車が良い車でどの車が悪い車かわかっているが、買い手には購入した後でないとわからないとする。

売り手はどの車が良い車でどの車が悪い車かわかっているので、良い車は100万円で、悪い車は40万円で売ろうとする。

ここで、ある車が40万円で売られていたとする。買い手は実際購入した後でないとその車が良い車なのか、悪い車なのかわからないが、買い手はこれを購入する。なぜなら、それが良い車であればお得な買い物であったことになるし、仮に悪い車であったとしても自分の評価どおりの価格だからである。

一方、ある車が100万円で売られていたとする。買い手としてはこの車が良い車であれば自分の評価と一致するので問題ないが、仮に悪い車であれば大きく損を被ることになる。よって、買い手は100万円の車を購入しなくなり、売り手は100万円の良い車を市場に供給しなくなる。

以上から

買い手　➡　40万円でないと購入しない。

売り手　➡　40万円で売れる悪い中古車（レモン）だけを供給する

ということになり、中古車市場には、悪い中古車しか出回らなくなるのである。

例　保険契約

保険会社はどの人が健康な人かわからない。よって、平均的な人を基準にして保険料を算定する。その平均的な保険料は、健康な人から見ると割高であり、健康でない人から見ると割安となる。したがって、健康な人は契約しない一方、健康でない人はよろこんで契約しようとする。この結果、健康でない人ばかりが保険に入るということが起こりうる。

設　例

自動車の事故保険では、保険金を受領する可能性（事故の可能性）が高い人ほど、保険に加入するという逆選択が生じる。

H23−15　イ　（○：正しい。）

3 逆選択の解消法

実際に情報の非対称性はさまざまな状況下で存在するが、必ずしも逆選択が起こるとは限らない。というのは、以下のような手段を導入することで逆選択を排除しようとしているからである。

1）シグナリング

シグナリングとは、情報をもっている主体が、もっていない主体に対し、自ら情報を伝えようとする（シグナルを送る）ことをいう。

たとえば、パソコンを販売している企業を考える。この企業は故障しにくいパソコンを生産しているのだが、パソコンの宣伝自体ではそれを消費者にうまく伝えられないとする。このようなとき、保証というものをシグナルの役割に使うことができる。つまり、長期間の無料保証を付けることで、消費者にそのパソコンが本当に故障しにくいものだということを伝えることができる。これがシグナルとなり得るのは、故障しやすいパソコンを販売しているなら、そんな保証を付けることはできないからである。

2）自己選択メカニズム

自己選択メカニズム（スクリーニング）とは、情報をもっているほうの主体が自ら情報を開示するような行動をとるように仕向ける仕組みのことをいう。たとえば、次のような保険を考える。1つは、保険料は安いが医療費の一部は被保険者の自己負担とする保険、もう1つは、保険料は高いがすべて保険がカバーするという保険である。このような2種類の保険を提示すれば、健康的な人は前者を、病気がちな人は後者を選ぶ可能性が高いであろう。よって、加入者がどちらの保険を選ぶかでその人の健康についての情報を引き出すことができる。このように、契約をうまく設計することで、情報を明らかにするように行動させることができる。

3 モラルハザード（道徳的危険）

❶▶モラルハザード（道徳的危険）

1 行動に関する情報の非対称性

行動に関する情報の非対称性	➡	一方の主体がもう一方の主体の行動を観察（監視）できない、あるいは観察するのが難しいために、どのような行動をとっているのか把握できないこと

例　保険会社と被保険者

被保険者は、保険に入ったことで、かえって危険な運転をしたり、不摂生な生活を送るようになるかもしれないが、保険会社がそれを監視するのは難しい。

例 株主と経営者
　株価をできるだけ高くするように働くという条件のもとで、株主が経営者と契約をしたとしても、株主には経営者が本当に契約どおり働いているのかわからない。

　このように、行動に関する情報の非対称性があるような状況では**モラルハザード（道徳的危険）**という問題が生じ得る。**モラルハザードは契約後に発生する。**

モラルハザード ➡	当事者間で契約が結ばれた後の行動が観察できないため、一方の当事者が当初予想されていたのと異なる行動をとることになり、契約が想定した条件にあてはまらなくなること

例 保険に入ることで、かえって不摂生な生活を送るようになる。

例 国が救済するという約束をしたことで、かえって金融機関の経営が放漫になる。

設例

　事故を起こしそうなドライバーほど、自動車保険に加入しようとするというモラルハザードが生じる。
（✕：事故を起こしそうなドライバーは、質の悪い財にあたり、逆選択の例である。）

2 モラルハザードの解消法 R5 18

　モラルハザードは、契約にそれを遵守させるようなインセンティブが組み込まれていないことから生じる。よって、モラルハザードを防止するには、情報量が乏しい主体の意図どおりに行動するインセンティブをもつような契約内容にすればよい。

例 保険
　医療費の一部を被保険者に負担させるという契約にする。こうすれば、被保険者は健康的な生活をするインセンティブをもつ。

例 経営者と労働者
　出来高払いの契約にする。

例 効率賃金理論（仮説）

これは、通常より高い賃金を支払うことで労働者の怠慢というモラルハザードを防ぐ方法をいう。通常より高い賃金をもらっている場合、労働者はなまけているところを見つかりクビになったときに失うものが大きいので、より勤勉に働くようになるという考え方に基づいている。

3 プリンシパルエージェント関係

なんらかの依頼をする主体（依頼人、プリンシパル）と、それを受けて依頼人のかわりに行動する主体（代理人、エージェント）が存在する関係を一般に、**プリンシパルエージェント関係**という。

プリンシパル（依頼人）	エージェント（代理人）
依頼人	弁護士
経営者	従業員
株主	経営者
規制当局	規制を受ける企業
圧力団体	政治家
保険会社	被保険者

情報の非対称性が存在するプリンシパルエージェント関係では、インセンティブをどのようにエージェントに与えるかが問題になるのである。

例 株主と経営者を考える。株主はできるだけ株価が高くなることを望んでいる。しかし、株主は自分自身でそれを実現することはできず、あくまで株価を高くできるのは経営者の行動にかかっている。株主は、経営者に株価を高くするようできるだけ努力してほしいと考えているであろうが、経営者が本当に株主のために行動するかどうかはわからない。

＜逆選択とモラルハザードの判別基準＞

逆選択	**性質**に関する 情報の非対称性	**契約前**に発生
モラルハザード	**行動**に関する 情報の非対称性	**契約後**に発生

5 費用逓減産業（自然独占）

通信、ガス、水道といった産業では、非常に大きな資本設備が必要となり、それを維持するのには巨額のコストがかかる。一方で、財の大量生産が可能であるため、平均費用*AC*（1単位あたりのコスト）を低く抑えることができる（規模の経済）。

1 費用逓減産業（自然独占）

❶▶費用逓減産業

費用逓減産業とは、通信、ガス、鉄道などのように、莫大な額の固定費用が必要となるため、実際に実現し得る需要規模のもとでは平均費用が右下がり（逓減）になるような産業をいう。この場合、自然独占となりやすく、効率的な資源配分が実現しないため、各種の規制が設けられることが一般的である。

費用逓減産業は図表5－4のような形の平均費用曲線をもつ。

❷▶費用逓減産業の問題

費用逓減産業では次の2つの問題が生じる。

1）生産量を増加させるほど、他の企業より有利な費用条件（平均費用逓減）で生産できるため、参入した企業は規模を拡大する誘因をもち、市場の寡占化、独占化が進む。このような要因で生じる独占を**自然独占**とよぶ。

2）このように規模の経済が大きく働いている場合には、そもそも複数の企業に生産を行わせることが非効率であり、供給企業を限定させたほうが効率的である。

以上のような理由から、**費用逓減産業では参入を1社だけ（あるいは少数）に抑えると同時に、独占的な行動（高価格、過少供給）をしないように規制を行うという対策がとられることが多い。**

2 費用逓減産業への規制

❶▶公営企業

これは、ある産業を公営企業の独占とする方法である。たとえば日本では、鉄道、電話などは国有企業の独占によって供給されていた。この方法では、企業の行動を政府が統治しやすいという利点があるが、同時にきわめて非効率な運営をもたらすことが多いという欠点がある。

80年代以降、アメリカ、イギリス、日本などでは、公営企業の民営化、規制緩和が促進されてきている。日本では、電話、鉄道などの公営企業が民営化された。

R5 19
R2 21

3 限界費用価格規制と平均費用価格規制

図表5－4には、ある自然独占産業（独占企業）における需要曲線D、限界収入曲線MR、平均費用曲線AC、限界費用曲線MCが描かれている。先に学習したように、需要曲線と切片が同じで傾きが２倍の限界収入曲線が描かれ、価格はP_0、供給量はQ_0となる。一方、完全競争下では、価格P＝限界費用MCとなるような点Aで均衡し、価格はP_1、供給量はQ_1となる。

1 独占企業として行動した場合

独占企業の利潤最大化行動（限界収入MR＝限界費用MC）に従って、生産量（Q_0）と価格（P_0）が決定される。

[5－4]

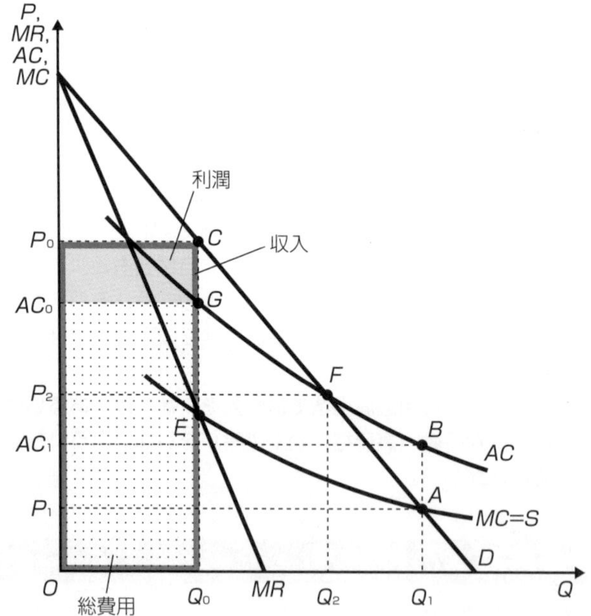

	独占企業として行動した場合
収入	□P_0OQ_0C
総費用	□AC_0OQ_0G
利潤	□P_0AC_0GC（プラス） ※補助金不要
価格と生産量	価格：P_0、生産量：Q_0 ※価格は高く、生産量は過少

限界費用価格規制、平均費用価格規制

限界費用価格規制は、**「価格＝限界費用」となる水準に価格規制を行う**ものである。**限界費用曲線と需要曲線の交点Aに対応する価格（P_1）と取引量（Q_1）**に決定される。

一方、平均費用価格規制は、**「価格＝平均費用」となる水準に価格規制を行う**ものである。**平均費用曲線と需要曲線の交点Fに、対応する価格（P_2）と取引量（Q_2）**に決定される。

図表　[5－5]

＜限界費用価格規制＞

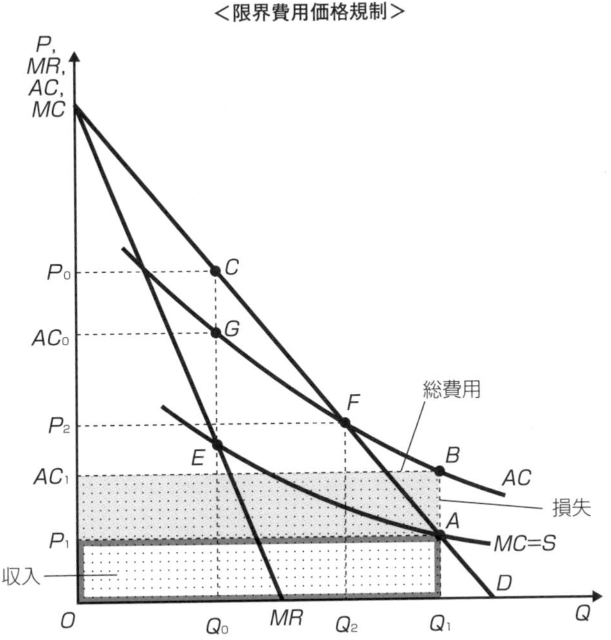

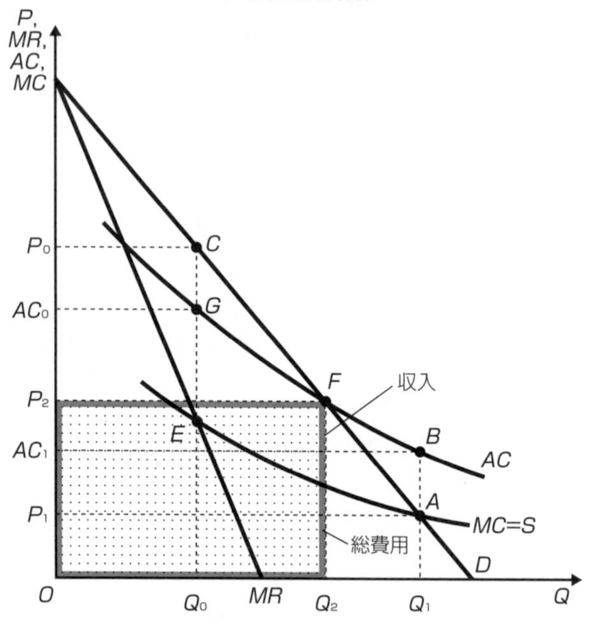

	限界費用価格規制	平均費用価格規制
収入	□P_1OQ_1A	□P_2OQ_2F
総費用	□AC_1OQ_1B	□P_2OQ_2F
利潤	−□AC_1P_1AB（マイナス） ※補助金が必要	なし ※独立採算が実現し、補助金不要
価格と生産量	価格：P_1、生産量：Q_1 ※社会的に望ましい生産量が実現 ※社会的総余剰が最大化する価格と生産量が実現	価格：P_2、生産量：Q_2 ※望ましい生産量より少ない

限界費用価格規制 ➡ 完全競争市場で成立するような価格と生産量に規制する方法
（価格＝限界費用。社会的総余剰が最大化される）

平均費用価格規制 ➡ 平均費用と価格が等しくなるような生産量に規制する方法

3 二部料金制

R3 20
R2 21

限界費用価格規制と平均費用価格規制の長所を取り入れたものとして、**二部料金制**がある。これは、消費量とは無関係に一定の金額（基本料金）を徴収する一方で、消費量に応じて料金（従量料金）を徴収する方法である。

限界費用価格形成原理にもとづく消費量に応じた料金設定をすることにより最適な資源配分を実現しつつ、利潤がマイナスとなる部分については、基本料金によりカバーすることで独立採算を確保する。電話や電力、ガスなどで採用されている。

＜限界費用価格規制＞	＜平均費用価格規制＞	＜二部料金制＞
○最適生産量	○独立採算（補助金不要）	○最適生産量
×独立採算（要補助金）	×生産量過少	○独立採算

設 例

下図は、自然独占のケースを示したものである。D_0D_1は需要曲線、MRは限界収入曲線、ACは平均費用曲線、MCは限界費用曲線である。なお、平均可変費用曲線AVCは限界費用曲線と同一である。〔H23－22〕

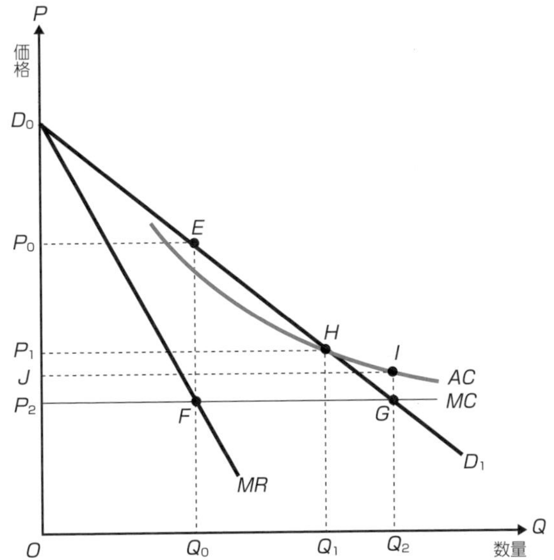

この図の説明として最も適切なものの組み合わせを下記の解答群から選べ。

a　限界費用に等しい価格付けを行うためには、四角形OP_2GQ_2に相当する補助金の交付や二部料金制の導入が必要になる。

b　限界費用に等しい価格付けを行う場合、価格はP_2、取引量はQ_2で示され、企業の利潤は四角形P_2GIJの赤字になり、これは固定費用に相当する。

c　独占下において、利潤を最大化にする価格はP_0、取引量はQ_0であり、全体の経済余剰は四角形P_0EFP_2になる。

d　平均費用に等しい価格付けを行う場合、価格はP_1、取引量はQ_1であり、企業の利潤はゼロになるから独立採算を実現する。

〔解答群〕

ア　aとc　　イ　aとd　　ウ　bとc　　エ　bとd

解　答　**エ**

自然独占均衡

・**生産量**：Q_0（独占企業の利潤最大化条件$MR=MC$のF点に着眼する）

・**価格**　：P_0（生産量Q_0の水準における需要曲線上のE点に沿って決定する）

消費者余剰　＝□D_0OQ_0E（支払うつもりのある額）－□P_0OQ_0E（支払う額）
＝△D_0P_0E　…(a)

生産者余剰　＝□P_0OQ_0E（収入）－□P_2OQ_0F（可変費用）
＝□P_0P_2FE　…(b)

社会的総余剰　＝(a)＋(b)＝□D_0P_2FE（cは不適切）

限界費用価格規制

・**価格**　：P_2（MCと需要曲線の交点G点に着眼する）

・**生産量**：Q_2

収入　＝□P_2OQ_2G（価格P_2×生産量Q_2）　…(a)

費用　＝□JOQ_2I（平均費用J×生産量Q_2）　…(b)

損益　＝(a)－(b)＝－□JP_2GI（損失）

※補助金や二部料金制の固定収入に相当するのは損失部分である（aは不適切）。

※損失部分は、収入－可変費用（＝固定費用）に相当する（bは適切）。

平均費用価格規制

・**価格**　：P_1（ACと需要曲線の交点H点に着眼する）

・**生産量**：Q_1

収入　＝□P_1OQ_1H（価格P_1×生産量Q_1）　…(a)

費用　＝□P_1OQ_1H（平均費用P_1×生産量Q_1）　…(b)

損益　＝(a)－(b)＝0（dは適切）

第6章
国民経済計算と主要経済指標

Registered Management Consultant

本章の体系図

●国民経済計算

（１）国内総生産（GDP）
　⇒　ある国において一定期間内に新たに生み出された付加価値の合計額
　⇒　生産面から見たGDP＝分配面から見たGDP＝支出面から見たGDP（三面等価の原則）

（２）主要な経済指標

（３）産業連関表
　⇒　中間投入を含め、個別の財の産業間での流れを叙述したもの

●物価指数

物価＝市場で取引される財・サービスの平均価格

- 物価の継続的な上昇　⇒　インフレーション
- 物価の継続的な下落　⇒　デフレーション

（１）代表的な物価指数（ラスパイレス物価指数、パーシェ物価指数）

（２）GDPデフレータ（GDPに関する物価指数）

●景気動向指数

- 先行系列：景気に先行して動く指標
- 一致系列：景気とほぼ一致して動く指標
- 遅行系列：景気より遅れて動く指標

本章のポイント

◇ GDP（国内総生産）の意味や算出方法を理解する。

◇ GDPやNDPなど用語の違いを覚える。

◇ 産業連関表の見方を理解する。

◇ 物価指数の作成方式、GDPデフレータの式、インフレーション／デフレーションを理解する。

◇ 採用系列の判定（先行／一致／遅行）ができる。

1 GDP（国内総生産）

本節では、GDP（国内総生産）をはじめとした主要な経済指標、三面等価の原則、帰属計算、産業連関表について学習する。

1 GDP（国内総生産）

R6 4
R2 3

❶▶GDP（国内総生産）

生産活動やサービスの提供を通じて、新たに生み出された価値を**付加価値**という。付加価値は、生産額から原材料などの中間投入額を差し引いたものである。

GDP：Gross Domestic Product （国内総生産）	➡	ある国において一定期間内（通常１年）に生み出された付加価値の合計額

GDPは、まず各産業がどれだけ財・サービスを産出したかを把握し、次に生産に際してどれだけの原材料を使用したか（中間投入）を把握し、生産額から中間投入額を差し引くことで推計している。

❷▶GDPの計算例

農家と製粉業者とパン販売店しかいない経済を考えてみる。この経済のGDPは以下のように計算される。

例　農家は300万円分の小麦を生産し、その全額を製粉業者に販売する（実際の小麦の生産には種や肥料などが必要であるが、ここではそれらの費用を考慮しない）。製粉業者は、その小麦を原材料として小麦粉を生産し、500万円でパン販売店に販売する。パン販売店は小麦粉を原材料としてパンを製造し、1,000万円で消費者に販売するとする。

（万円）

経済主体	生産額（販売額）		中間投入額		付加価値
農家	300	−	0	＝	300
製粉業者	500	−	300	＝	200
パン販売店	1,000	−	500	＝	500

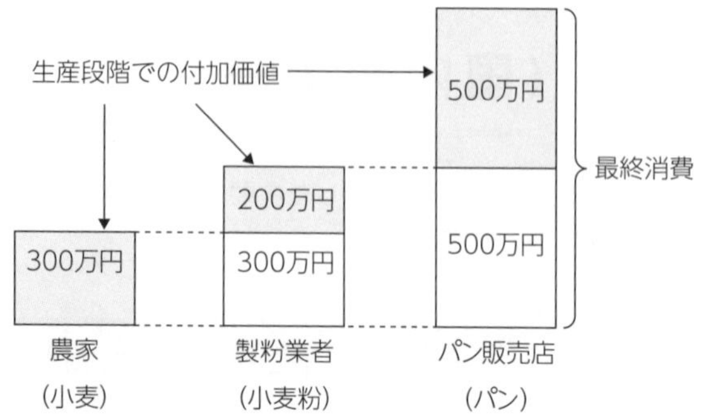

すべての生産段階での付加価値の合計を求めると、GDP＝300万円＋200万円＋500万円＝1,000万円になる。

小麦や小麦粉のように、次の生産のための原材料として使用される財を**中間財**といい、**その使用を中間消費（中間投入）**という。一方、パンのように、もうそれ以上使用されることのない財を**最終財**といい、**その使用を最終消費**という。

また、付加価値の合計は最終消費の合計と一致するため、以下のように表すことができる。

GDP＝付加価値の合計＝最終消費の合計

統計上の国民経済計算の概念は、**総（Gross）**と**純（Net）**という２つに区別されている。**GDP（国内総生産）から固定資本減耗（減価償却費と捉えてよい）を差し引いたものをNDP（国内純生産）**という。たとえば、100万円の機械設備で１年間に50万円の付加価値を生み出したとする。一方で、機械設備は使用するにつれて劣化が進み、その価値は減少していく。１年間で10万円分の価値が減少した場合、「新たに生み出された付加価値（50万円）－機械設備の価値の減少（10万円）＝40万円」を国の豊かさとして捉えた指標がNDP（国内純生産）である。

国内純生産（NDP：Net Domestic Product） **＝GDP（国内総生産）－固定資本減耗**

R2 3

2 GNI（国民総所得）

❶▶GNI（国民総所得）

GDP（国内総生産)と似たものとして、GNI（国民総所得）がある。

国民総所得 **(GNI：Gross National Income)**	➡	ある国の居住者が一定期間内に 国内外から受け取った所得の合計額

なお、ここでの居住者および非居住者には個人だけでなく法人等も含まれる。ま

た、居住者と非居住者の区別は、原則日本に住所または居住、事務所を有するか否かが基準となるが、外国人は原則として住所または居住を日本国内に有しないものと推定して非居住者とする（日本に入国後６ヵ月以上経過した者などは居住者とするなど一部例外もある）。

GNI（国民総所得）は、**GNP（国民総生産）**の代わりに主要統計指標として用いられるようになったものであり、両者の概念はおおよそ同じととらえてよい。

GNI＝GDP＋海外からの所得受け取り－海外への所得支払い

（海外からの所得受け取り－海外への所得支払い＝海外からの純所得受け取り）

「国内（Domestic）」と「国民（National）」の考え方の違いは、以下のとおりである。

国内 ➡ 日本国内領土の活動が対象
国民 ➡ 日本人による活動が対象

生産された付加価値は、生産にかかわった者の所得となる。**所得**とは、労働や資本などの生産要素の供給によって得られる賃金や利子・配当である。

つまりGNIには、日本国民（企業を含む）が外国から受け取る所得が含まれる一方、日本国内で外国人が受け取る所得を含まない。

たとえば、日本人ビジネスパーソンが海外で生み出した所得は、日本のGDPには含まれないが、日本のGNIには含まれる。一方、外国人ビジネスパーソンが日本国内で生み出した所得は、日本のGDPには含まれるが、日本のGNIには含まれない。

3 三面等価の原則

GDP（国内総生産）は**最終消費の合計**と捉えることができた。これについて購入者側からみると、財やサービスを購入・利用するために**対価を支払っている**ということであり、企業は財・サービスの提供と同時にその対価を得ることになる。この**売上収入は企業内（設備投資など）だけでなく、家計（従業員への報酬など）や政府（納税）などへ分配される**。これらのもとは最終消費の合計額（＝企業が生み出した付加価値の合計額）であるため、「新たに生み出された付加価値の金額」、「各経済主体へ分配された金額（各経済主体が受け取った所得）」、「各経済主体が支出した金額（各経済主体の需要の総額）」はそれぞれの大きさ（金額）で見た場合、事後的に一致すると考える。これを**三面等価の原則**という。

生産面から見たGDP＝支出面から見たGDP＝分配面から見たGDP

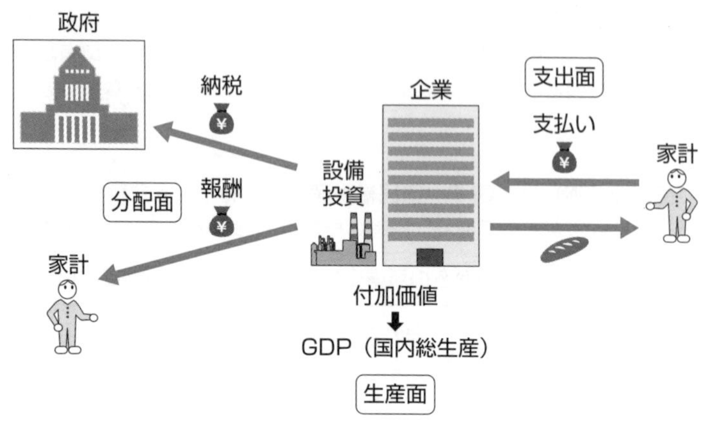

❶▶生産面から見たGDP

すでに見たように、GDPはある国において一定期間内に生み出された付加価値の合計額であった。これを生産面から見たGDPという。

❷▶支出面から見たGDP

生み出された付加価値が提供されるときには同時に誰かの支出を伴うこととなる。経済主体ごとに見ると、家計の消費、企業の設備投資、公共サービスを提供するための政府による支出などがあり、支出面から見たGDPは統計上次のように表される。

国内総支出（GDE：Gross Domestic Expenditure） **＝民間・政府最終消費支出＋国内総固定資本形成＋在庫品増加＋輸出－輸入**

民間・政府最終消費支出：「家計」「企業」「政府」による最終消費支出
国内総固定資本形成：民間投資、公的固定資本形成
在庫品増加：生産された財のうち、売れ残った分（「GDP（国内総生産）」のうち、実際には売れ残りが生じる。生産面のGDPと等式で結ぶため、在庫品は生産者自身による投資（在庫投資）として計上する。）
輸　出：国内で生み出された付加価値に対する海外による支出
輸　入：「民間・政府最終消費支出」や「国内総固定資本形成」のなかには、海外で生み出された付加価値に対する支払いも含まれるため、その分を控除する。

「輸出（EX）－輸入（IM）」をまとめて「**純輸出**（EX－IM）」と示すこともある。

この他に、需要面を重視したものとして次の式がある。ケインズは、GDPを増

加させるためには一国全体の財・サービスへの需要量を拡大させることが重要であるとしている（需要が増えればそれに見合う供給がされると考える）。統計上は先の式を用いるが、これには売れ残りも含まれている。マクロ経済学では、一国全体の財・サービスの需要量と供給量について見ていくが、そのときには売れ残りを含まない次の式を用いる。

総需要＝消費（*C*）＋投資（*I*）＋政府支出（*G*）＋輸出（*EX*）－輸入（*IM*）

❸▶分配面から見たGDP R6 4

付加価値の合計額であるGDPは、家計、企業、政府などの経済主体に分配される。分配面（所得面）から見たGDPは以下のとおりであり、右辺は付加価値であるGDPが、どこへ分配されたのかを表している。

GDP＝雇用者報酬＋営業余剰・混合所得＋固定資本減耗＋間接税－補助金 R2 3

「営業余剰」は企業の利潤（株主への配当や借入れに対する利子の支払いなどを含む）、「混合所得」は自営業者の収入、「固定資本減耗」は減価償却費、「間接税－補助金」は純粋な税金の額（政府への分配）というイメージでよい。

以上の三面等価の原則から、以降で学習するマクロ経済学の基本的な考え方に必要なポイントを抽出したまとめは、図表6－1のとおりとなる。

図表 [6－1]

経済主体	支出面（需要）	分配面（所得）
家計（消費者）	消費（*C*）	賃金
企業（生産者）	投資（*I*）	利潤
政府	政府支出（*G*）	間接税－補助金
外国	輸出－輸入（*EX*－*IM*）	

4 その他主要な経済指標

❶▶市場価格表示の国民所得と要素費用表示の国民所得

GDP（国内総生産）は生産面（一国全体で生み出された付加価値）に着目した指標であったが、以下では分配面（一国全体で受け取った所得）に焦点をあてた指標を見ていく。

「国民総所得（GNI：Gross National Income）」から固定資本減耗を引いたものが**「国民純所得（NNI：Net National Income）」**であり、これを**市場価格表示の国民所得**という。**市場価格表示**とは、市場価格で価値を表示するものである。たとえば、ある財を生産し、100万円に消費税（10%）を加えた110万円で販売したとする。また、この生産に対し、国から３万円の補助金をもらっていたとする。市場価格表示では、市場価格で価値を評価するため、当財の価値は110万円となる。

一方、**要素費用表示**とは、当財を生産するのにかかった費用で価値を表示するものである。生産に必要なものは、資本（機械など）、労働、土地の３種類とし、土地の提供者（貸し手）、資本の提供者（資本家）、労働の提供者（労働者）へ所得を分配する。110万円の売上のうち10万円は政府に納税するが、補助金３万円を受け取っているため、分配可能額は「110万円－10万円＋３万円＝103万円」となる。分配可能額（103万円）は付加価値を生み出すのに貢献した経済主体への支払いにあたり、企業の費用と考えられることから、これを**要素費用表示の国民所得**という。

市場価格表示の国民所得
国民純所得(NNI)　＝国民総所得(GNI)－固定資本減耗

要素費用表示の国民所得
国民純所得(NNI)－(間接税－補助金)

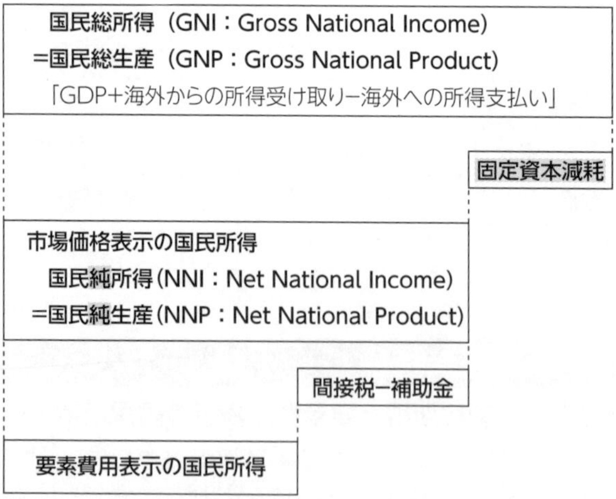

国民総所得（GNI：Gross National Income）
＝国民総生産（GNP：Gross National Product）
「GDP+海外からの所得受け取り−海外への所得支払い」

固定資本減耗

市場価格表示の国民所得
国民純所得(NNI：Net National Income)
＝国民純生産(NNP：Net National Product)

間接税－補助金

要素費用表示の国民所得

R5 4
R4 3
R3 3

5 帰属計算

GDPに算入されるのは、**基本的に新たに生み出された付加価値であって市場で取引される財・サービス**である。しかし、実際に取引が行われなくても、あたかも取引が行われたように記録したほうが、国民経済の姿を正確にとらえるという目的にかなう場合がある。このような記録の仕方を**帰属計算**という。

【GDPに含まれるもの】

・帰属家賃
持ち家に住む人は家賃の支払いが発生しないが、借家と同様のサービスを受けていると捉える。

・農家の自家消費
農家が自ら消費した農作物は市場で取引されないが、自分が作ったものを自分に売ったと捉える。

・公共サービス
警察、行政などの公共サービスの提供は税金で賄われ、価格は無料のものが多いが、国民に価値が提供されている。

【GDPに含まれないもの】

・家事労働
※家事代行サービスはサービスの提供となるため含まれる。

・中古品の売却収入
新たに生み出された付加価値ではない。
※仲介手数料はサービスの提供となるため含まれる。

設 例

国民経済計算においてGDPに含まれる要素として、最も適切な組み合わせを下記の解答群から選べ。〔R5－4〕

a　農家の自家消費
b　持ち家の帰属家賃
c　家庭内の家事労働
d　政府の移転支出

〔解答群〕
ア　aとb　イ　aとc　ウ　aとd　エ　bとc　オ　bとd

解 答　**ア**

持ち家の帰属家賃、農家の自家消費、公共サービスなどはGDPに含まれるが、家庭内の家事労働や政府の移転支出（企業に対する補助金のように反対給付を伴わない支出のこと）はGDPに含まれない。

6 産業連関表

産業連関表とは、財・サービスごとの産業間の投入、産出を記録したものである。産業連関表は、生産の相互関係を明らかにするとともに、産業構造などの分析に利用される。

 [6−2]

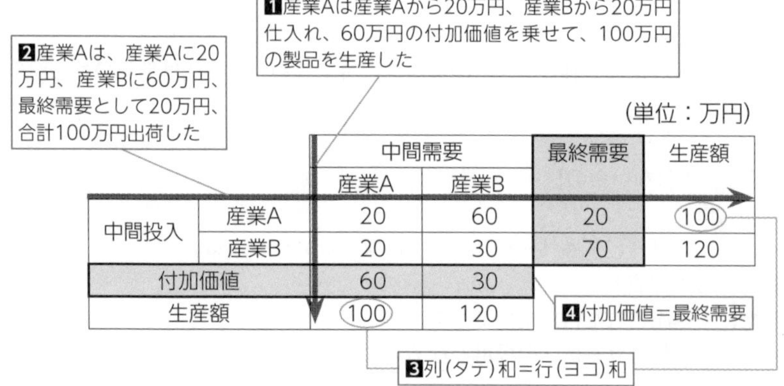

❶産業Aは産業Aから20万円、産業Bから20万円仕入れ、60万円の付加価値を乗せて、100万円の製品を生産した
❷産業Aは、産業Aに20万円、産業Bに60万円、最終需要として20万円、合計100万円出荷した
(単位：万円)
❹付加価値＝最終需要
❸列(タテ)和＝行(ヨコ)和

		中間需要		最終需要	生産額
		産業A	産業B		
中間投入	産業A	20	60	20	100
	産業B	20	30	70	120
付加価値		60	30		
生産額		100	120		

❶ ▶ 産業連関表の見方

1 産業連関表を列（縦）に沿って見る

産業連関表を列（縦）に沿って見ると、各産業がそれぞれの産業から原材料（投入物）をどれだけ購入したか（中間投入）と、どれだけ付加価値を生み出したかが読み取れる。財・サービスの生産にあたって用いられた原材料、労働力などへの支払いの内訳（費用構成）が示されている。

2 産業連関表を行（横）に沿って見る

産業連関表を行（横）に沿って見ると、各産業が生産物をどこへどれだけ販売（産出）したか（販路構成）が読み取れる。中間投入物として販売される分を中間需要、家計・政府の消費、投資（固定資本形成）などに向けられる分を最終需要という。

❸ 各産業の列和と行和は等しく、その産業の総産出額を示す

たとえば、産業Aの場合、以下のようになる。

100（産業Aの列和）＝40（中間投入）＋60（付加価値）

100（産業Aの行和）＝80（中間需要）＋20（最終需要）

❹ 各産業の付加価値の合計額と最終需要の合計額は一致する

前掲の産業連関表の場合、各産業の付加価値の合計額（60＋30）と最終需要の合計額（20＋70）が一致する。

2 物価指数

GDPはさまざまな財・サービスの価値を集計したものであり、価格の単位で表される。そのためGDPは生産活動の水準だけでなく、物価（市場で取引される財・サービスの平均価格のこと）の変化にも影響を受ける。たとえば、作った財・サービスの量がまったく同じ水準であっても、すべての財・サービスの価格が２倍になると、名目値ではGDPも２倍となってしまう。このため、実質的な生産活動の水準を把握するためには、物価を考慮する必要がある。

本節では、物価指数の作成、GDPデフレータ、インフレーションとデフレーションについて学習していく。

1 物価指数の作成

❶▶物価指数

物価（物価水準）とは個々の財の価格の平均値のことである。**物価指数**とは個々の財やサービスの価格を平均して総合的な物価水準の動きを示す指数のことであり、さまざまな指数が存在する。実際にはすべての財・サービスの価格を調べることはできないため、代表的な財・サービスの価格を集計して、その重要性に応じてウェイト付けして求める（加重平均：経済に占める割合の高い財の価格は大きく反映され、割合の低い価格は小さく反映される）。

物価が「上がった／下がった」という表現は、基準とする過去の時点の物価と比較して用いられる。現在（**比較時点**）における物価の上昇・下落を判断するときは、基準とする過去の時点（**基準時点**）を決めて、その基準時点の物価に対して、どの程度上昇または下落したかを**比率**で見る。

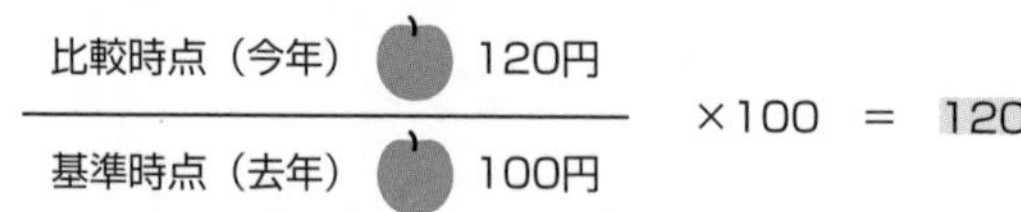

物価指数が100より大きい場合、比較時点の物価は基準時点と比較して上昇したと判断される。

物価指数は、比較を行う２つの時点（基準時点と比較時点）の価格と数量を基に、消費金額全体に占める各品目の割合（重み、ウェイト）を考慮して、加重平均により計算する。代表的な物価指数の作成方法には、ラスパイレス式とパーシェ式がある。

R5 5 ### ❷▶ラスパイレス式とパーシェ式

ラスパイレス式は加重平均のウェイトにつき、基準時点（過去）の数量を基準として物価を計算する方法（**基準時点における数量**を基準時点の価格で購入した場合と比較時点の価格で購入した場合の比較）である。指数の算出が容易である一方、経済構造の変化を反映したものとはならない。

一方、**パーシェ式**は加重平均のウェイトにつき、比較時点（現在）の数量を基準として物価を計算する方法（**比較時点における数量**を基準時点の価格で購入した場合と比較時点の価格で購入した場合の比較）であり、経済構造の変化を反映したものとなる。

2時点の価格を　　基準時点の数量をウェイトにして計算する

$$\text{ラスパイレス式}=\frac{\Sigma\ \text{比較時点の財の価格}\times\text{基準時点の財の数量}}{\Sigma\ \text{基準時点の財の価格}\times\text{基準時点の財の数量}}\times 100$$

$$\text{パーシェ式}=\frac{\Sigma\ \text{比較時点の財の価格}\times\text{比較時点の財の数量}}{\Sigma\ \text{基準時点の財の価格}\times\text{比較時点の財の数量}}\times 100$$

2時点の価格を　　比較時点の数量をウェイトにして計算する

設例

次の数値例で、今年の物価が去年に比べ、どれくらい変化したかを見てみる。各年での各財の価格、取引数量は下表のとおりである。比較時点を今年、基準時点を去年とする。

	リンゴ			肉		
	価格	数量	金額	価格	数量	金額
今年	120	60	7,200	300	30	9,000
去年	100	70	7,000	400	20	8,000

解答

$$\text{ラスパイレス式}=\frac{120\times70+300\times20}{100\times70+400\times20}\times100=96$$

$$\text{パーシェ式}=\frac{120\times60+300\times30}{100\times60+400\times30}\times100=90$$

どちらの物価指数も100より小さい。よって、どちらの物価指数で測っても、物価は下落したと判断される。

以上のように、物価指数は、同一の財・サービスの組合せを購入するために必要な費用が時間を通じてどのように変化するのかを計測する。

なお、どのような財・サービスを対象とするかによって、物価指数にはいくつかの種類がある。国内の総合的な物価指数としては、消費者物価指数と企業物価指数がある。

消費者物価指数（CPI）	➡	消費者が購入する財・サービスの価格を対象とした物価指数　ex.）食料、家具・家事用品
企業物価指数（CGPI）	➡	企業間で取引される財の価格を対象とした物価指数　ex.）化学製品、石油・石炭製品

CPIとCGPIは、どちらも基準時点の数量をウェイトとする**ラスパイレス式**を採用している。

消費者物価指数（CPI）は総務省、企業物価指数（CGPI）は日銀によって毎月公表される。

なお、消費者物価指数（CPI）のうち、すべての対象商品によって算出される総合指数から生鮮食品を除いて計算される指数のことを**コアCPI**という。生鮮食品の価格は天候に左右されやすいため、その影響を除くことでより正確な物価変動の基調をみることが目的である。

2 名目と実質

R5 5
R2 3

❶▶GDPデフレータ

名目GDPから実質GDPを算出するために用いられる物価指数を**GDPデフレータ**という。GDPデフレータは、比較時点の数量をウェイトとする**パーシェ式**を採用している。名目GDPと実質GDPの関係は以下のように表すことができる。

$$\text{GDPデフレータ} = \frac{\text{名目GDP}}{\text{実質GDP}} \times 100$$

$$\text{実質GDP} = \frac{\text{名目GDP}}{\text{GDPデフレータ}} \times 100$$

GDPデフレータが100より大きいと、物価が上昇していることになる。上式により、名目GDPを一定とした場合、物価が上昇すると実質GDPは減少する、ということが確認できる。

❷▶経済成長率

GDPは生産活動の変動と物価の変動により時間を通じて変動する。このGDP変化率のことを**経済成長率**という。これは前期と比べてGDPがどれだけ変化したかを示している。

$$\text{経済成長率}=\frac{\text{今期のGDP}-\text{前期のGDP}}{\text{前期のGDP}}\times 100$$

経済成長率にも名目と実質の区別がある。名目成長率は名目GDPがどれだけ増えたかを見るもの（金額ベース）であり、物価の変動に影響される。一方、実質成長率は実質GDPの成長率（数量ベース）であり、物価変動の影響は排除される。たとえば、物価上昇率が１％の場合に、名目成長率が５％であっても、このうち１％は物価の上昇によるものになるため、実質成長率は４％ということになる。これらの関係式は以下のとおりである。

実質成長率＝名目成長率－GDPデフレータ変化率

❸▶フィッシャー方程式

名目利子率が、世の中で決まる利子率そのものであり、**実質利子率**とは名目利子率から物価変動を調整した利子率である。**期待インフレ率**とは人々が予想する将来の物価上昇率のことである。

たとえば、現在、世の中の人々は将来（仮に１年後）の物価上昇率を10％と予想しているとする。この状況において、ＡさんがＢさんに100万円を貸すときの利子について考える。もし、名目利子率10％で貸し付けると１年後に110万円の返済を受けることになる。しかし、この時に物価が10％上昇していたとすると、貸し付け時の100万円と返済された110万円では買えるモノの量は変わらないこととなり、何も上乗せされていないこととなる。上記より、名目利子率と実質利子率の間には次の関係式が成り立つ。

実質利子率＝名目利子率－期待インフレ率

設　例

下記の選択肢の正誤を判断せよ。

デフレーションは、実質利子率を低下させる効果をもち、投資を刺激する。

H28－7　ア　（✕：実質利子率、名目利子率、期待物価上昇率との間には、以下の関係が成立する。

「実質利子率＝名目利子率－期待物価上昇率」

デフレーション（あるいは期待物価上昇率のマイナス）は、（名目利子率が一定なら）実質利子率（物価を考慮した資金調達コスト）を上昇させ、投資を減退させる。）

3 インフレーションとデフレーション

❶▶インフレーション（インフレ）

1) 定義：**物価の継続的な上昇**のこと。
2) 発生要因：財・サービスの需要量増加、世の中に出回る貨幣量の増加。
3) 貨幣価値の変化：**貨幣価値は下落**する（同じ金額でも購入できる量が少なくなる）。
4) 債務者と債権者の関係：**債権者→債務者**へ実質所得が移転する。
   ※債務者：他人から資金を借入れ、返済の義務をもつ者。
   債権者：他人へ資金を貸し付け、返済してもらう権利をもつ者。

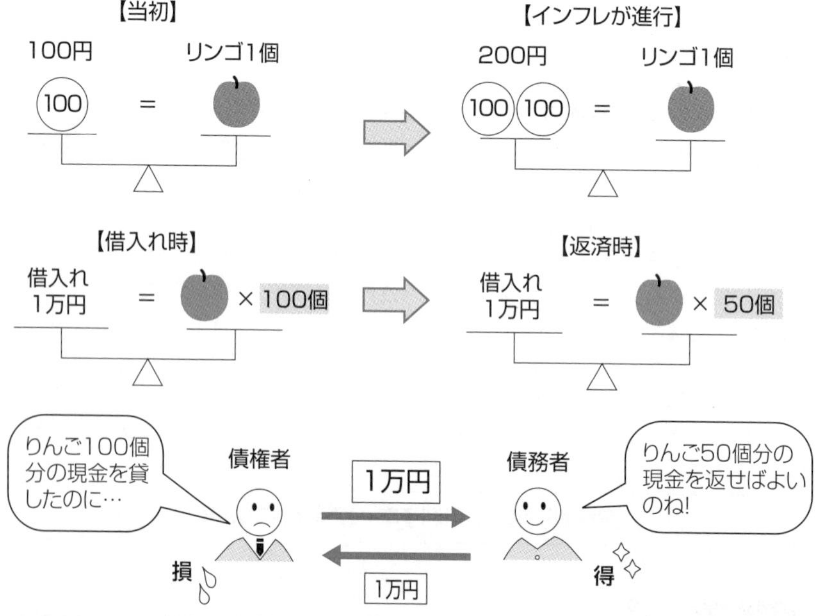

❷▶デフレーション（デフレ）

1) 定義：**物価の継続的な下落**のこと。
2) 発生要因：財・サービスの供給量増加（または需要不足）。
3) 貨幣価値の変化：**貨幣価値は上昇**する（同じ金額で購入できる量が多くなる）。
4) 債務者と債権者の関係：**債務者→債権者**へ実質所得が移転する。

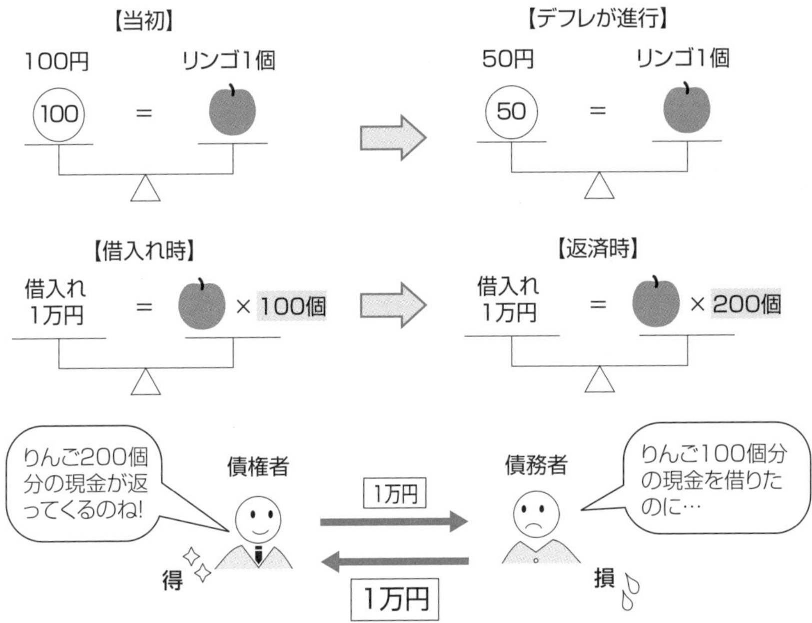

※一般的には、物価の下落に伴い給与水準も下落する。

● **資産効果**

消費者の保有する資産価格の大きさが消費に与える効果のことである。所得が不変であっても、**保有資産残高が増えると豊かになったと感じ、消費を増やす**という考えである。**物価の下落によって貨幣の実質価値が上昇し、消費が増加する**。物価が上昇した場合は逆の動きが働く。

❸▶デフレスパイラル

1990年代初頭に生じたバブル崩壊以降、日本はデフレ経済に突入した。その現象をデフレスパイラルとよぶ見方もある。**デフレスパイラル**とは、図表6－3のような要因が重なってデフレが進行することである。

なお、デフレからは抜け出したが、本格的なインフレには達していない状態のことを**リフレーション**という。一方、インフレからは抜け出したが、本格的なデフレには達していない状態のことを**ディスインフレーション**という。

[6−3] デフレスパイラルの要因

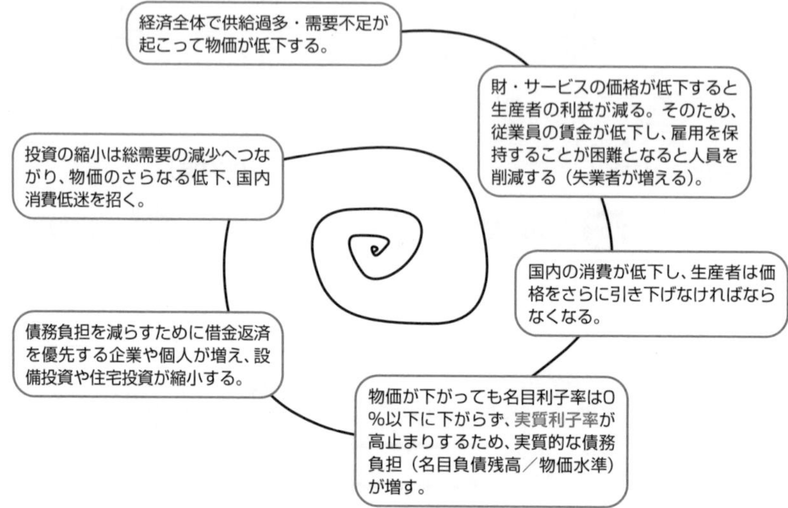

経済全体で供給過多・需要不足が起こって物価が低下する。
財・サービスの価格が低下すると生産者の利益が減る。そのため、従業員の賃金が低下し、雇用を保持することが困難となると人員を削減する（失業者が増える）。
国内の消費が低下し、生産者は価格をさらに引き下げなければならなくなる。
物価が下がっても名目利子率は0%以下に下がらず、実質利子率が高止まりするため、実質的な債務負担（名目負債残高／物価水準）が増す。
債務負担を減らすために借金返済を優先する企業や個人が増え、設備投資や住宅投資が縮小する。
投資の縮小は総需要の減少へつながり、物価のさらなる低下、国内消費低迷を招く。

3 景気動向指数

本節では、景気動向指数について学習する。景気動向指数とは、景気の現状把握、および将来予測を行うことを目的とする総合的な景気指標であり、内閣府が毎月発表している。

1 景気動向指数

❶▶DIとCI

景気動向指数には、**ディフュージョンインデックス（DI）**と**コンポジットインデックス（CI）**がある。DIは、景気拡大期か、景気後退期かなどの景気の局面を判断する指標であり、CIは景気の量感を測る指標である。

❷▶採用系列

R5 6

DIとCIはそれぞれ、先行系列、一致系列、遅行系列という3つの系列で構成されている（図表6－4参照）。

①　**先行系列**　→　景気に先行して動く指標（将来予測）
②　**一致系列**　→　景気とほぼ一致して動く指標（現状把握）
③　**遅行系列**　→　景気より遅れて動く指標（事後的な確認）

図表 [6－4]　**採用系列**

	系列名	参考（覚え方のヒント）
先行系列(11)	最終需要財在庫率指数（逆）	系列名に「在庫率」とあるものは先行。景気が良くなり受注が増えたら、まずは在庫を出荷する（在庫率が下がる）。
	鉱工業用生産財在庫率指数（逆）	
	実質機械受注（製造業）	機械や住宅は完成まで長期間要するもの。早めに投資が行われるから先行。
	新設住宅着工床面積	
	日経商品指数（42種総合）	日経商品指数、貨幣供給、株価のようなマーケット関連は先行。
	マネーストック（M2）（前年同月比）	
	東証株価指数	
	消費者態度指数	態度・環境・見通しはすべて将来の予想を反映→先行。
	投資環境指数（製造業）	
	中小企業売上げ見通しDI	
	新規求人数（除学卒）	新規の求人は先行。

	系列名	説明
一致系列(10)	生産指数（鉱工業）	景気が今まさに良ければ、生産活動も活発になる。生産、労働投入量は一致のイメージ。
	労働投入量指数（調査産業計）	
	鉱工業用生産財出荷指数	系列名に「出荷指数」とあるものは一致。
	耐久消費財出荷指数	
	投資財出荷指数（除輸送機械）	
	商業販売額（小売業）（前年同月比）	販売額、輸出金額や利益も今の景気を表す。
	商業販売額（卸売業）（前年同月比）	
	営業利益（全産業）	
	輸出数量指数	
	有効求人倍率（除学卒）	有効求人倍率は一致。
遅行系列(9)	第３次産業活動指数（対事業所サービス業）	第３次（サービス）は遅行。
	実質法人企業設備投資（全産業）	これは企業の資産増加分をカウントするので少しタイムラグが生じる。
	家計消費支出（勤労者世帯、名目）（前年同月比）	景気の良さが消費、給与や税収に反映されるのは少し時間がかかる。
	法人税収入	
	きまって支給する給与（製造業、名目）	
	消費者物価指数（生鮮食品を除く総合）（前年同月比）	
	最終需要財在庫指数	
	常用雇用指数（調査産業計）（前年同月比）	景気が悪いと、常用雇用→臨時雇用に切り替え、さらには解雇する。これらの調整は時間がかかる。
	完全失業率（逆）	

※（逆）とあるものは、指標の数値が減少したときに景気に対してプラス要因となるものである。

設例

内閣府の景気動向指数における一致系列の経済指標として、最も適切なものはどれか。〔R5－6〕

ア　家計消費支出（勤労者世帯、名目）
イ　消費者物価指数（生鮮食品を除く総合）
ウ　東証株価指数
エ　法人税収入
オ　有効求人倍率（除学卒）

解答　**オ**

ア　×：遅行系列である。
イ　×：遅行系列である。
ウ　×：先行系列である。

エ　×：遅行系列である。
オ　○：正しい。一致系列である。

第7章

生産物市場（財市場）の分析

Registered Management Consultant

本章の体系図

ケインズ経済学による生産物市場（財市場）の分析

⇒　需要が増加すれば供給＝国民所得が増加する（需要が主導）

45度線分析：利子率や物価を考慮しない国内の生産物市場の基本モデル

●生産物市場（財市場）の均衡

国民所得(Y)＝総供給(Y_S)＝総需要(Y_D)「消費(C)＋投資(I)＋政府支出(G)＋輸出(EX)－輸入(IM)」

【消費関数】

消費(C)＝c（$Y-T$）＋C_0

●乗数効果：需要項目の変化分以上に国民所得が変化する

投資乗数＝政府支出乗数＞租税乗数

●デフレギャップとインフレギャップ

・均衡国民所得＜完全雇用国民所得　⇒　デフレギャップ⇒総需要の増加が必要

・完全雇用国民所得＜生産物市場（財市場）の均衡国民所得

⇒　インフレギャップ⇒総需要の減少が必要

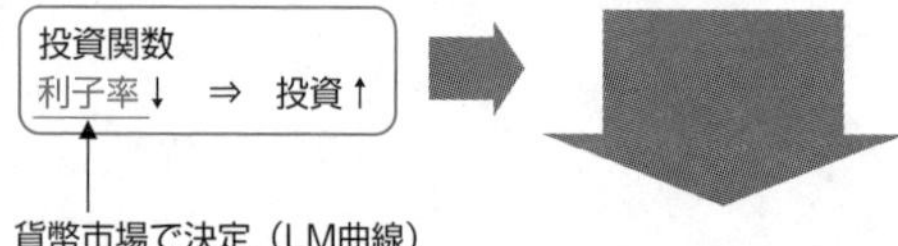

IS曲線：国内の生産物市場（財市場）の均衡を表す利子率と国民所得の組合せ

本章のポイント

◇ 均衡国民所得（均衡GDP）を求める。

◇ 各需要項目の乗数効果を求める。

◇ 需給ギャップの判定とギャップの値を求める。

◇ 投資は利子率の減少関数であることを理解する。

◇ IS曲線の形状、IS曲線の上側／下側の領域、傾き、シフトを覚える。

1 生産物市場（財市場）

生産物市場（財市場）とは、財・サービスを取引する市場のことである。本章では「45度線分析」という手法を用いて、生産物市場の需要と供給が等しくなるように国民所得（均衡GDP）が決定するということを学習し、「需要が国民所得の水準を決定する」というケインズ理論への理解を深める。

ケインズ理論（ケインズ経済学、ケインズ・モデルともいう）とは、J.M.ケインズが唱えた考え方を中心とする理論である。1929年に起きた世界大恐慌から米国経済が不況で冷え込んでいた頃、ケインズ理論では、町に失業者があふれている原因は「人々の消費や投資（有効需要）が不足しているからだ」と考えた。「政府が、ダムを建設するなどの大規模な経済政策を打ち出すことで、有効需要をつくるべきだ」と唱え、F.ルーズベルト大統領によるニューディール政策の後ろ盾となった。

1 マクロ経済学を学習するにあたっての基本的な考え方

❶▶マクロ経済学の分析対象

マクロ経済学では、ミクロ経済学とは異なり、主に一国全体の集計量を分析対象とする。扱われるものには、GDP、総消費、総貯蓄、総投資、国際収支などの集計量と、物価水準、失業率、経済成長率などの数値がある。マクロ経済学では、これらの数値を通して、景気循環、失業、経済成長などの要因およびそれらに対するあるべき政策の分析を行う。

❷▶マクロ経済学における市場

マクロ経済学の分析対象となる最も重要な市場には、**生産物市場**、**貨幣市場**、**労働市場**の３つがある。

1）**生産物市場** ➡ 集計量としての一国全体の**モノ・サービスの市場**
2）**貨幣市場** ➡ マクロ経済学では、資産を「貨幣」と「貨幣以外の資産」の大きく２つに分けて議論を行うことが多い。貨幣市場とは、資産の１つである**「貨幣」の市場**を指す。
3）**労働市場** ➡ **労働力の需要と供給に関する取引市場**

※３つの市場はそれぞれ独立的に存在するわけではなく、相互に影響を与え合う点に注意する。

分析の流れ

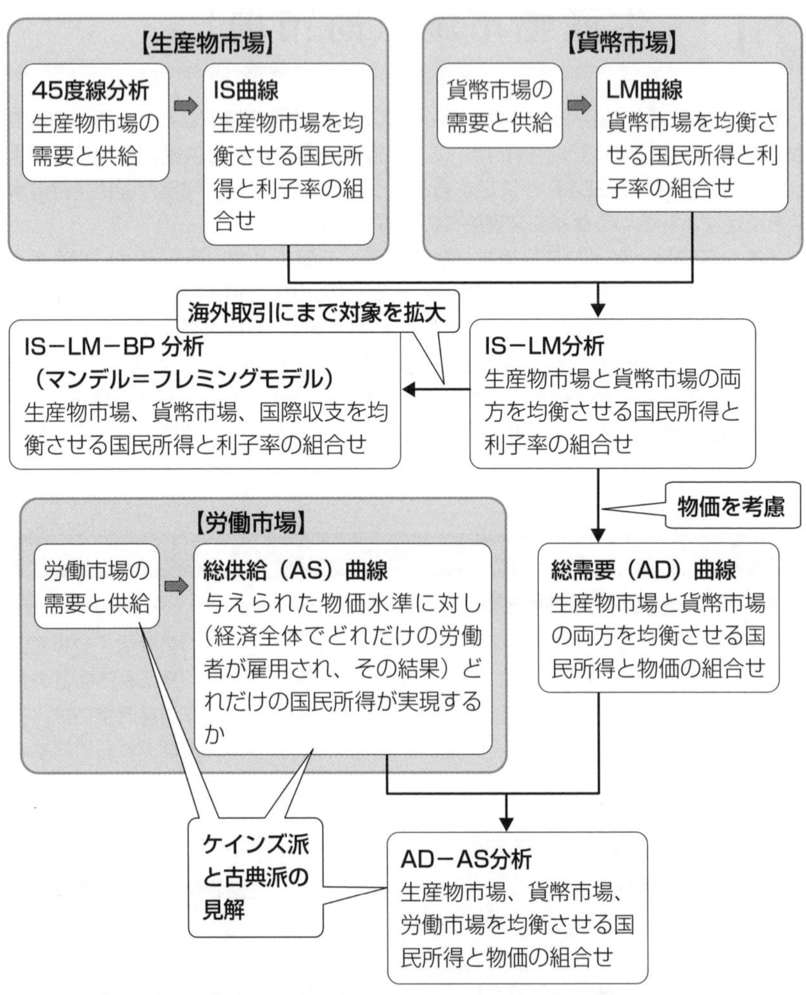

※45度線分析、IS－LM分析、IS－LM－BP分析（マンデル＝フレミングモデル）については、ケインズ派の考え方である。AD－AS分析については、ケインズ派と古典派の両方の考え方を学習する。

❸▶マクロ経済学における経済主体

経済主体とは、経済活動を行う基本的単位のことであり、次のようなグループに分類することができる。

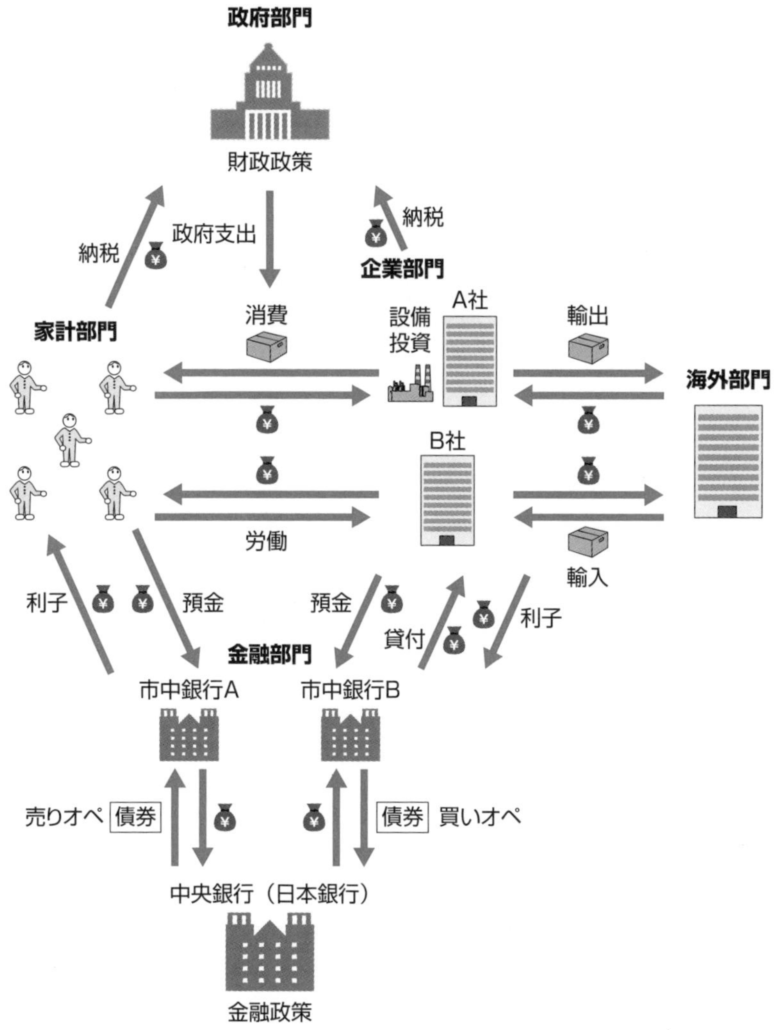

2 生産物市場を学習するにあたっての基本的な考え方

生産物市場の分析とは、**一国の国民所得（総生産、GDP）の水準がどのように決定されるのか、また、それが政府の政策からどのような影響を受けるのかを分析すること**である。**国民所得**には、広義の意味と狭義の意味があり、広義には一国経済の最終生産物や所得（1年間に得る所得の合計）の集計量を包括的に指し（GDP、GNIなどの総称、国の豊かさを計る指標）、狭義には要素費用表示の国民純生産のことをいう。今後の学習において、国民所得は広義の意味で捉え、**GDP（国内総生産）と同義**と考える。

生産物市場は、財・サービスの市場である。まずは、財・サービスの需要と供給について確認し、それらが一致する均衡について見ていく。

より豊かな国（経済成長）を目指すためには、GDP（国内総生産）の拡大が課題となる。そのためには、財・サービスの需要と供給を増加させ、それらが均衡する（需要量と供給量が一致する）GDP（国内総生産）を拡大させることが必要となる。

2　消費関数

日本において、GDPのうち、最も高い割合を占める項目は消費である。生産物市場の分析について学習する前に消費についてみていく。

1 ケインズ型消費関数

ケインズの考えに基づく消費を表す式について学習していく。消費の大きさは、租税の有無や種類によって変化する。したがって、政府部門（租税）を考慮しない場合、政府部門（租税）を考慮する場合（定額税）、政府部門（租税）を考慮する場合（定率税）の３つに分けて確認していく。

❶▶政府部門（租税）を考慮しないケース

R4 4
R3 4
R2 4

消費水準がどう決まるかについては諸説があるが、ここでは**ケインズ型消費関数（絶対所得仮説）**を分析に用いることにする。ケインズ型消費関数は、今期の消費は、今期の（絶対的な）所得水準に依存すると考えるものであり、Cを今期の消費、Yを今期の国民所得（Yield）としたとき、下式のように表される。ここでの「政府部門を考慮しない」とは、租税を考慮しない（税金の支払いはなく、所得のすべてを処分することができる）ということである。

ケインズ型消費関数（租税を考慮しない） ➡ $C=cY+C_0$
（C：今期の消費　Y：今期の国民所得　c：限界消費性向　C_0：独立消費）

C_0は定数であり、所得（国民所得Y）とは関係なく行われる一定の消費を表す。これは**独立消費（基礎消費）**といい、生存に最低限必要な消費水準を表す。一方、cYは所得（国民所得Y）に依存する消費を表す。cは所得（国民所得Y）が１単位増加したときの消費の増加分を表し、**限界消費性向**とよばれる。所得（国民所得Y）が増えると消費も増加するが、一部は将来のために貯蓄すると考えられるため、**cは０から１の間の数値**をとる。たとえば、$c=0.8$とすると、所得（国民所得Y）が100万円増加したとき、80万円を消費に回す（残りの20万円は貯蓄に回す）ということを表す。このように、得た所得の使い道は消費か貯蓄するかの２択となる（税金を考慮する場合は、所得から税金の支払い分を除いた金額を消費か貯蓄に回す）。なお、国民所得Yに占める消費（独立消費C_0を含む）の割合を**平均消費性向**といい、**原点と消費曲線上の点を結んだ直線の傾き**で表される（図表7－1参照）。

図表 [7−1]

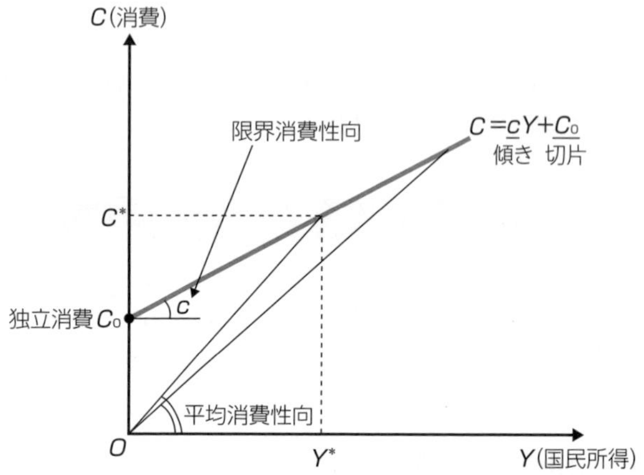

消費曲線は、切片が独立消費C_0（$C_0>0$）で、傾きがc（「$0<c<1$」のため45度より小さくなる）の直線になる。国民所得Yの増加とともに平均消費性向は低下する。なお、所得がゼロであってもC_0だけの消費が行われる。所得がゼロでも消費を行うということは、貯蓄を取り崩すか、借入れをすることとなる。

貯蓄は所得のうち消費されない部分、すなわち「**国民所得Y−消費C**」である。したがって貯蓄Sは下式のように表される。

$$\text{貯蓄}S=\text{国民所得}Y-\text{消費}C$$
$$S=Y-(cY+C_0)$$
$$S=Y-cY-C_0$$
$$S=(1-c)Y-C_0$$

（$1-c$）は**限界貯蓄性向**とよばれ、国民所得が１単位増加したときの貯蓄の増加分を表わす。所得がゼロの場合は貯蓄が$-C_0$と負となる（必要最低限の独立消費のためにC_0分だけ借入れをする）。なお、国民所得Yに占める貯蓄の割合を**平均貯蓄性向**といい、**原点と貯蓄曲線上の点を結んだ直線の傾き**で表される（図表7−2参照）。

図表 [7−2]

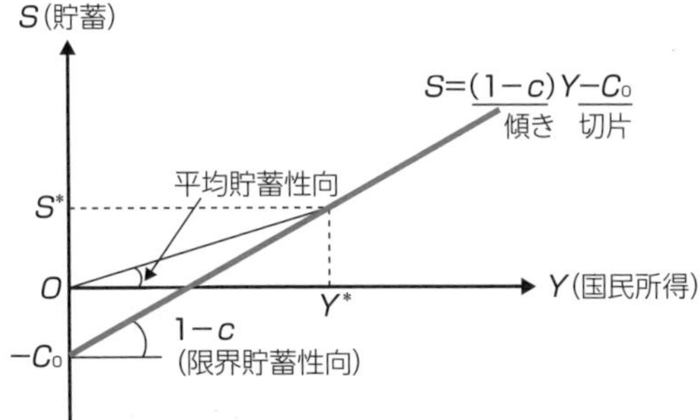

❷▶政府部門（租税）を考慮するケース（定額税）……………………… R6 5

政府部門を考慮するケースでは所得税などの**租税**を考慮することがあり、**消費や貯蓄のために使うことができる所得が租税の分だけ減少すると考える。**国民所得から租税を差し引いたものを**可処分所得（$Y-T$）**とよぶ。政府部門を考慮するケースでは、この可処分所得を消費と貯蓄に回すため、消費は可処分所得に依存すると考える。

租税をT、可処分所得を（$Y-T$）とすると、消費関数は下式のように表される。

ケインズ型消費関数（定額税）　➡　$C=c(Y-T)+C_0$ （C：今期の消費　Y：今期の国民所得　c：限界消費性向　T：租税　C_0：独立消費）

上式$C=c(Y-T)+C_0$は、展開して$C=cY-cT+C_0$とも表すことができる。政府部門を考慮しないケースの消費曲線に比べて、政府部門を考慮するケースの消費曲線は、租税の存在により切片がcTだけ小さくなる。

[7－3]

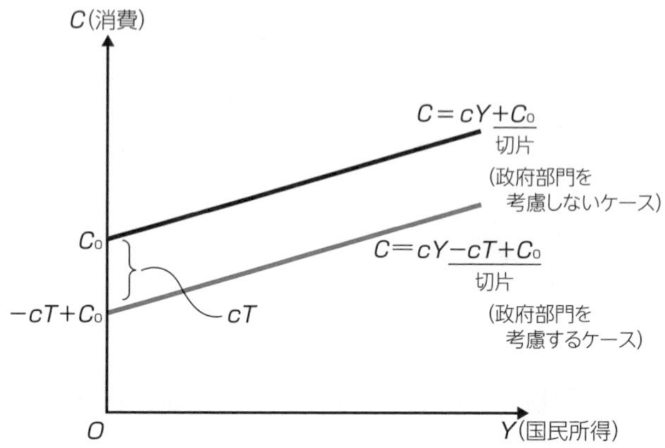

❸▶政府部門（租税）を考慮するケース（定率税）

❷にあるような所得に依存しない固定的な税金（定額税）に加え、所得に依存する変動的な税金（**定率税**）が存在する場合について考える。

> **定率税** ➡ $tY+T_0$
> **ケインズ型消費関数（定率税）** ➡ $C=c\{Y-(tY+T_0)\}+C_0$
> （C：今期の消費　Y：今期の国民所得　c：限界消費性向　t：税率
> T_0：定額税　C_0：独立消費）

上式$C=c\{Y-(tY+T_0)\}+C_0$は、展開することで次のように整理することができる。

$$C=c\{Y-(tY+T_0)\}+C_0$$
$$C=c(Y-tY-T_0)+C_0$$
$$C=cY-ctY-cT_0+C_0$$

グラフを描く場合は、「$cY-ctY$」を「$(c-ct)Y$」とYでくくることで傾きが表され、その大きさは❶や❷よりも小さくなる（グラフは緩やかになる）。切片は「$-cT_0+C_0$」と❷と同じになる。なお、グラフの具体的な図示は重要度が低いため、割愛する。

R2 4

3 均衡国民所得の決定（閉鎖経済、政府部門・定額税を考慮するケース）

本節では、45度線分析による均衡国民所得の決定について学習していく。均衡国民所得とは、生産物市場の需要と供給が均衡する国民所得のことである。本節では、閉鎖経済、政府部門・定額税を考慮するケースを取り上げる。

1 総供給

総供給は、一国全体における財・サービスの供給（生産）の総額である。広義の国民所得は国内総生産（GDP）と捉えることができるため、総供給Y_Sは国民所得Yに等しくなる。たとえば、国内総生産（GDP）が500兆円のとき、生産された500兆円分の財・サービスが供給されるため、国内総生産（GDP）と総供給Y_Sは等しくなる。

総供給Y_S＝国民所得Y

これを図示すると、総供給曲線は45度の傾きをもった直線で描かれる。

図表 [7−4]

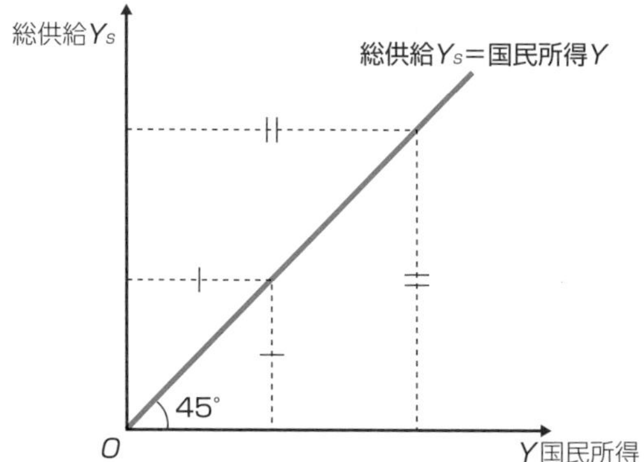

2 総需要

R5 7
R4 6

総需要は、生産された付加価値の合計額（＝GDP）への一国全体の需要である。

三面等価の原則における「支出面から見たGDP＝民間・政府最終消費支出＋国内総固定資本形成＋在庫品増加＋輸出－輸入」には生産された財のうち、在庫品増加（売れ残り）が含まれていた（これにより「生産面から見たGDP」「分配面から見たGDP」「支出面から見たGDP」が一致すると考えることができた)。しかし、総需要と総供給の均衡を考えるにあたっては、総需要に「在庫品増加」を含むのは適切ではなく、本当の意味での一国全体の財・サービスに対する需要を見る必要がある。

総需要(Y_D)
=消費(C)+投資(I)+政府支出(G)+輸出(EX)−輸入(IM)
総需要(Y_D)はADと示されることもある。

「消費(C)」と「投資(I)」は民間(家計、企業)によるものであり、「政府支出(G)」は政府による消費や投資を表す。

ただし、ここでは閉鎖経済を前提とするため、純輸出(EX−IM)は考慮しない。**閉鎖経済**とは、貿易(国境を越える財の移動)などの海外との取引がない経済のことである。また、政府部門・定額税を考慮するため、政府支出(G)と租税(T)を含める。租税には、定額税と定率税がある。**定額税**は、所得に依存しない固定的な税金であり、**定率税**は所得の一定の比率にあたる金額を税金とするものである。ここでの消費は2節で学習したケインズ型消費関数(政府部門を考慮するケース(定額税))を用いる。以上より、総需要は下式のように表される。

$$\begin{aligned} Y_D &= C+I+G \\ &= c(Y-T)+C_0+I+G \\ &= cY-cT+C_0+I+G \end{aligned}$$

[7−5]

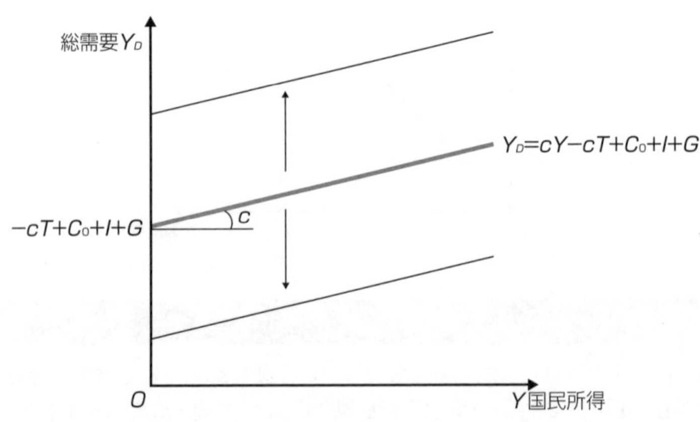

たとえば、投資や政府支出などの需要項目が増加すると、総需要が増加するため、総需要を表すグラフは上方にシフトする。また、減税した場合は、可処分所得（$Y-T$）の増加により消費が増加するため、総需要を表すグラフは上方にシフトする。

3 均衡国民所得の決定

❶▶均衡国民所得の決定 R2 4

生産物市場の均衡とは、生産物市場において**「総供給Y_S＝総需要Y_D」**となることである。「総供給Y_S＝総需要Y_D」を満たす国民所得のことを生産物市場における**均衡国民所得**という。均衡国民所得は方程式「総供給Y_S＝総需要Y_D」を解くことで求められる。左辺の総供給Y_Sに国民所得Yを代入し、右辺に総需要を構成する需要項目「$C+I+G$」を代入して方程式を解くことで均衡国民所得Y^*の値を求めることができる。

$$
\begin{aligned}
\text{総供給}Y_S &= \text{総需要}Y_D \\
Y &= c(Y-T)+C_0+I+G \\
&= cY-cT+C_0+I+G \\
Y-cY &= -cT+C_0+I+G \\
(1-c)Y &= -cT+C_0+I+G \\
Y^* &= \frac{1}{1-c}(-cT+C_0+I+G)
\end{aligned}
$$

[7−6]

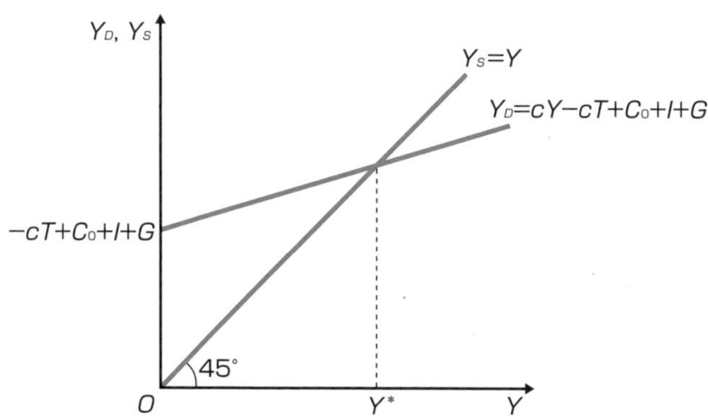

❷▶超過需要、超過供給

実際の経済では、総供給Y_S（生産量）と総需要Y_D（需要量）は常に等しくなるとは限らない。三面等価の原則では、「生産（総供給）＝支出（総需要）」が成立したが、この「支出」には在庫（まだ販売されていない分）が含まれているからである。

たとえば、次の図表7−7において、Y_1という国民所得が実現しているとする。このとき、総供給はY_{S1}、総需要はY_{D1}となり、生産物市場は超過需要（$Y_{S1}<Y_{D1}$）となっている。このような場合、企業は生産を増加させる方向に調整が行われる。

一方、Y_2という国民所得が実現しているときには、生産物市場は超過供給（$Y_{S2}>Y_{D2}$）となっており、生産したものに売れ残りが生じることになるため、企業は生産を縮小し（国民所得が減少し）、やがて均衡国民所得に近づくことになる。このように**ある点に収まることを安定的**という。

45度線分析では以上のような生産調整が行われる結果、均衡国民所得が実現すると想定する。

 [7−7]

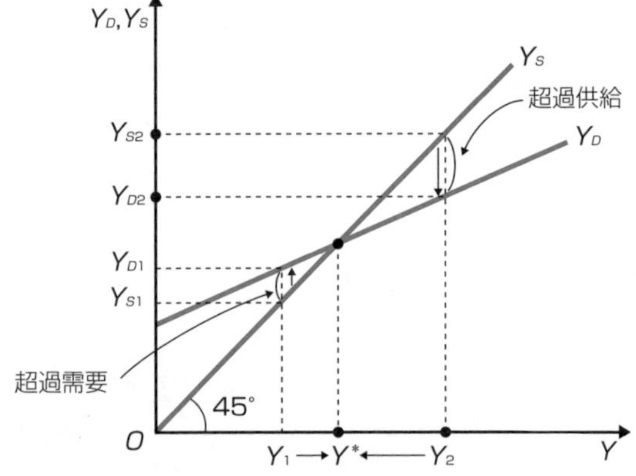

設例

いま、家計、企業、政府から構成される経済モデルを考える。各々の記号は、Y：GDP、C：消費支出、I：民間投資支出、G：政府支出、T：租税収入、C_0：独立消費であり、単位は兆円とする。また、c：限界消費性向である。

生産物市場の均衡条件	$Y=C+I+G$
消費関数	$C=C_0+c(Y-T)$
	$C_0=60,\ c=0.8$
民間投資支出	$I=100$
政府支出	$G=30$
租税収入	$T=50$

このモデルから導かれる均衡GDPはいくらか。

解　答　**750兆円**

$$Y_S=Y_D$$
$$Y=C+I+G$$
$$Y=C_0+c(Y-T)+I+G$$
$$Y=C_0+cY-cT+I+G$$
$$Y-cY=C_0-cT+I+G$$
$$(1-c)Y=C_0-cT+I+G$$
$$Y^*=\frac{1}{1-c}(C_0-cT+I+G)$$

上式に与えられた値を代入し、均衡GDPを求める。

$$Y^*=\frac{1}{1-0.8}(60-0.8\times50+100+30)$$
$$=\frac{1}{0.2}\times150$$
$$=750$$

よって、均衡GDPは750兆円となる。

4 乗数理論

R5 7
R3 5
乗数理論とは、投資や政府支出の変化が国民所得に及ぼす効果について説明する理論である。投資や政府支出を増加させたときに均衡国民所得がその何倍分も増加する効果を乗数効果という。

乗数には、投資乗数、政府支出乗数、租税乗数、均衡予算乗数などがあり、これらの乗数について学習していく。

1 投資乗数

❶▶投資乗数

需要項目である投資の増加は、総需要を拡大させ（それに伴い総供給も拡大）、均衡国民所得を増加させる。このとき、乗数効果が働き、投資の増加分以上に国民所得は増えることになる。ここでの**乗数効果**とは、投資などある要素が増加した場合、その数倍、国民所得が増加する効果のことをいう。具体的な乗数の数値は問題で与えられた条件によって異なるが、考え方（算出方法）は同じである。前節の設例の条件を用いて投資乗数の算出過程を確認する。

（例）　$Y_S=Y_D$の式をYについて解いた式（「$Y=$」の形に整理した式）は次のようになる。

$$Y^*=\frac{1}{1-c}(C_0-cT+I+G)$$

ここで、投資（I）を変化させた場合、その何倍だけ均衡国民所得が増加するだろうか。上式より、投資（I）が変化すると、その$\frac{1}{1-c}$倍、均衡国民所得（Y^*）が増加することがわかる。限界消費性向（c）を0.8とすると、$\frac{1}{1-c}$の値は次のように求めることができる。

$$\frac{1}{1-c}=\frac{1}{1-0.8}$$

$$=\frac{1}{0.2}$$

$$=5$$

以上より、投資の増加分の５倍、均衡国民所得（Y^*）が増加することがわかる。均衡国民所得の変化分ΔYは、以下のように表される。

$$\Delta Y=\frac{1}{1-c}\Delta I$$

また、$0<c<1$であるため、$\frac{1}{1-c}>1$となり（分母が、「$0<(1-c)<1$」となる）、$\Delta Y>\Delta I$となることが確認できる。この$\frac{1}{1-c}$を**投資乗数**とよぶ（租税なし、または定額税の場合）。

この投資乗数の効果を次の図表7－8で確認すると、①ΔIだけ投資が上昇すると総需要がΔI分だけ上方にシフトし（$Y_{D1}\rightarrow Y_{D2}$）、この結果、②均衡国民所得がY_1^*からY_2^*へとΔYだけ増加しているということがわかる。

[7－8]

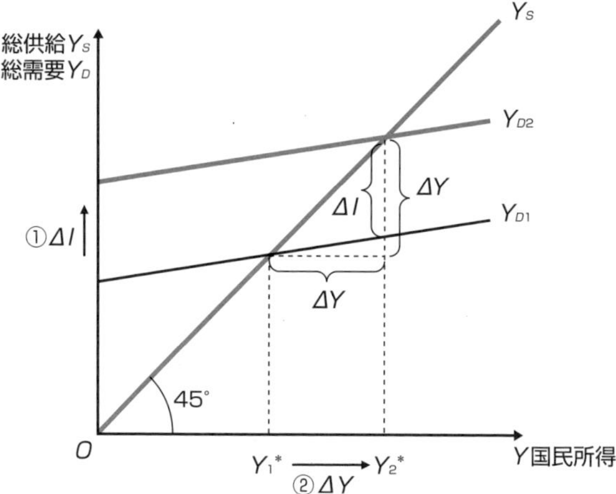

❷▶投資乗数の考え方

投資の増加額以上に国民所得が上昇する理由は、次のように説明できる。

消費関数は、「$C=cY+C_0$（租税を考慮しない場合）」または「$C=c(Y-T)+C_0$（租税を考慮する場合）」であった。消費には国民所得に依存するものと、国民所得に依存しない独立消費C_0があった。つまり、投資Iの増加により国民所得Yが拡大すれば、消費Cが増加するということが消費関数からわかる。また、感覚的にも企業の設備投資などが増加すると、設備を製造する企業や設備投資を行った企業が新たな付加価値を生み出し、各企業の得た収益が従業員や株主に還元されることで、所得を得て消費を行う人を連鎖的に増やすことがイメージできる。

　投資の増加（ΔI）　→ 生産増加（ΔI）　→ 国民所得の増加（ΔI）
→ 消費の増加（$c\Delta I$）　→ 生産増加（$c\Delta I$）　→ さらに追加で国民所得増加（$c\Delta I$）
→ 消費の増加（$c^2\Delta I$）　→ 生産増加（$c^2\Delta I$）　→ さらに追加で国民所得増加（$c^2\Delta I$）
→………

参考

乗数効果のイメージ

たとえば、ある企業が設備投資として工作機械1,000万円を発注したとする（①投資により需要が1,000万円増加）。一方、受注した工作機械メーカーは1,000万円分生産を増やす（②供給が1,000万円増加するに伴い国民所得も1,000万円増加）。

工作機械メーカーが得た1,000万円がその従業員に所得として分配されたと仮定し、そのうちの８割（限界消費性向0.8）の800万円で家電製品を買うとする（③800万円の消費の増加）。一方、受注した家電メーカーは800万円分生産を増やす（④供給が800万円増加するに伴い国民所得も800万円増加）。

家電メーカーが得た800万円がその従業員に所得として分配されたと仮定し、そのうちの８割（限界消費性向0.8）の640万円でスーツを買うとする（⑤640万円の消費の増加）。一方、受注したスーツメーカーは640万円分生産を増やす（⑥供給が640万円増加するに伴い国民所得も640万円増加）。……

以上のように、最初の1,000万円の投資が引き金となって、供給および国民所得が連鎖的に増加していくことがわかる（1,000万円の投資増加の結果、1,000万円＋800万円＋640万円＋……の生産および国民所得の増加が実現する）。

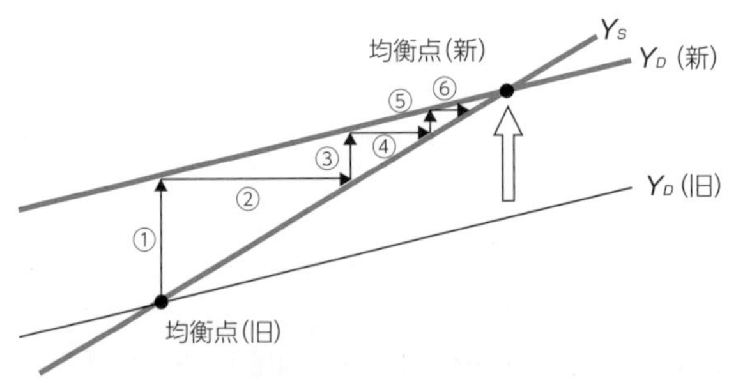

R4 5
R3 5

2 政府支出乗数

政府支出乗数も考え方は投資乗数と同じである。投資乗数で用いた式で確認すると、**政府支出が増加すると、その$\frac{1}{1-c}$倍、均衡国民所得が増加する**ことがわかる。

$\frac{1}{1-c}$を**政府支出乗数**といい（租税なし、または定額税の場合）、**投資乗数と同じ**になる。

$$Y^* = \frac{1}{1-c}(C_0 - cT + I + G)$$

$$\Delta Y = \frac{1}{1-c}\Delta G$$

3 租税乗数（定額税）

❶▶租税乗数（定額税）

投資や政府支出はそれらが増加したときに均衡国民所得が増加するのに対し、**租税は減少（減税）すると国民所得が増加し、増加（増税）すると国民所得が減少する**。ただし、乗数の算出方法は投資乗数や政府支出乗数と同じである。

$$Y^* = \frac{1}{1-c}(C_0 - cT + I + G)$$

租税乗数（定額税の場合）は$-\frac{c}{1-c}$となる。租税（定額税）が増加すると、その$-\frac{c}{1-c}$倍、国民所得が増加する。**ただし、乗数の符号がマイナスであるため、$\frac{c}{1-c}$倍、国民所得が減少することを表す**。一方、租税が減少すると、その$\frac{c}{1-c}$倍、国民所得は増加すると考えることができる。

$$\Delta Y = -\frac{c}{1-c}\Delta T$$

また、$0<c<1$であるため、$\left|\frac{c}{1-c}\right|$(租税乗数) $<\left|\frac{1}{1-c}\right|$(投資乗数、政府支出乗数)となる。つまり、**租税乗数（の絶対値）のほうが、投資乗数や政府支出乗数よりも小さい**。よって、**減税を行うよりも、それと同額の投資や政府支出の増加のほうが、より大きく国民所得を増加させる**ことがわかる。

❷▶租税乗数（定額税）の考え方

投資や政府支出の増加の場合には、その規模に等しいだけの「生産の増加」が起こり、それにより派生的に消費が生じた。一方、減税の場合には、最初の「生産の増加」というプロセスがなく、減税により増えた所得の一部を消費に回すというプロセスから始まるため、生産の増加が限定的になる。

→ 減税の実施（$-\Delta T$）
→ 消費の増加（$c\Delta T$）→ 生産増加（$c\Delta T$）→ さらに追加で国民所得増加（$c\Delta T$）
→ 消費の増加（$c^2\Delta T$）→ 生産増加（$c^2\Delta T$）→ さらに追加で国民所得増加（$c^2\Delta T$）
→ ………

R3 5

4 均衡予算乗数の定理

政府支出を行う場合、その財源を調達しなければならず、国債発行や増税によって財源が賄われる。**均衡予算**とは、歳入と歳出が均衡している財政をいう。そして、**均衡予算乗数**とは、政府支出と増税を同額だけ行った場合に（政府支出の財源を増税によって賄うイメージ）、その何倍均衡国民所得が増加するかを表すものである。政府支出乗数（$\frac{1}{1-c}$）と租税乗数（$-\frac{c}{1-c}$）より、均衡予算乗数は次のように求められる。

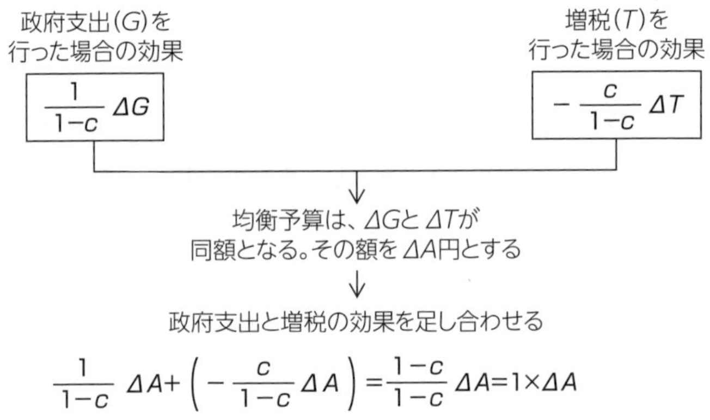

政府支出(G)を
行った場合の効果
$\frac{1}{1-c}\Delta G$
増税(T)を
行った場合の効果
$-\frac{c}{1-c}\Delta T$
均衡予算は、ΔGとΔTが
同額となる。その額をΔA円とする
政府支出と増税の効果を足し合わせる
$\frac{1}{1-c}\Delta A+\left(-\frac{c}{1-c}\Delta A\right)=\frac{1-c}{1-c}\Delta A=1\times\Delta A$

政府支出を増加させるために増税すると、（増税は消費を減らすため）一見、効果が相殺されてしまうように感じるかもしれない。しかし、実際には政府支出のほうが乗数が大きいため、政府支出Gに対してその１倍だけ国民所得を拡大させることが上式により確認できる。したがって、**均衡予算乗数は１**となる。

このように、歳出と歳入を均衡させるように政府支出と増税を行った場合に、国民所得が政府支出の増加分と同額だけ増加することを**均衡予算乗数の定理**という。ただし、この均衡予算乗数の定理は、貿易を考慮せず、租税が定額税である場合のみに成立する点について注意する必要がある。

設　例

いま、家計、企業、政府から構成される経済モデルを考える。各々の記号は、Y：GDP、C：消費支出、I：民間投資支出、G：政府支出、T：租税収入、C_0：独立消費であり、単位は兆円とする。また、c：限界消費性向である。

生産物市場の均衡条件	$Y=C+I+G$
消費関数	$C=C_0+c(Y-T)$
	$C_0=60,\ c=0.8$
民間投資支出	$I=100$
政府支出	$G=30$
租税収入	$T=50$

このとき、均衡予算を編成したうえで政府支出を10兆円増加させた場合、均衡GDPはいくら増加するか求めよ。

解　答　**10兆円**

外国を考慮しない閉鎖経済モデルで、租税が定額税であるため、均衡予算乗数の定理により、租税と政府支出をそれぞれ10兆円増加させた場合の均衡GDP増加分は10兆円となる。

5 定率税における投資乗数、政府支出乗数、租税乗数

これまでは、定額税における投資乗数、政府支出乗数、租税乗数をみてきた。ここでは、定率税の場合のそれぞれについて確認していく。定率税は「$T=tY+T_0$」で表されるため、次のように式を整理することができる。

$$\text{総供給}Y_S=\text{総需要}Y_D$$
$$Y=c(Y-T)+C_0+I+G$$
$$Y=c\{Y-(tY+T_0)\}+C_0+I+G$$
$$Y=c(Y-tY-T_0)+C_0+I+G$$
$$Y=cY-ctY-cT_0+C_0+I+G$$
$$Y-cY+ctY=-cT_0+C_0+I+G$$
$$(1-c+ct)Y=-cT_0+C_0+I+G$$
$$Y^*=\frac{1}{1-c+ct}(-cT_0+C_0+I+G)$$

同じことであるが、以下のように表してもよい。

$$Y^* = \frac{1}{1-c(1-t)}(-cT_0+C_0+I+G)$$

以上より、乗数は次のように表すことができる。

投資乗数、政府支出乗数 → $\frac{1}{1-c+ct}$

租税乗数 → $-\frac{c}{1-c+ct}$

なお、乗数の分母が、定額税のケースのときの「$1-c$」から、定率税では「$1-c+ct$」または「$1-c(1-t)$」と大きくなるため、乗数は小さくなる。定率税の乗数効果が定額税の乗数効果よりも小さくなるのは、所得が多くなればなるほど、より多くの税金を支払うことになり、消費が抑制されるからである。

参考

R3 9

乗数の求め方

試験問題において乗数を求める際に、たとえば、以下のような輸入関数が与えられる場合がある。

輸入関数　$M=mY+M_0$
mは限界輸入性向とし、M_0は独立輸入である。

限界輸入性向は、「所得が1単位増加したときの輸入の増加分」を表す。輸入関数の式を見ると、国民所得が増加したときに（国内の所得が増加することで、海外で生産された財の需要が増え）、輸入額が増加することが確認できる（「輸入関数$M=mY+M_0$」は、これまで見てきた「消費関数$C=cY+C_0$」と式の構成は同じである）。

このような条件が加わったとしても、乗数を求める際に、均衡国民所得式（$Y_S=Y_D$）に、問題で与えられる消費関数、租税関数、輸入関数などを総需要に代入して解くという処理手順は変わらない。

乗数を「$\frac{1}{1-c}$」などのようなアルファベットの記号で解答する場合と、乗数を「5」などのような数値で解答する場合と、国民所得の増加分を「50兆円」などのような金額で解答する場合があるが、いずれにしても式の代入・展開・移項、乗数の算出はアルファベットの記号で行い、数値の代入は最後に行うほうが、効率がよい場合が多い。

ここまでは、閉鎖経済モデル、定額税の場合の乗数について見てきたが、問題の設定条件により、乗数は下表のように異なる。これらの乗数は丸暗記するのではなく、与えられた問題設定に応じて自分で数式を変形することにより、乗数を求められるようになるのが望ましい。なお、表の$\frac{1}{1-c+m}$は外国貿易乗数（定率税を考慮しない）と呼ばれる。

	定額税のみ		定率税あり	
	投資・政府支出乗数	租税乗数	投資・政府支出乗数	租税乗数
閉鎖経済	$\frac{1}{1-c}$	$\frac{-c}{1-c}$	$\frac{1}{1-c+ct}$	$\frac{-c}{1-c+ct}$
開放経済	$\frac{1}{1-c+m}$	$\frac{-c}{1-c+m}$	$\frac{1}{1-c+ct+m}$	$\frac{-c}{1-c+ct+m}$

設　例

財市場における総需要Aが以下のように定式化されている。

$A=C+I+G$

【C：消費、I：投資、G：政府支出】

ここで、消費Cを以下のように定式化する。

$C=C_0+cY$

【Y：所得、C_0：独立消費、c：限界消費性向（$0<c<1$）】

このとき、総需要は$A=C_0+cY+I+G$と書き改めることができ、総需要線として下図の実線AAのように描くことができる。

下図の45度線（$Y=A$）は、財市場で需要と供給が一致する均衡条件を示しており、実線AAとの交点Eによって均衡所得が与えられる。なお、簡便化のために、限界消費性向cは0.8であると仮定する。

このような状況をもとに、下記の設問に答えよ。　〔H28－8（設問2）〕

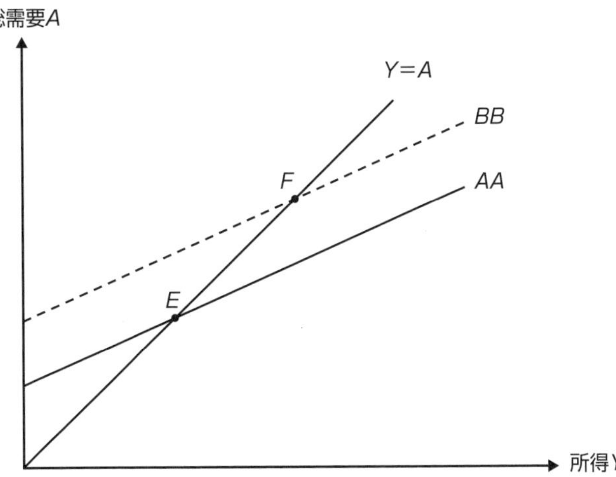

（設問２）

いま、他の条件を一定として、$I+G$の値が外生的に５増加し、図中の実線AAが破線BBへシフトし、点Fで均衡するものとする。このとき、均衡所得の変化量として、最も適切なものはどれか。

ア　4　　イ　10　　ウ　25　　エ　40

解　答　**ウ**

$A=C_0+cY+I+G$

均衡GDPにおいては「総供給（Y）＝総需要（A）」であるから、

$Y=C_0+cY+I+G$

$Y-cY=C_0+I+G$

$Y(1-c)=C_0+I+G$

$Y=\frac{1}{1-c}(C_0+I+G)$

$c=0.8$を代入して

$Y=\frac{1}{0.2}(C_0+I+G)$

$Y=5(C_0+I+G)$

上記式から「$I+G$」が１単位変化すると、５（倍）Yが変化することがわかる。よって、「$I+G$」が５増加すると、Yは５×５＝25増加する。

6 財政政策

ケインズは、現実の経済では市場の価格調整メカニズムはうまく作用しないため、市場に任せていたのでは不均衡（売れ残りや供給不足）が生じるとし、どうすればこのような不均衡を解消して望ましい経済に導けるかを考えた。そこでケインズは、有効需要の原理について説いた。**有効需要**とは、貨幣支出を伴う需要のことである（「買いたいけど買えない」という需要は含まない）。そして、**有効需要の原理**とは、経済の大きさ（国民所得）を決定するのは、売り手の供給量ではなく買い手の需要量であるという考えである。

そして、ケインズは有効需要を調整するために国が積極的に介入すべきだとした。財政政策や金融政策を行い、総需要を増加または抑制して国民所得の水準をコントロールすることを**総需要管理政策**という。

総需要管理政策には、大きく分けて財政政策（政府が実施）と金融政策（中央銀行が実施）がある。財政政策には次のようなものがある。なお、金融政策については、後述する。

【総需要管理政策】
●財政政策─┬─**裁量的財政政策**
　　　　　　│　**・拡張的財政政策（政府支出の拡大＝G↑、減税＝T↓）**
　　　　　　│　**・緊縮的財政政策（政府支出の縮小＝G↓、増税＝T↑）**
　　　　　　└─**ビルトイン・スタビライザー**
●金融政策

ビルトイン・スタビライザー（自動安定化装置）は、現行の制度の中に組み込まれている有効需要の調整機能のことであり、自動的に経済を安定化させるよう働くものである。好況時には民間から政府へ、不況時には政府から民間へ所得移転が生じる。具体例には、次のようなものがある。 R6 8

（例）

・**累進課税制度**
所得が高くなるほど税率が高くなり、国民所得の増加を抑制して景気の過熱を防ぐ。

・**社会保障制度**
たとえば、失業保険給付により、失業者に一定の給付を行うことで可処分所得の低下に歯止めをかける。

設　例

財政の自動安定化装置（ビルトイン・スタビライザー）としての機能が比較的強いと想定される税の仕組みとして、最も適切な組み合わせを下記の解答群から選べ。〔R6－8〕

a　利潤に対して累進的に課せられる法人所得税
b　全ての人に同額が課せられる定額税
c　生活必需品に対して課せられる消費税
d　一定額までの所得には課税を免除する個人所得税

〔解答群〕
ア　aとb　　イ　aとc　　ウ　aとd　　エ　bとc　　オ　bとd

解　答　**ウ**
aは自動的に景気の過熱を防ぎ、dは自動的に可処分所得の低下に歯止めをかけることとなる。

5 需給ギャップ(GDPギャップ)

内閣府が四半期ごとに需給ギャップ(GDPギャップ)を公表している。ここでは、経済指標としての需給ギャップについてと、グラフの読み取り方について学習していく。

1 需給ギャップ(GDPギャップ)

需給ギャップ(GDPギャップ)とは、完全雇用国民所得水準のもとで測定した総需要と総供給との乖離のことであり、次の式で表される。

完全雇用とは、現行の賃金で働きたいと思っている人がすべて働けている状態のことであり、**完全雇用国民所得**とは、完全雇用下で実現する国民所得の水準である。

需給ギャップ(GDPギャップ) ➡ $\frac{\text{実際のGDP}-\text{潜在GDP}}{\text{潜在GDP}}$

潜在GDPとは、現存の経済構造のもとで資本や労働などの生産要素が最大限に投入された場合に実現可能な産出量のことであり、一国の経済全体の供給力を表す推計値である。

R4 6
R2 5

2 デフレギャップ

先の式より、**需給ギャップ(GDPギャップ)がマイナス**の場合は、「実際のGDP<潜在GDP」の関係が成り立つことがわかる。供給能力に対して財・サービスへの需要が少なく、機械設備の稼働水準は低く、完全雇用が実現されていない状態である。この場合、物価下落が生じやすくなる。この場合の完全雇用国民所得水準下における総供給と総需要の差を**デフレギャップ**という(**総供給>総需要**)。

需給ギャップ(GDPギャップ)がマイナス(総供給>総需要)
➡デフレギャップが生じる
デフレギャップ
=完全雇用国民所得下における「総供給−総需要」

3 インフレギャップ

先の式より、**需給ギャップ（GDPギャップ）がプラス**の場合は、「実際のGDP＞潜在GDP」の関係が成り立つことがわかる。供給能力に対して財・サービスへの需要が上回り、機械設備の稼働水準は通常の想定以上に高く、労働者は超過労働している状態である。この場合、物価上昇が生じやすくなる。この場合の完全雇用国民所得水準下における総供給と総需要の差を**インフレギャップ**という（**総供給＜総需要**）。

> **需給ギャップ（GDPギャップ）がプラス（総供給＜総需要）**
> **➡インフレギャップが生じる**
> **インフレギャップ**
> **＝完全雇用国民所得下における「総需要－総供給」**

デフレギャップやインフレギャップを解消するためには、**総需要管理政策**により、需要を調整する必要がある。

[7－9]

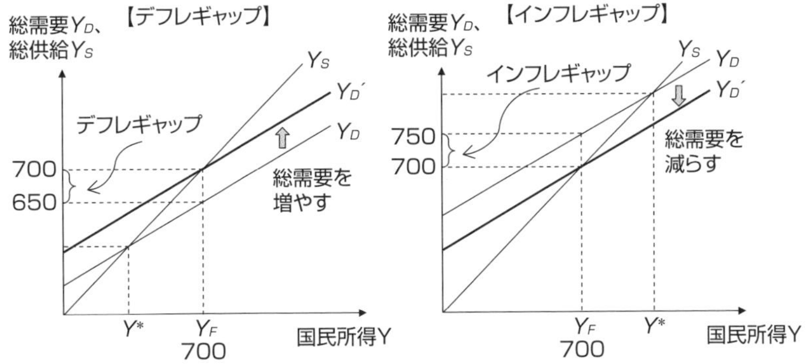

※完全雇用国民所得Y_Fに注目し、その状況下で生産物市場が需要不足の場合にはデフレギャップ、超過需要の場合にはインフレギャップが生じている。

【図表 7-10】

	経済	雇用	物価	裁量的財政政策
デフレギャップ	不景気	失業が発生	デフレ（下落）	政府支出（公共投資）の拡大 減税
インフレギャップ	好景気	人手が不足	インフレ（上昇）	政府支出（公共投資）の縮小 増税

設例

下図は、45度線図である。ADは総需要、Y_0は完全雇用GDP、Y_1は現在の均衡GDPである。この経済では、完全雇用GDPを実現するための総需要が不足している。この総需要の不足分は「デフレ・ギャップ」と呼ばれる。

下図において「デフレ・ギャップ」の大きさとして、最も適切なものを下記の解答群から選べ。〔R2−5〕

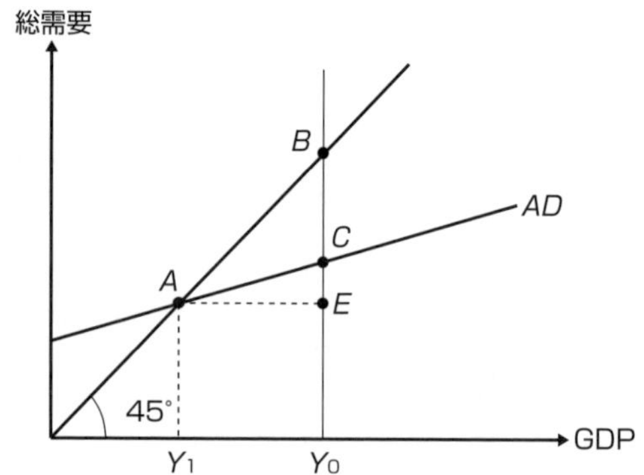

〔解答群〕

ア　AE　　イ　BC　　ウ　BE　　エ　CE

解答　**イ**

完全雇用国民所得水準における総需要はCY_0、総供給はBY_0であるため、デフレ・ギャップは<u>BC</u>である。

6 IS曲線

第８章で学習するIS－LM分析の準備として、本節では、生産物市場の状態を表すIS曲線を学習する。IS曲線の「IS」は、Investment（投資）とSaving（貯蓄）の略である。「貯蓄」は、所得のうち租税の支払いや消費に使われなかった金額である。この貯蓄が市中銀行などの金融機関を介して機械設備や建物などの「投資」に回される。そして、経済全体で見ると、貯蓄と投資は事後的に等しくなると考える。IS曲線を学習するにあたり、まずは生産物市場の需要項目である「投資」に着目する。総需要のうち、投資は消費よりも少ないが、変動が大きく、経済に及ぼす影響が大きいため、その分析は重要なものとなる。

1 利子率と投資水準

投資には主に「物的投資（企業の設備投資など）」と「金融投資（株や債券の購入）」の２種類があるが、ここでの**投資**は**工場や機械設備など企業の物的投資（設備投資）**の意味で捉えていく。

投資水準がどう決まるかについては諸説あるが、ここでは**ケインズの投資の限界効率理論**を学習する。第２節で、家計は可処分所得に応じて消費を決定するということ（消費関数）を学習した。本項では、「**企業は利子率に応じて投資を決定する**」ということを学習する。

❶▶投資の限界効率

投資の限界効率とは、投資を１単位増やしたときに得られる収益率のことである。

設 例

すでに100万円投資している状態から追加的に１万円投資を増加させた場合、その１万円分の投資からの利益が500円であるとする。このとき100万円の投資水準での投資の限界効率は何％となるか。

解 答　５％

$$投資の限界効率=\frac{500}{10,000}\times 100=0.05\times 100=5\%$$

通常、一企業でも複数の投資プロジェクトを抱えているため、数多くの企業が存在する経済全体では数えきれないほど多数の投資プロジェクトが存在すると考える。図表7－11左では、縦軸に投資の限界効率をとり、経済全体に存在する投資プロジェクトを左から投資の限界効率の大きい順に並べ、それらの投資プロジェクトを実施するのに必要な金額（投資水準）を横軸にとっている。投資の限界効率と投資水準の関係を描いた曲線を**投資の限界効率曲線**といい、図表7－11右で確認できるとおり、投資の限界効率曲線は右下がりの形状となる。投資プロジェクトには収益率が高いものも低いものもあるが、企業はより収益率の高い投資プロジェクトを優先して投資を行っていくため、**投資が増加するほど、投資の限界効率は低下する**と考えることができる。

 [7－11]

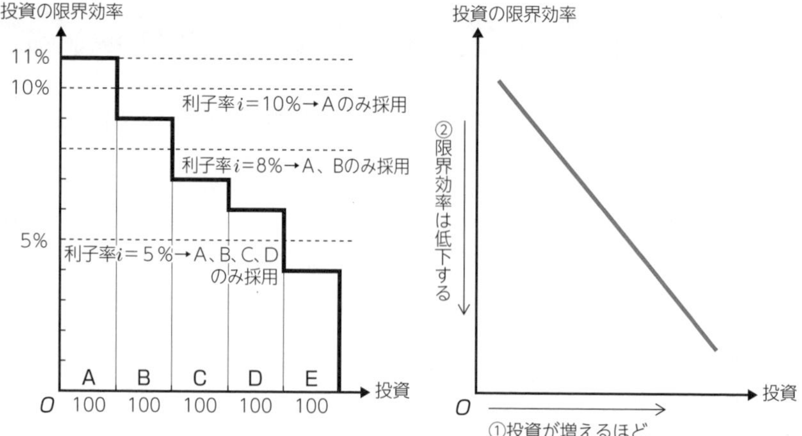

❷▶投資と利子率の関係

企業が物的投資を行う場合、銀行などの金融機関から資金を借り入れるのが一般的である。したがって、借入金に対する利子率は投資の判断に影響を与えることとなる。投資の限界効率（追加的な投資から得られる収益率）と利子率を比較し、収益率のほうが高い場合に投資を行う。なお、利子率のことを**資金の調達コスト**という（例：利子率３％で100万円を借り入れた場合、100万円を調達するために３万円のコストが発生すると捉える）。利子率と投資の関係を表したものを投資関数といい、**投資は利子率の減少関数**となる。これは、**利子率が下がれば投資は増える、利子率が上がれば投資は減る**、ということを意味する。

※「〇〇は△△の減少（増加）関数」という表現は他にも使われるため、慣れておきたい。

利子率が低下	➡	**借入れがしやすくなる**	➡	**投資が増加する**
利子率が上昇	➡	**借入れがしづらくなる**	➡	**投資が減少する**

図表7－11左において、たとえば、利子率iが10％の場合、利子率よりも投資の限界効率が高い投資案は投資プロジェクトAのみである。したがって、利子率が10％の場合は、投資プロジェクトAのみ採用される（投資水準は100）。しかし、利子率が５％まで下がると、投資プロジェクトE以外（A～D）は利子率よりも投資の限界効率のほうが上回るため、採用されることとなる（投資水準は400）。

企業は、コスト（利子率）と収益率を比べて、コストよりも収益率が上回れば投資を実行すると考える。

2 IS曲線

❶▶IS曲線の導出

IS曲線は、**生産物市場を対象**とした**縦軸が利子率（i）**、**横軸が国民所得（Y）**のグラフである（**利子率と国民所得の関係を表す**）。需要項目である投資（I）の水準は、利子率に依存することがわかったが、今度は利子率の変化によって国民所得がどのように変化するのかを確認することでIS曲線を導出することができる。IS曲線は生産物市場の総需要と総供給の均衡を示す45度線分析のグラフから導出することができる。

図表 [7−12]

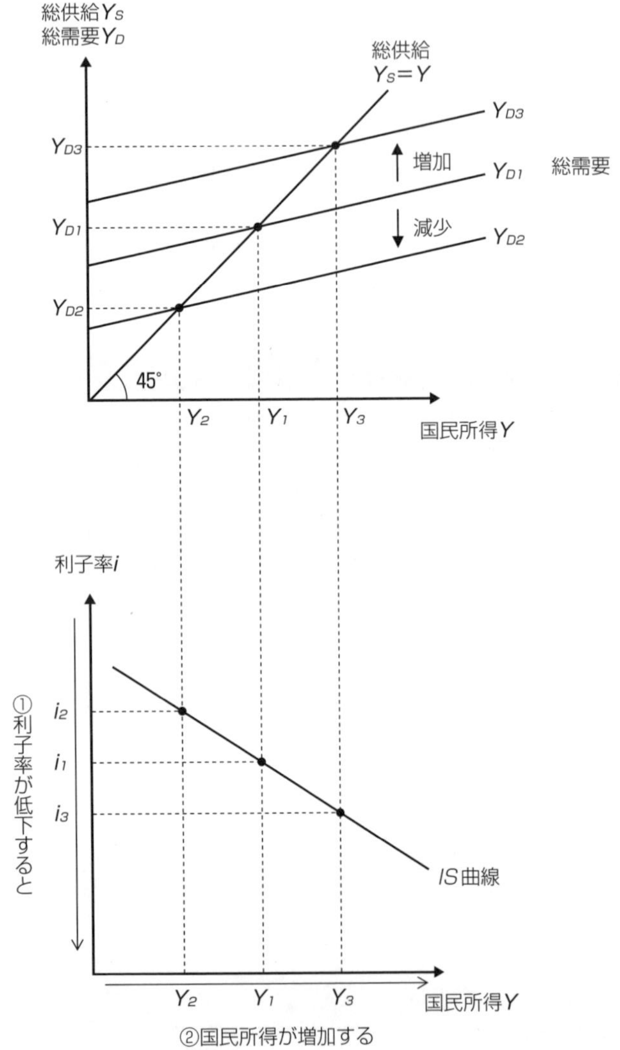

一国全体の財・サービスへの需要を表す総需要は「$Y_D=C+I+G$」で表された。投資は需要項目であるため、**投資が増加すれば総需要は増加し、総需要を示すグラフは上方にシフト**する。一方、**投資が減少すれば総需要も減少するため、グラフは下方にシフト**する。総供給は45度で一定であるため、総需要と総供給が一致する均衡国民所得は、総需要の大きさに依存することとなる。つまり、投資の変化は国

民所得に影響を与えることとなる。

なお、IS曲線の導出にあたっては、45度線分析のグラフから得られる均衡点をプロットしているため、**IS曲線上の点はどこをとっても生産物市場が均衡する点**であるといえる（逆をいえば、IS曲線上から外れた部分は需要と供給が一致していないということがいえる）。

❷▶IS曲線の形状、IS曲線の上側／下側の領域、傾き、シフト…………

IS曲線（定義） ➡ 生産物市場が均衡する（総需要と総供給が一致する）国民所得Yと利子率iの組合せを描いた曲線

IS曲線（形状） ➡ **右下がり**
これは以下のプロセスによる。
利子率（i）↓ ➡ 投資（I）↑ ➡ 総需要 ↑ ➡ 国民所得（Y）↑

IS曲線の上側／下側の領域
IS曲線の**上側**の領域 ➡ 生産物市場は**超過供給**
IS曲線の**下側**の領域 ➡ 生産物市場は**超過需要**

IS曲線の傾き R5 8 R2 6
【限界消費性向】
限界消費性向（c）が**大きい** ➡ IS曲線は**緩やか**になる
限界消費性向（c）が**小さい** ➡ IS曲線は**急**になる
【投資の利子率弾力性】
投資の利子率弾力性が**大きい** ➡ IS曲線は**緩やか**になる
投資の利子率弾力性が**小さい** ➡ IS曲線は**急**になる

IS曲線のシフト R5 8 R2 6
拡張的財政政策（政府支出の増加＝G↑、減税＝T↓） ➡ IS曲線は**右シフト**
緊縮的財政政策（政府支出の減少＝G↓、増税＝T↑） ➡ IS曲線は**左シフト**

1 IS曲線の上側／下側の領域

たとえば、点Aを基準に超過需要について考える。点AはIS曲線上にあるため、生産物市場は均衡している状態である。そこで、利子率が$i_1 \rightarrow i_2$へ低下したとする。利子率が低下すると投資が増加するため、総需要が拡大するが、総供給（横軸：国民所得）が一定のままだとすると、超過需要となる（総供給<総需要）。総需要の増加に伴って総供給が増加すれば、点Cにおいて均衡状態となる。

次に、点Cを基準に超過供給について考える。点Aと同様、点Cも生産物市場が均衡している状態である。ここから利子率が$i_2 \rightarrow i_1$へ上昇したとする。利子率が上昇すると投資が減少するため、総需要が減少するが、総供給が一定のままだとすると、超過供給となる（総供給>総需要）。総供給は、減少した総需要に見合うだけの水準に減少し、点Aにおいて均衡状態となる。

[7−13]

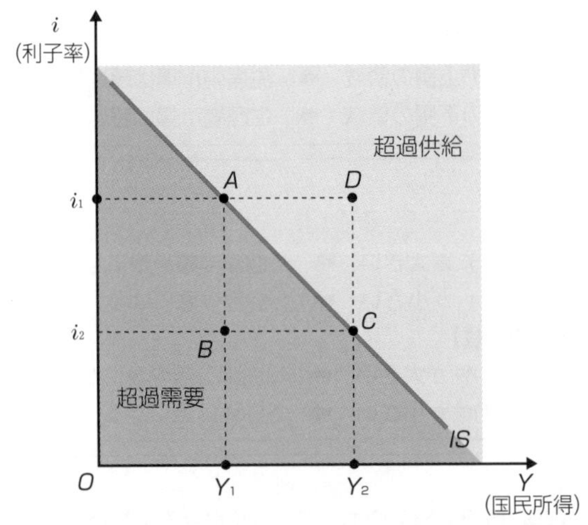

2 IS曲線の傾き

IS曲線の傾きは、**限界消費性向（c）**と**投資の利子率弾力性**に依存する。

1） 限界消費性向

図表7−14をもとに、限界消費性向の大きさがIS曲線の傾きに影響を与えることについて確認する。限界消費性向は消費関数「$C=cY+C_0$」の「c」であった。この値が大きければ大きいほど、国民所得が拡大したときに消費（C）も大きく増加する。つまり、「**①利子率↓⇒②投資↑⇒③総需要↑⇒④国民所得↑……⇒⑤消費↑⇒⑥国民所得↑……**」のプロセスにおいて同じ利子率の低下幅（①）であっても、**限界消費性向（c）が（小さい場合よりも）大きい場合のほうが⑤消費↑の効果が**

大きくなり、国民所得は大幅に増加する（⑥）ため、IS曲線は緩やかになる。

2) 投資の利子率弾力性

図表7－14をもとに、投資の利子率弾力性の大きさがIS曲線の傾きに影響を与えることについて確認する。**投資の利子率弾力性**は利子率の変化に対して投資がどれだけ弾力的に変化するかということである。「①利子率↓⇒②投資↑⇒③総需要↑⇒④国民所得↑（……⇒⑤消費↑⇒⑥国民所得↑……）」のプロセスにおいて同じ利子率の低下幅（①）であっても、**投資の変化（②）が（小さい場合よりも）大きい場合のほうが、③以降の変化も大きくなり、国民所得が大幅に増加（④⑥）するため、IS曲線は緩やか**になる。**利子率の変化に対して投資が大きく変化**する場合には、**「投資の利子率弾力性が大きい」といい、**（利子率の変化に対して）**投資の変化が小さい**場合には**「投資の利子率弾力性が小さい」**という。

［7－14］

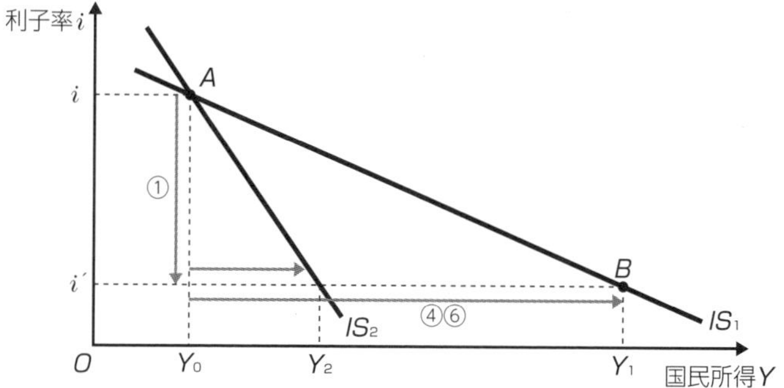

3 IS曲線のシフト

IS曲線は財政政策によりシフトする。ここでの**財政政策**とは、政府支出（G）、租税（T）を変化させる政策のことであり、**政府**により実施される。**政府支出の増加や減税を行うことを拡張的財政政策**といい、**政府支出の減少や増税を行うことを緊縮的財政政策**という。

IS曲線は、「利子率が低下（または上昇）すると国民所得が増加（または減少）する」という関係を描いたものである。しかし、国民所得が変化する要因は利子率だけではない。グラフで見ると、**利子率の変化による国民所得の変化は同一のIS曲線上の点の移動**で表されるが、**利子率以外の要素（政府支出Gや租税T）の変化によって国民所得が変化する場合（利子率は不変）はIS曲線のシフト**で表される。

図表 [7−15]

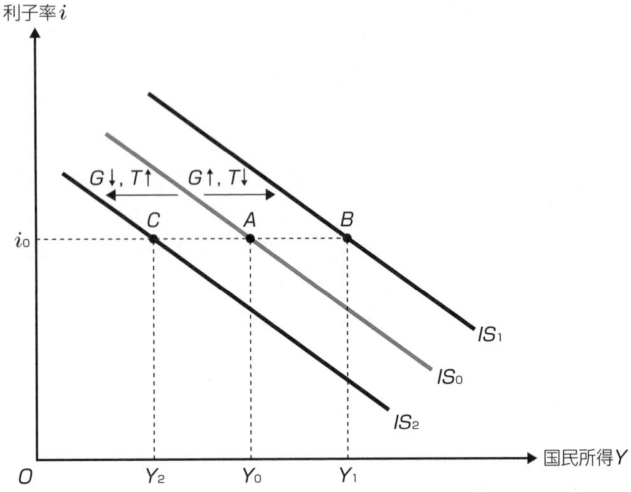

参考

IS曲線、LM曲線、AD曲線のシフト

ここでは、IS曲線について学習したが、次章以降ではLM曲線、AD曲線というものを学習していく。その際にも「**拡張的な政策**によって曲線が**右にシフト**する」「**緊縮的な政策**によって曲線が**左にシフト**する」という共通点を確認することになるが、これらは（理屈を理解する必要はなく）感覚的に覚えてしまってよい。

第8章

貨幣市場とIS－LM分析

Registered Management Consultant

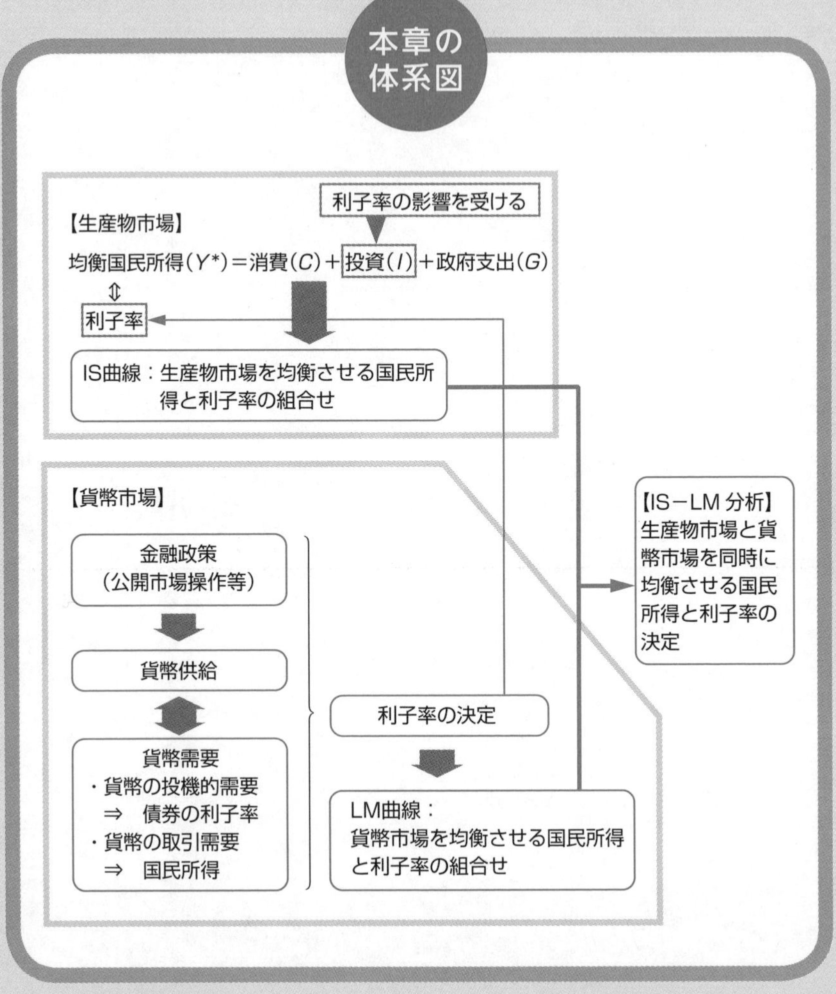

❶ 本章のポイント

◇ マネタリーベース（ハイパワードマネー）とマネーサプライ（マネーストック）の違いを理解する。

◇ 貨幣乗数の式を覚える。

◇ 金融政策によるマネーサプライの変化を理解する。

◇ 貨幣の投機的需要と取引需要を理解する。

◇ LM曲線の形状、LM曲線の上側／下側の領域、傾き、シフトを覚える。

◇ 流動性のわなを理解する。

◇ クラウディングアウトを理解する。

1 貨幣供給

貨幣市場においても需要と供給がある。中央銀行（日本では日本銀行）が貨幣を供給し、家計、企業、政府が貨幣を需要する。本節では貨幣の供給側を学習し、次節で貨幣の需要側を学習する。

1 貨幣供給

貨幣供給は、**中央銀行**（日本でいえば**日本銀行**）が行っている。日本銀行（日銀）は、単純に貨幣を供給するだけでなく、世の中に供給されている貨幣量の調節を行っている。ただし、全体の貨幣供給のうち日銀が直接コントロールできるのは、一部のみである。これには、預金や金融機関による貸し付けが関係するが、その仕組みについて見ていく。

❶▶マネタリーベース R3 7

マネタリーベース（ハイパワードマネー、ベースマネーともいう）とは、日本銀行が世の中に直接的に供給する通貨のことであり、下式で表される。

マネタリーベース＝「日本銀行券発行高」＋「貨幣流通高」＋「日銀当座預金」

（「日本銀行券発行高」＋「貨幣流通高」を）まとめて「流通現金」とよぶことがある

※**「日本銀行券発行高」＋「貨幣流通高」には金融部門の保有する現金も含まれる。**

※「日本銀行券発行高」「貨幣流通高」は、市中に出回っているお金を示す。
「日本銀行券」：紙幣、「貨幣」：硬貨

❷▶マネーサプライ R3 7

マネーサプライ（マネーストックともいう）とは、金融部門から経済全体に供給されている通貨の総量のことである。具体的には、一般法人、個人、地方公共団体などの通貨保有主体（金融機関・中央政府を除いた経済主体）が保有する通貨（現金通貨や預金通貨など）の残高を集計している。統計では、通貨（マネー）としてどのような金融商品を含めるかは、国や時代によっても異なっており、一義的に決まっているわけではない。わが国では現在、対象とする通貨の範囲に応じて、「M1」、「M2」、「M3」、「広義流動性」という4つの指標を作成・公表している。

マネーサプライ＝流通現金＋預金

※ここでの**流通現金には金融部門の保有分は含まない。**

参 考

通貨指標の定義

日本銀行が作成・公表しているマネーストック統計の４つの指標は以下のような通貨の範囲となっている。

M1＝現金通貨＋預金通貨

M2＝現金通貨＋預金通貨＋準通貨＋譲渡性預金

M3＝現金通貨＋預金通貨＋準通貨＋譲渡性預金

広義流動性＝M3＋金銭の信託＋投資信託＋金融債＋銀行発行普通社債＋金融機関発行CP＋国債＋外債

※預金通貨（普通預金、当座預金等）
　準通貨（定期預金等）

なお、M2とM3は金融商品の範囲は同じであるが、M2は通貨発行主体（対象金融商品を発行している経済主体）が国内銀行等に限られる。

R3 7 **❸▶準備預金制度**

市中銀行は、家計や企業から預かった預金をすべて貸出しに回してしまうと、預金者が、預金を引き下ろしにきたときに対応ができなくなってしまう。このような危険を回避するために、市中銀行は受け入れている預金の一部を貸出しに回さずに準備預り金として中央銀行に預け入れることが義務づけられている。この制度のことを**準備預金制度**、準備預り金として預け入れなければならない最低金額を**法定準備預金額（所要準備額）**といい、預金に対する法定準備預金額の割合を**準備率**という。

図表 [8−1] **準備預金制度**

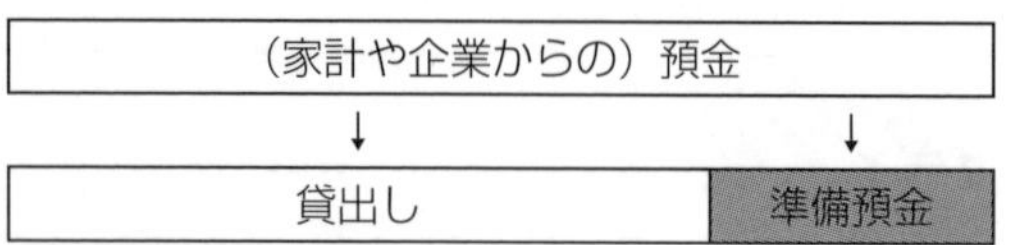

準備率は、法定準備預金額をR（Reserve）、預金をD（Deposit）としたとき、下式のように表される。

$$\textbf{準備率} = \frac{\textbf{法定準備預金額}R}{\textbf{預金}D}$$

金融機関は日本銀行に**日本銀行当座預金（日銀当座預金）**という口座を開設しており、日本銀行や国、または他の金融機関と取引を行う場合の決済手段などとして使用される。そして、日銀当座預金の残高が準備預金としてカウントされる仕組みになっている。

❹▶信用創造

信用創造とは、預金と貸付の連鎖により、日銀が世の中に直接的に供給したお金（マネタリーベース）の何倍ものお金（マネーサプライ）が生まれる現象のことである。

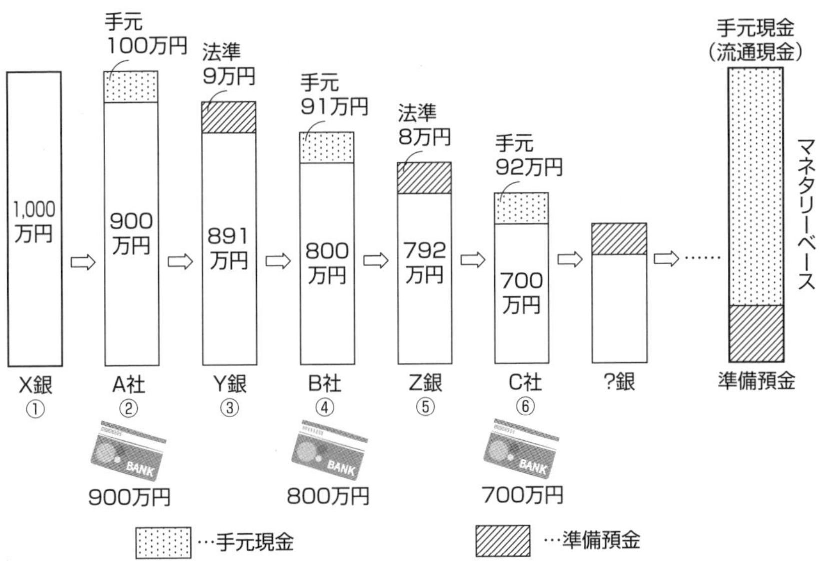

① 中央銀行がX銀行に1,000万円の現金を供給する。

② 現金を供給されたX銀行は取引先A社に1,000万円を融資する（X銀行が受け取った1,000万円は預金ではないため、準備預金は不要）。A社はそのうちの一部（100万円）を手元に残し、残り（900万円）をY銀行に預金する。

③ Y銀行は受け入れた預金900万円の一部（9万円）を準備預金にあて、残り（891万円）を取引先B社に融資する。

④ B社はそのうちの一部（91万円）を手元に残し、残り（800万円）をZ銀行に預金する。

⑤ Z銀行は受け入れた預金800万円の一部（8万円）を準備預金にあて、残り（792万円）を取引先C社に融資する。

⑥ C社はそのうちの一部（92万円）を手元に残し、残り（700万円）を他の銀行に預金する。

という具合に、当初、中央銀行から供給された通貨（マネタリーベース）の何倍ものお金が新たに発生することがわかる。

R3 7 R2 10

❺ ▶ 貨幣乗数

貨幣乗数（**信用乗数**ともいう）とは、マネーサプライがマネタリーベースの何倍になるかを表した数値である。

マネーサプライとマネタリーベースとの関係を、下式のように表す。なお、Mをマネーサプライ、Hをマネタリーベース（ハイパワードマネー）、C（Cash）を流通現金（マネタリーベースとマネーサプライでは流通現金の示す範囲が異なるが、ここでは金融機関の保有する現金はないものとして、マネーサプライにおける流通現金の定義で考える）、Dを預金、Rを法定準備預金額とする。

$$貨幣乗数=\frac{マネーサプライM}{マネタリーベースH}=\frac{流通現金C+預金D}{流通現金C+法定準備預金額R}$$

上式を「マネーサプライM=」の式に変えると以下のようになる。

$$M=\frac{C+D}{C+R}\times H$$

さらに、貨幣乗数の分母と分子を預金Dで割ると以下のようになる。

$$M=\frac{\frac{C}{D}+\frac{D}{D}}{\frac{C}{D}+\frac{R}{D}}\times H$$

$$=\frac{c\ +\ 1}{c\ +\ r}\times H$$

ここで、**cを現金預金比率**（$\frac{\textbf{現金}}{\textbf{預金}}$）、**$r$を準備率**（$\frac{\textbf{法定準備預金額}}{\textbf{預金}}$）とする。以上により貨幣乗数は下式で表される。

$$\textbf{貨幣乗数}=\frac{c+1}{c+r}$$

準備率 r が小さいほど、市中銀行は貸出しに回せる金額が大きくなるため、**貨幣乗数は大きくなる**。また、**現金預金比率 c が小さい**ということは、通貨を現金で保有せずに預金で保有しようとする人が多いということを意味し、これは市中銀行が貸出しに回せる金額が大きくなることにつながるため、**貨幣乗数は大きくなる**。

設　例

貨幣に関する記述として、下記の文章の正誤判定をせよ。〔R元－6　改題〕

c　マネーストックをマネタリーベースで除した値は「信用乗数」と呼ばれる。

d　準備預金が増えると、信用乗数は大きくなる。

解 答 c：○ d：×

c：マネーストックとマネタリーベースの関係を単純化すれば、マネタリーベース×信用乗数＝マネーストックである。よって、信用乗数＝マネーストック÷マネタリーベースとなる。

d：準備預金が増えると準備率が上昇し、信用乗数は小さくなる。

2 金融政策

裁量的金融政策とは、**中央銀行（日本銀行）**が主体となって行う経済政策であり、「物価の安定」「雇用の維持」「国際収支の均衡と為替レートの安定」などを目的に**貨幣供給量を増減させる**ものである。その具体的手段には主に次の3つがある。

❶▶公開市場操作 R2 10

中央銀行が債券の売買を通じてマネタリーベースの量をコントロールすることを**公開市場操作**といい、現在、日銀の金融政策の中心となっている。

中央銀行は、国債などを市場で売買することにより、マネタリーベースの量を増減させる。たとえば、不景気の場合に、中央銀行が市中銀行の保有する国債などを買い取り、その代金を支払うことでマネタリーベースを増加させ、世の中に出回るお金の量を増やす（**買いオペレーション**）。一方、景気が過熱している場合には、中央銀行が持っている国債などを市中銀行に売却し、その代金を回収することでマネタリーベースを減少させ、世の中に出回るお金の量を減らす（**売りオペレーション**）。

買いオペ ➡ 民間の現金保有増加 ➡ マネタリーベース増加

売りオペ ➡ 民間の現金保有減少 ➡ マネタリーベース減少

❷▶公定歩合操作

公定歩合とは、日銀が市中銀行などに貸付を行う際に適用する基準金利のことであり、これを変化させることでマネタリーベースの量を増減させる。規制金利時代、市中銀行の利子率は、公定歩合に連動して決定していたため、企業や家計の借入れにも影響を与えた。不景気の場合には、公定歩合の引き下げにより市中銀行が借入れしやすい環境をつくり、マネタリーベースを増加させるとともに、家計や企業も市中銀行から借入れしやすい状況となることで消費や投資を拡大させる。一方、景気が過熱している場合には、公定歩合の引き上げにより市中銀行の借入れを抑え、マネタリーベースを減少させるとともに、家計や企業の借入れを抑制し、消費や投資を縮小させる。なお、現在の利子率は、金利自由化により、貨幣の需給バランスで決定されるようになったため、景気変動を調整する役割は果たさなくなり、名称も公定歩合から**基準割引率および基準貸付利率**へ変更されている。

公定歩合の引き下げ ➡ 市中銀行からの借入増加 ➡ マネタリーベース増加
公定歩合の引き上げ ➡ 市中銀行からの借入減少 ➡ マネタリーベース減少

❸ ▶ 準備率操作

中央銀行は、準備率を操作することで市中銀行の貸出可能額を増減させる。準備率の変化は貨幣乗数に影響を与え、マネーサプライが変化する。金融市場が発達した国では、準備率操作の効果は限定的であり、②公定歩合操作と同様、現在の日本では、政策的役割を果たしていない。

準備率を下げる ➡ 貨幣乗数上昇 ➡ マネーサプライ増加
準備率を上げる ➡ 貨幣乗数低下 ➡ マネーサプライ減少

設 例

下記の文章の正誤判定をせよ。

日本銀行による買いオペレーションの実施は、マネタリーベースを増加させる。H29−7 C （**○**：正しい。買いオペにより、民間現金保有が増加し、マネタリーベースは増加する。）

参 考

中央銀行の機能

① 発券銀行

中央銀行は、現金である紙幣の発行および発行量の調整を行うことにより、通貨（現金＋預金）の量（供給量）を調整している。貨幣供給量を増減させることで利子率を変化させ、投資量の変化、総需要の変化、国民所得の変化へとつなげることで、適正な国民所得水準（完全雇用国民所得）にしようと調整を行っている。これが景気対策としての金融政策である。

不況時 → 貨幣供給量を増加させ、利子率を下げて投資を増やし、総需要を増加させる。

好況時 → 著しい物価の上昇により、貨幣価値が大きく下落することがないよう、貨幣価値の維持（物価の安定）を図る。

②　銀行の銀行

市中銀行から預金を受け入れ、それを市中銀行に貸し出す。市中銀行の一時的な資金不足による支払い不能、倒産などにより金融システムが混乱するのを防止する。

③　政府の銀行

政府は日銀に口座をもっており、政府の資金収支（収入と支出）は日銀の口座で行われる。

日本銀行は、日本銀行法という法律に基づく特殊法人であり（政府機関ではない）、政府から独立して金融政策を行っている。

2 貨幣需要

本節ではケインズの流動性選好理論に基づいて貨幣需要を学習していく。ケインズは、貨幣需要は「取引需要」と「投機的需要」からなると想定している。

R6 6

1 貨幣の投機的需要

❶▶資産選択

マクロ経済学では、**資産は貨幣と債券（国債や社債など）の2種類のみ**であると仮定する（不動産や株式などは含まない）。したがって、各経済主体は資産を貨幣で保有するか債券で保有するかについて意思決定を行うこととなるが、それぞれがもつ異なる特徴を判断基準として選択する。

R5 11

❷▶債券

債券は、国、地方公共団体、企業などが資金調達のために発行するものである（資金提供者から資金を借り入れる際に発行される証書）。資金提供者は、定期的に利子を受け取ることができ、満期日を迎えると額面金額が償還される。生産物市場（財市場）では、利子率を投資（企業の設備投資）における**資金の調達コスト**と捉えたが、貨幣市場では、**債券の収益率**という側面で捉える。すなわち、利子率は、資金を借り入れるほう（債務者）からすれば資金調達コストであるが、資金を提供するほう（投資家）からすれば債券の収益率ということである。

（例）額面　1,000円　利子率10％（額面に対するものであり、利子額は100円で一定）

図表 [8－2] **債券価格と利子率**

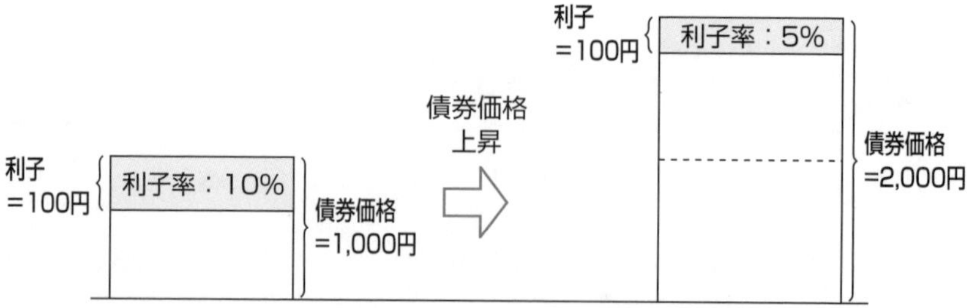

発行時の利子率は、額面に対する利子額の割合を示し、その金額は市場に出回っ

てからも一定である（利子額は100円で一定）。一方で、債券は市場価格によって売買されることがある。このときの利子率は売買価格に対する利子額の割合を示すため、売買価格の変動とともに利子率も変化することとなる。

利子額が一定のため、債券価格が上昇すれば利子率は低下し、債券価格が下落すれば利子率は上昇する。

債券価格の上昇 ➡ 利子率は低下 **債券価格の下落 ➡ 利子率は上昇** ※利子額は一定

❸▶貨幣と債券

貨幣と債券の主な違いは、利子がつくかつかないかと流動性である。**流動性**とは、財や貨幣との交換の容易さのことである。

資産
- **貨幣：利子がつかない（×）、流動性が高い（○）**
- **債券：利子がつく　　（○）、流動性が低い（×）**

利子率は、貨幣の調達コストと考えることができた。財の価格が需要量と供給量で決定されるのと同様、**貨幣も需要量と供給量によって調達コスト（利子率）が決定される**。この考えを**ケインズの流動性選好理論**という。

人々は、資産を貨幣で保有するのか債券で保有するのかの意思決定を行う。このことは、貨幣需要と債券需要が表裏一体の関係にあることを示している。また、それぞれの需要と供給も表裏一体の関係にあるため、次のようにまとめることができる。

（貨幣の供給量に比べて）貨幣需要が大 ＝ 貨幣の供給量＜需要量（超過需要） **↕** **（債券の供給量に比べて）債券需要が小 ＝ 債券の供給量＞需要量（超過供給）**

図表 ［8－3］ **貨幣市場と債券市場**

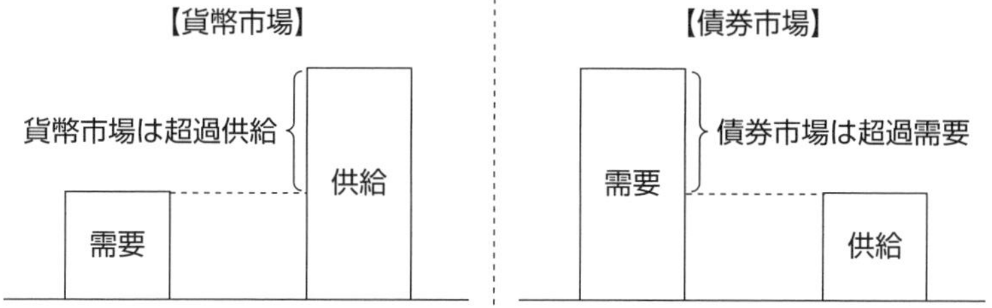

債券市場が超過需要ということは、債券の買手が多すぎるということであり、債券価格（債券を買うときの値段）が徐々に上がることになる。これにより利子率が徐々に下降する。債券市場が超過供給の場合はこの逆の状況が生じる。

❹▶利子率と貨幣の投機的需要

貨幣の投機的需要とは、貨幣を資産として保有しようとする需要のことである。資産は貨幣もしくは債券の２種類であるため、**貨幣の投機的需要は債券需要の影響を受ける**。さらに、**債券需要は利子率に依存**する。

利子率(i)の低下　➡　債券の魅力<貨幣の魅力　➡　貨幣の投機的需要が増加 (利子率が低いのであれば、資産は流動性の高い貨幣で保有したほうが便利) **利子率の(i)上昇　➡　債券の魅力>貨幣の魅力　➡　貨幣の投機的需要が減少** (債券で保有したほうが流動性は低いが利子を受け取ることができ、資産を大きくできる)

以上より、**貨幣の投機的需要は利子率の減少関数**となる。

R6 6

2 貨幣の取引需要

国民所得（Y）が拡大すると、取引が増え、多くの貨幣が必要となる。このように、取引に伴う支払い手段としての需要を**貨幣の取引需要**という。**貨幣の取引需要は国民所得の増加関数**となる。

国民所得（Y）の増加　➡　取引量の増加　➡　貨幣の取引需要の増加 **国民所得（Y）の減少　➡　取引量の減少　➡　貨幣の取引需要の減少**

貨幣需要（投機的需要＋取引需要）の増加 貨幣需要 ─┬─ 投機的需要（**債券**が影響） ・債券が超過供給⇒貨幣は超過需要 ・利子率の低下＝債券価格の上昇→債券の魅力<貨幣の魅力 (∵債券が割高) ⇒投機的需要の増加 └─ 取引需要（**国民所得**が影響） ・国民所得の増加→取引量の増加⇒取引需要の増加

設 例

下記の文章の正誤判定をせよ。

利子率が低下することで、貨幣から債券への需要シフトが起こり、また投資を行う際に必要な資金調達コストが上昇する。

H25－6　d　（×：利子率が低下することで、債券から貨幣への需要シフトが起こる。また利子率は貨幣の調達コストという面があるため、投資を行う際に必要な資金調達コストが低下する。）

参 考

取引動機と予備的動機

取引の量が増加すれば、支払などに必要とされる貨幣への需要が増加する。取引動機に基づく貨幣需要とはそのような貨幣の交換手段としての機能に基づく需要を表している。予備的動機とは、将来の予期せぬ事態に備えるための貨幣への需要をいう。取引動機と予備的動機による貨幣への需要をまとめて取引需要としている。

3 貨幣需要曲線

貨幣需要には投機的需要と取引需要があり、投機的需要は利子率に、取引需要は国民所得に依存する。

❶▶貨幣需要曲線

貨幣需要曲線は、**縦軸に利子率 i 、横軸に貨幣需要（投機的需要＋取引需要）L_D** をとるグラフに描かれる。

貨幣の投機的需要のみを考慮した場合（貨幣の取引需要は考慮しない）、**右下がり**のグラフが描ける。

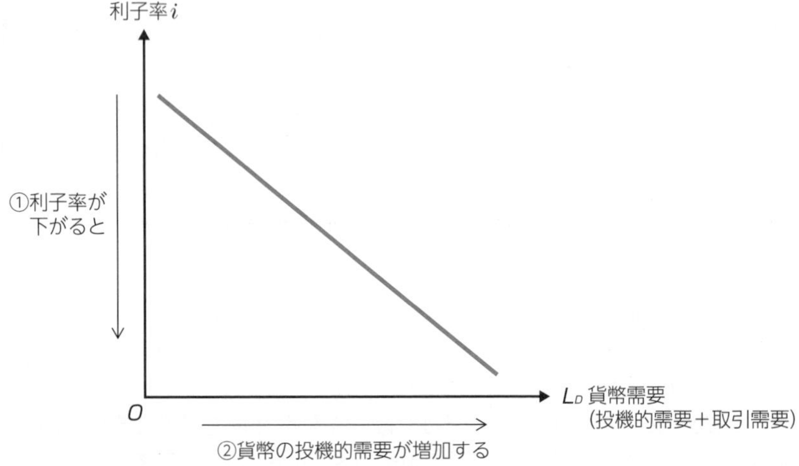

仮に、利子率の水準が不変であっても（貨幣の投機的需要は不変）、国民所得が増加すれば貨幣需要（貨幣の取引需要）は増加する。国民所得の変化に伴う貨幣需要（貨幣の取引需要）の変化は、右下がりの貨幣需要曲線の左シフトまたは右シフトで表すことができる。

図表 [8−5]

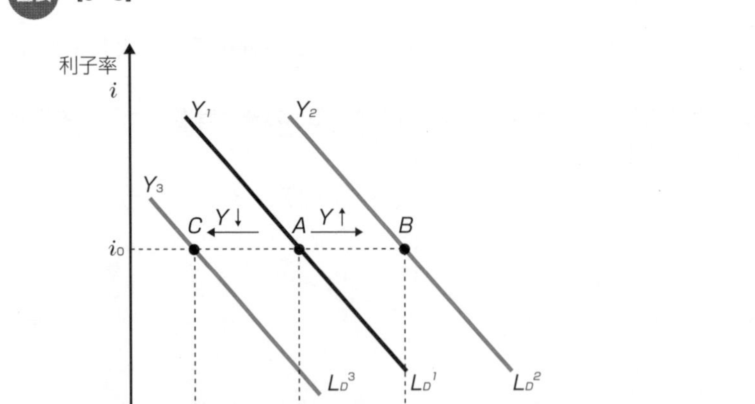

❷▶流動性のわな

利子率が低下し、すべての人がこれ以上利子率は低下しない（債券価格は最高に達している）と考える状況では、新たに債券を購入しようとする人は存在せず（値上がりが期待できないため）、既に債券を保有している人はそれを売り払おうとする。このとき、貨幣の投機的需要は極めて大きくなる。このような状況を**流動性のわな（貨幣需要の利子率弾力性は無限大）**といい、**貨幣需要曲線は水平**に描かれる。

図表 [8－6]

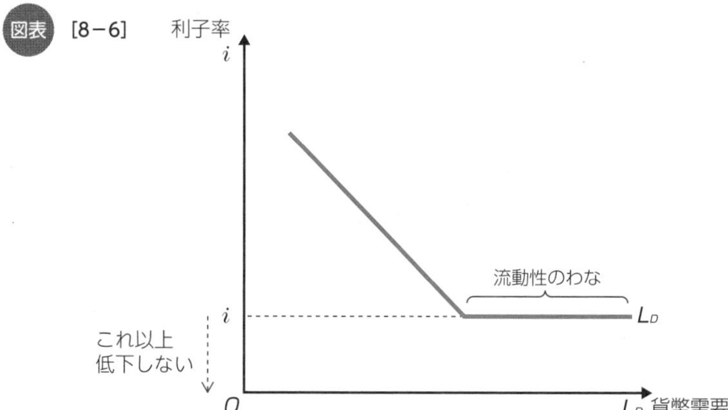

3 LM曲線

ここまで貨幣供給と貨幣需要について別々に学習してきたが、本節では両者を統合し、貨幣市場の均衡を考える。

生産物市場（財市場）における投資は、利子率の影響を受けるということを学習したが、その利子率は、貨幣市場の均衡によって決定される。つまり、貨幣需要＝貨幣供給となるところで均衡貨幣量と利子率が決定される。なお、LM曲線という名称は貨幣需要（Liquidity Demand）と貨幣供給（Money Supply）が等しいことに由来している。

1 LM曲線

❶▶LM曲線の導出

貨幣供給は、利子率に依存せず、中央銀行の方針で決定される。中央銀行が実施する買いオペなどで増加するマネーサプライは名目値であるが、貨幣供給量は実質値を用いるほうが適切である。それは、その貨幣量でどれだけの財・サービスと交換できるかが重要であるからである。したがって、貨幣供給には物価を考慮した**実質貨幣供給量**を用い、**マネーサプライMを物価水準Pで除す**ことで表される（貨幣需要も物価を考慮したものとなっている）。

図表 [8−7]

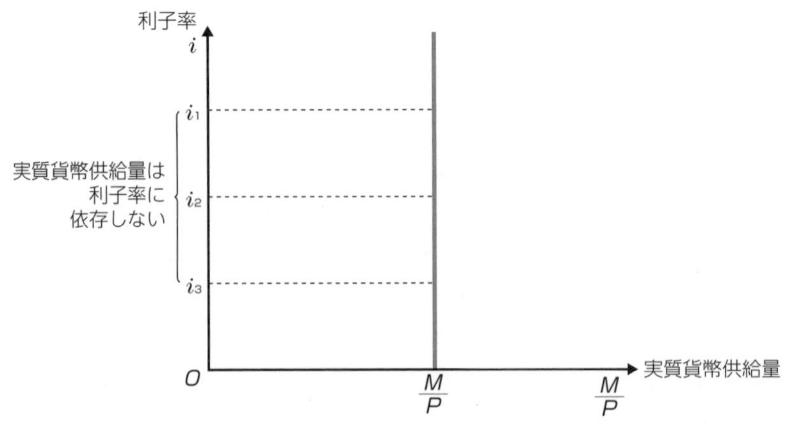

実質貨幣供給量の変化は、**名目貨幣供給量（マネーサプライ）**または**物価水準**の変化に依存し、それに伴って貨幣供給曲線は右シフトまたは左シフトする。

【名目貨幣供給量による変化】

マネーサプライMの増加 ➡ 実質貨幣供給量$\frac{M}{P}$の増加
➡ 貨幣の供給曲線は右シフト

マネーサプライMの減少 ➡ 実質貨幣供給量$\frac{M}{P}$の減少
➡ 貨幣の供給曲線は左シフト

【物価水準による変化】

物価水準Pの低下 ➡ 実質貨幣供給量$\frac{M}{P}$の増加
➡ 貨幣の供給曲線は右シフト

物価水準Pの上昇 ➡ 実質貨幣供給量$\frac{M}{P}$の減少
➡ 貨幣の供給曲線は左シフト

貨幣需要曲線と貨幣供給曲線をもとに貨幣市場の均衡を考え、それからLM曲線を導出する。

[8−8]

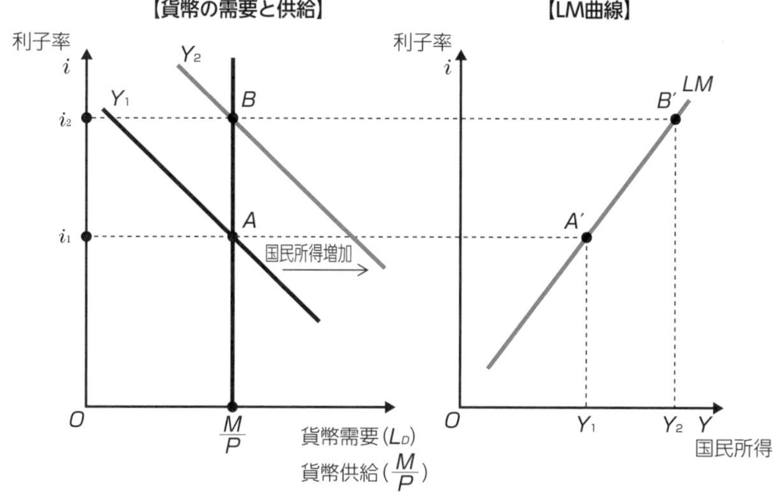

❷▶LM曲線の形状、LM曲線の上側／下側の領域、傾き、シフト………

LM曲線（定義）	➡	貨幣市場を均衡させるような国民所得Yと利子率iの組合せを描いた曲線

LM曲線（形状）	➡	**右上がり**

LM曲線の上側／下側の領域

LM曲線の上側の領域	➡	**貨幣市場は超過供給**
LM曲線の下側の領域	➡	**貨幣市場は超過需要**

R5 8 R3 6 R2 6 **LM曲線の傾き**

貨幣需要の利子率弾力性が大	➡	**LM曲線の傾きは緩やかになる**
貨幣需要の利子率弾力性が小	➡	**LM曲線の傾きは急になる**

R5 8 R2 6 **LM曲線のシフト**

名目貨幣供給量（M）の増加、物価水準（P）の低下	➡	LM曲線は**右シフト**
名目貨幣供給量（M）の減少、物価水準（P）の上昇	➡	LM曲線は**左シフト**

1 LM曲線の上側／下側の領域

LM曲線は貨幣需要と貨幣供給が均衡する点の集合である。したがって、**LM曲線上の点はどこをとっても貨幣の需要と供給が一致している**といえる。このことを前提に図表8－9を用いてLM曲線が右上がりになることを確認する。

当初、利子率はi_1の水準であり点Aにおいて貨幣市場が均衡していたとする。この状態から利子率がi_2へ上昇すると、債券の魅力が高まるため貨幣の投機的需要が減少し、貨幣の超過供給が生じることとなる（貨幣需要＜貨幣供給となり、不均衡となる）。超過供給は実質貨幣供給量の減少または貨幣需要量の増加で解消されるが、実質貨幣供給量が一定だとした場合、貨幣需要量が増えることで貨幣市場は均衡する。貨幣需要のうち、投機的需要は利子率の上昇によって減少してしまったので、国民所得が増加すれば貨幣の取引需要が増加することによって点Cで貨幣市場は均衡することとなる。

また、別の見方もできる。今度は点Aの状態から国民所得が増加した場合で確認する。国民所得が増加すると取引が増加するため貨幣の取引需要が増加し、貨幣の超過需要が発生する（貨幣需要＞貨幣供給となり、不均衡となる）。超過需要は実質貨幣供給量の増加または貨幣需要量が減少することで解消されるが、実質貨幣供給量は一定であると仮定する。

貨幣需要のうち、取引需要は国民所得の増加によって増加してしまったので、利子率が上昇すれば貨幣の投機的需要が減少することによって点Cで貨幣市場は均衡することとなる。

図表 [8−9]

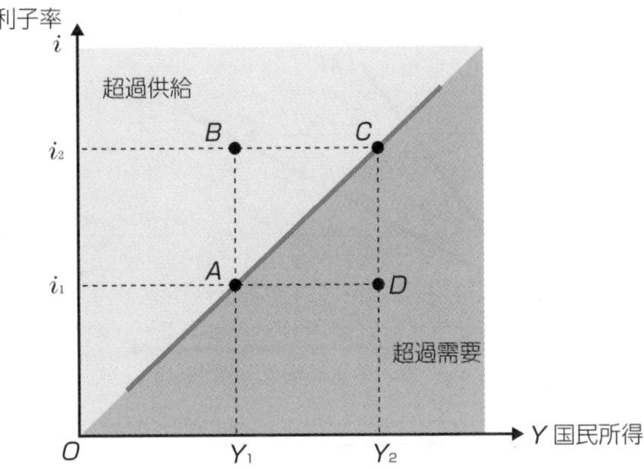

※IS曲線（生産物市場）では、「財の超過需要→供給を増加させる」という均衡の取り方をした。一方、LM曲線（貨幣市場）では、「貨幣の投機的需要が減少→貨幣の取引需要の増加」や「貨幣の取引需要が増加→貨幣の投機的需要の減少」という均衡の取り方をしている。貨幣市場では、実質貨幣供給量を一定としたときに、２種類の需要のうち１つの需要が減少した場合（もしくは増加した場合）、もう一方の需要が増加（もしくは減少）すれば均衡を保つことができるとしている点が、生産物市場の分析との相違点である。

2 LM曲線の傾き

R3 6

LM曲線の傾きは、**貨幣需要の利子率弾力性**に依存する。貨幣需要の利子率弾力性とは、利子率の変化に対し、どれだけ弾力的に貨幣需要が変化するかということである。

図表8−10を用いて、LM曲線の傾きと貨幣需要の利子率弾力性の関係について確認する。点*A*を基準に、同じ利子率の上昇幅に対して、LM_1は大きく国民所得が増加しているのに対し、LM_2は国民所得の増加幅が小さい。この差は貨幣需要の利子率弾力性にある。貨幣需要の利子率弾力性が大きいということは、利子率の変化に対して貨幣需要が大きく変化し、その結果、国民所得も大きく変化するため、LM曲線の傾きは緩やかになる。$i \to i_1$への利子率上昇に対し、LM_2と比較してLM_1のほうが貨幣の投機的需要の減少幅が大きく、均衡するためには貨幣の取引需要がより大きく増加する必要がある。

図表 [8−10]

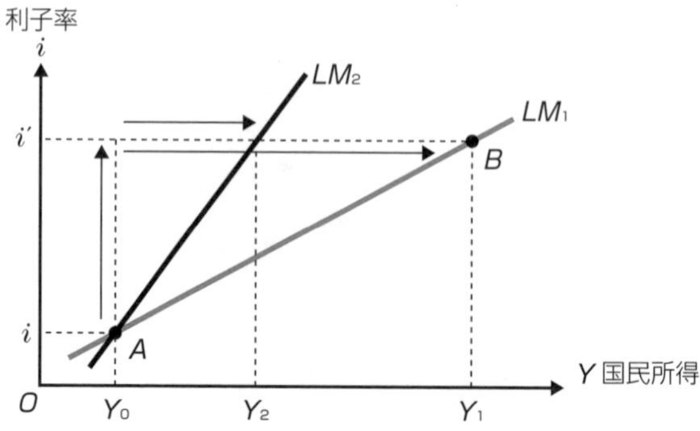

参考

貨幣需要の所得弾力性

貨幣需要の所得弾力性とは、所得の変化に対し、どれだけ弾力的に貨幣需要が変化するかということである。

① 貨幣の所得弾力性が大きいとき、国民所得が増加することで取引需要が大きく伸びることから、貨幣市場において大きな超過需要が発生する。

② したがって、貨幣市場の均衡が回復するためには、貨幣の投機的需要が大きく減少する必要がある。よって、債券の利子率が大きく上昇し、貨幣の投機的需要が大きく減少する必要がある。これを図示すると、LM曲線の傾きは急になる。

図表 [8−11]

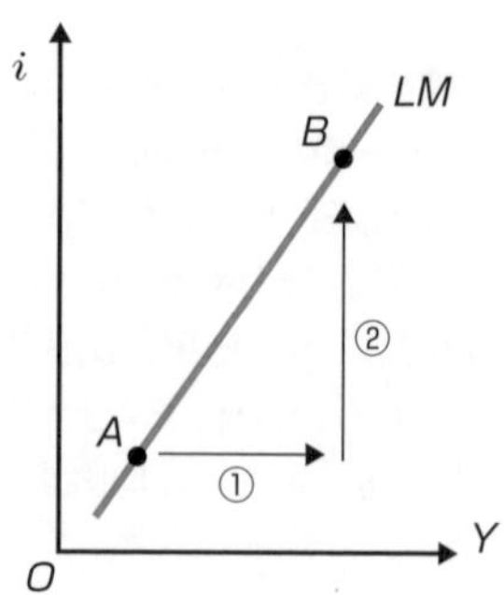

3 LM曲線のシフト

LM曲線は**金融政策（貨幣供給量の増減）**または**物価水準の変化**によりシフトする。金融政策により名目貨幣供給量M（マネーサプライ）を増加（または減少）させると、実質貨幣供給量$\frac{M}{P}$は増加（または減少）する（貨幣供給曲線が右方または左方にシフトする）。

また、物価水準が下落（もしくは上昇）した場合、実質貨幣供給量$\frac{M}{P}$は増加（または減少）する（貨幣供給曲線が右方または左方にシフトする）。

このことはグラフからも導出することができる。

 [8−12]

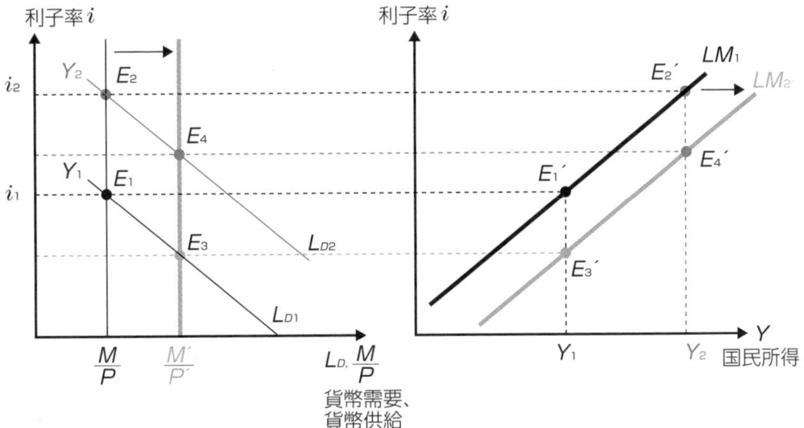

❸▶流動性のわな

図表8−13左のように流動性のわなが生じている場合、国民所得が増加し貨幣需要曲線が右シフトしても利子率は変化しない。したがって、**流動性のわなが生じているところでは、LM曲線は水平となる。**

[8−13]

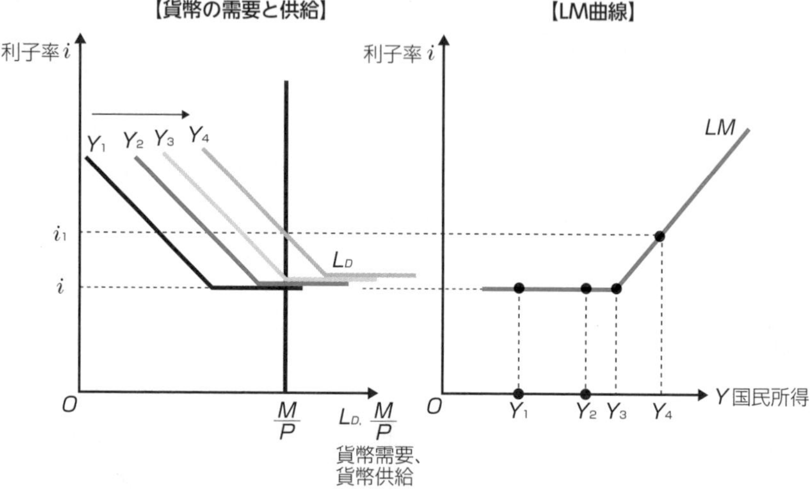

流動性のわなは**貨幣需要の利子率弾力性が無限大**の状態である。貨幣需要の利子率弾力性が大きいほどLM曲線の傾きは緩やかになるため、**流動性のわなの状態では、LM曲線の傾きは水平（極端に緩やか）**になる。

設 例

下記の文章の正誤判定をせよ。

流動性のわなが存在する場合、貨幣需要の利子率弾力性がゼロとなり、LM曲線は水平になる。

H24−9　オ　（**×**：流動性のわなが存在する場合、貨幣需要の利子率弾力性は無限大となり、LM曲線は水平になる。）

4　IS－LM分析

生産物市場の需要項目である投資は利子率の影響を受けること、利子率は貨幣市場の均衡によって決定されることを学習した。また生産物市場で取引が増加すると、貨幣市場では貨幣の取引需要が増加し、貨幣の調達コストである利子率が上昇する。このように生産物市場と貨幣市場は密接なかかわりがある。

IS－LM分析は、生産物市場と貨幣市場を同時に分析する。IS曲線とLM曲線をもとに、生産物市場と貨幣市場を同時に均衡させる国民所得と利子率の決定について考え、財政政策および金融政策の効果（国民所得や利子率に与える影響）を考える。

1 IS－LM分析

❶▶均衡国民所得と均衡利子率

IS曲線	➡	生産物市場（財市場）を均衡させる国民所得と利子率の組合せ
LM曲線	➡	貨幣市場を均衡させる国民所得と利子率の組合せ

IS－LM分析では、国民所得と利子率は、生産物市場と貨幣市場を同時に均衡させるように決定されると考える。そのように決定される国民所得と利子率をそれぞれ、**均衡国民所得**、**均衡利子率**とよぶ。

均衡国民所得Y^*と均衡利子率i^*は、図表8－14のとおり、右下がりのIS曲線と右上がりのLM曲線の交点Eで決定される。

［8－14］

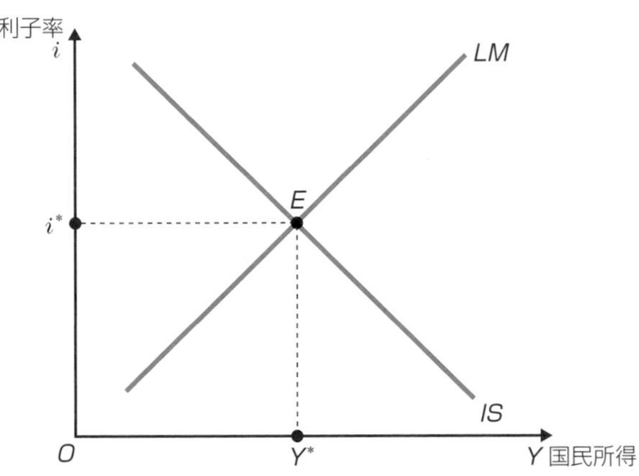

R6 11
R2 6

❷▶財政政策の効果

1 財政政策の効果

拡張的な財政政策（政府支出Gの増加、減税T）を行うと、IS曲線は右にシフトする。よって、均衡国民所得は増加し、均衡利子率は上昇する。緊縮的な財政政策は逆の効果をもたらす。

拡張的財政政策（政府支出の増加、減税）	➡	**国民所得増加、利子率上昇**
緊縮的財政政策（政府支出の減少、増税）	➡	**国民所得減少、利子率低下**

図表8－15には、拡張的な財政政策の効果が描かれている。財政政策を行うことで、IS曲線が右にシフトし、国民所得はY_1からY_2へ増加し、利子率はi_1からi_2へ上昇する。

 [8－15]

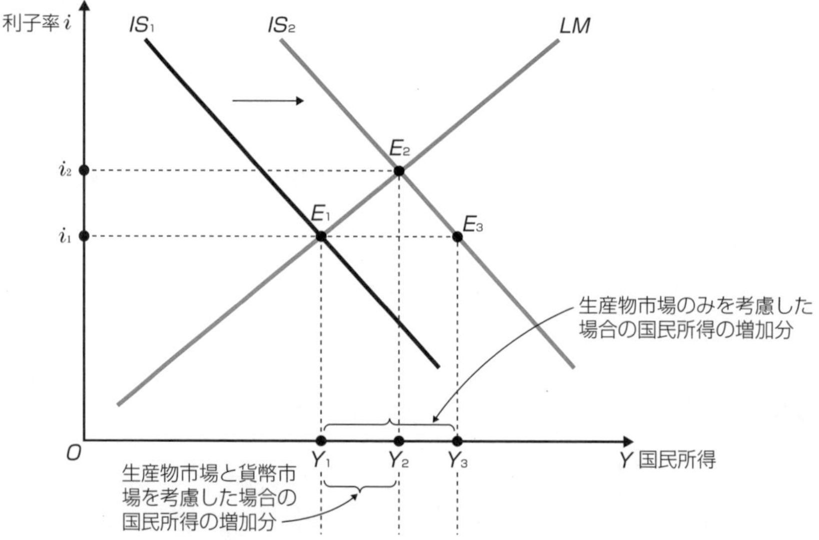

2 クラウディングアウト

貨幣市場を考慮せず、生産物市場だけ見ていたときでは、拡張的な財政政策はIS曲線を右にシフトさせ、乗数効果分だけ国民所得を拡大させた（$Y_1 \rightarrow Y_3$）。一方、IS－LM分析では、生産物市場と貨幣市場が同時に均衡する利子率と国民所得の組み合わせを見るため、IS曲線とLM曲線の交点に着目する。拡張的な財政政策は利子率の上昇（$i_1 \rightarrow i_2$）をもたらすため、投資の抑制を引き起こし、国民所得はY_2までしか増加しないことになる。このように、拡張的な財政政策が、利子率を上昇させ、投資の抑制を招き、国民所得増加の効果が小さくなってしまう現象を**クラウディングアウ**

トという。

クラウディングアウト
政府支出の増加 ➡ 国民所得の増加により貨幣の取引需要が増加（貨幣市場は超過需要） ➡ 利子率（貨幣の調達コスト）が上昇 ➡ 民間投資の抑制 ➡ 国民所得の抑制

設　例

下記の文章の正誤判定をせよ。
政府支出の増加によって、貨幣の取引需要が減少し、利子率が上昇することで、民間投資が抑えられる。
H25－7　d　（✕：政府支出の増加によって、貨幣の取引需要が増加し、利子率が上昇することで、民間投資が抑えられる。）

❸ ▶ 金融政策の効果　R6 11　R2 6

ここでの金融政策は**名目貨幣供給量（マネーサプライ）**を操作する政策を指す。**拡張的な金融政策（貨幣供給量の増加）のねらいは、利子率を下げて投資（需要）をうながすことにある。**図表8－16のように、LM曲線が右にシフトすることで、国民所得は増加し利子率は低下する。

拡張的金融政策（貨幣供給の増加） ➡ 国民所得増加、利子率低下
緊縮的金融政策（貨幣供給の減少） ➡ 国民所得減少、利子率上昇

図表 [8－16]

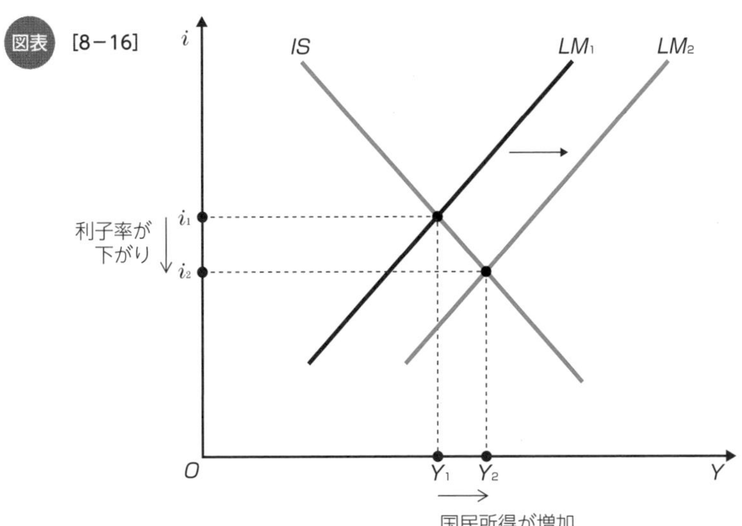

❹▶財政政策の有効性

財政政策の効果の大きさは、LM曲線の傾きによって変わる。

[8－17]

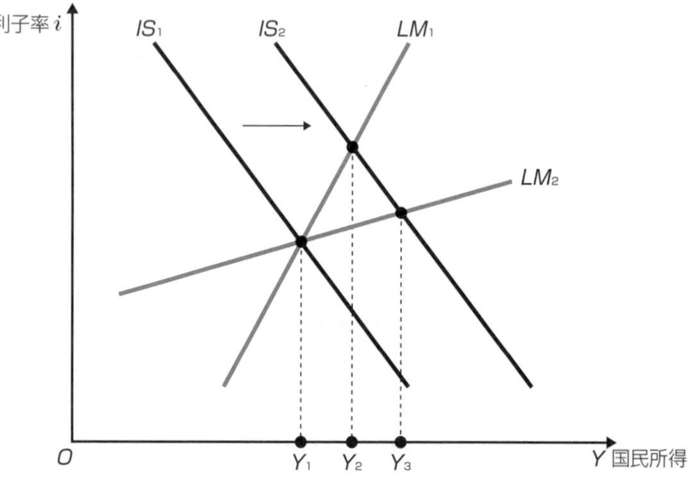

図表8－17には、傾きが急な（大きい）LM曲線（LM_1）と、傾きが緩やかな（小さい）LM曲線（LM_2）が描かれている。拡張的な財政政策によってIS曲線がIS_1からIS_2にシフトしたとする。LM曲線の傾きが急なほう（国民所得はY_2へ変化）より、傾きが緩やかなほう（国民所得はY_3へ変化）が、財政政策の効果は大きいということが確認できる。

LM曲線の傾きが緩やか（小さい） ➡ 財政政策の効果が大きい（国民所得は大きく増加） **LM曲線の傾きが急（大きい） ➡ 財政政策の効果が小さい（国民所得の伸びは小さい）**

LM曲線の傾きについては、以下の関係が成り立っていた。

- ・貨幣需要の利子率弾力性が大→LM曲線の傾きは緩やかになる
- ・貨幣需要の利子率弾力性が小→LM曲線の傾きは急になる

これより以下の関係が成り立つ。

貨幣需要の利子率弾力性が大 ➡ 財政政策の効果が大きい **貨幣需要の利子率弾力性が小 ➡ 財政政策の効果が小さい**

参 考

IS－LM分析の問題対応時の処理手順①

「貨幣需要の利子率弾力性が大きい場合には、財政政策の効果は大きくなる」という選択肢の正誤判断を求められたとする。この場合、結論を暗記するのではなく、次の手順に沿って判断できることが望ましい。

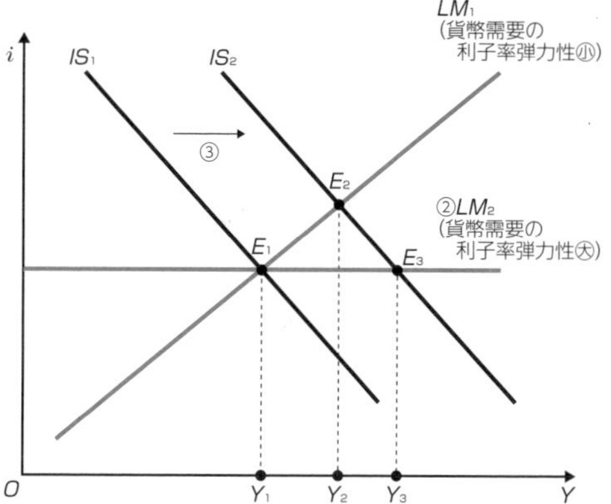

① 貨幣需要の利子率弾力性が大きい場合には、LM曲線の傾きは緩やかになる。

② 通常のIS曲線とLM曲線を描き、**当初の均衡点（E_1）を基軸に**傾きが緩やかなLM曲線（図のように極端なもの（水平）を描いてみると判断しやすくなる）を描く。

③ IS曲線を右にシフトさせる。

④ LM曲線の傾きが通常の場合と緩やかな場合の均衡点の変化から、国民所得の増加の程度を確認する。LM曲線の傾きが通常の場合はY_1からY_2まで、緩やかな場合はY_1からY_3まで増加するので、貨幣需要の利子率弾力性が大きい場合には財政政策の効果が大きくなることが確認できる。

R3 8

❺▶金融政策の有効性

金融政策の効果の大きさは、IS曲線の傾きによって変わる。

[8−18]

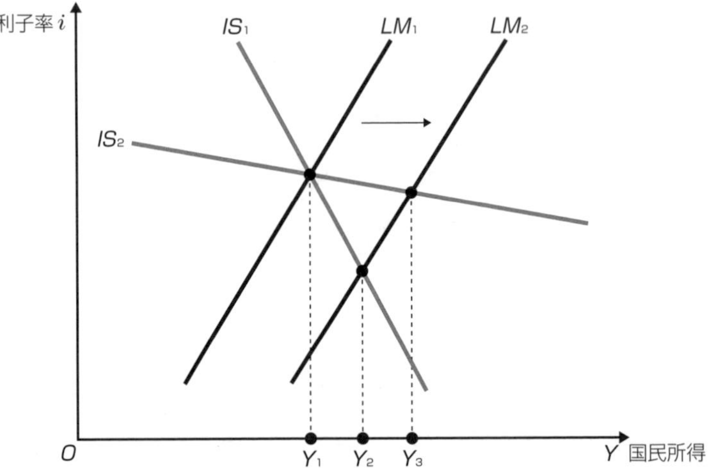

図表8−18には、傾きが急な（大きい）IS曲線（IS_1）と、傾きが緩やかな（小さい）IS曲線（IS_2）が描かれている。拡張的な金融政策によってLM曲線がLM_1からLM_2にシフトしたとする。IS曲線の傾きが急なほう（国民所得はY_2へ変化）より、傾きが緩やかなほう（国民所得はY_3へ変化）が、金融政策の効果は大きいということが確認できる。

> **IS曲線の傾きが緩やか（小さい） ➡ 金融政策の効果が大きい（国民所得は大きく増加）**
> **IS曲線の傾きが急（大きい） ➡ 金融政策の効果が小さい（国民所得の伸びは小さい）**

IS曲線の傾きについては、以下の関係が成り立っていた。

- 限界消費性向（c）が大　→IS曲線の傾きは緩やかになる
- 限界消費性向（c）が小　→IS曲線の傾きは急になる
- 投資の利子率弾力性が大　→IS曲線の傾きは緩やかになる
- 投資の利子率弾力性が小　→IS曲線の傾きは急になる

これより以下の関係が成り立つ。

> **限界消費性向（c）が大 ➡ 金融政策の効果が大きい（国民所得は大きく増加）**
> **限界消費性向（c）が小 ➡ 金融政策の効果が小さい（国民所得の伸びは小さい）**
> **投資の利子率弾力性が大 ➡ 金融政策の効果が大きい（国民所得は大きく増加）**
> **投資の利子率弾力性は小 ➡ 金融政策の効果が小さい（国民所得の伸びは小さい）**

参 考

IS－LM分析の問題対応時の処理手順②

「投資の利子率弾力性が大きい場合には、金融政策の効果は大きくなる」という選択肢の正誤判断を求められたとする。この場合、結論を暗記するのではなく、次の手順に沿って判断できることが望ましい。

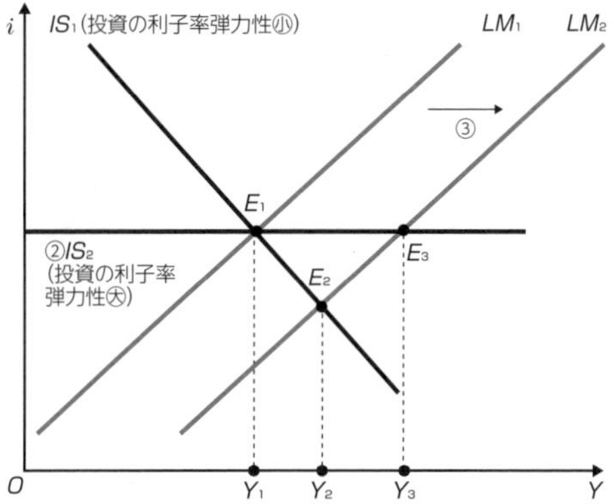

① 投資の利子率弾力性が大きい場合には、IS曲線の傾きは緩やかになる。

② 通常のIS曲線とLM曲線を描き、**当初の均衡点（E_1）を基軸に**傾きが緩やかなIS曲線（図のように極端なもの（水平）を描いてみると判断しやすくなる）を描く。

③ LM曲線を右にシフトさせる。

④ IS曲線の傾きが通常の場合と緩やかな場合の均衡点の変化から、国民所得の増加の程度を確認する。IS曲線の傾きが通常の場合はY_1からY_2まで、緩やかな場合はY_1からY_3まで増加するので、投資の利子率弾力性が大きい場合には金融政策の効果が大きくなることが確認できる。

❻▶流動性のわなにおける財政政策・金融政策の効果…………………… R5 11 R3 8

図表8－19左のように流動性のわなが生じている場合、財政政策はクラウディングアウトが生じず、有効である。一方、金融政策は利子率にも国民所得にも影響を与えない。流動性のわなの状態では利子率がすでに最低水準であるため、貨幣供給量を増加させてもそれ以上利子率は下がらず、投資は増加しない。

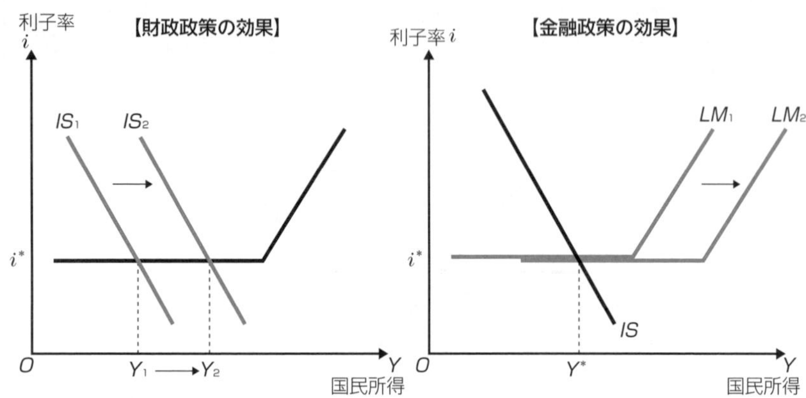

> 流動性のわなにおける財政政策と金融政策の効果
> **拡張的財政政策 ➡ 国民所得は増加、利子率は不変**
> **拡張的金融政策 ➡ 国民所得は不変、利子率は不変**

❼▶政策の効果（まとめ）

政策の効果は、以下のようにまとめられる。

> **【財政政策】**
> **貨幣需要の利子率弾力性が大 ➡ 効果大**
> **【金融政策】**
> **限界消費性向（c）が大 ➡ 効果大**
> **投資の利子率弾力性が大 ➡ 効果大**
> **【流動性のわなの状態】**
> **財政政策 ➡ 有効**
> **金融政策 ➡ 無効**

また、政策の効果はグラフの形状ごとに以下のようにまとめることができる。

【グラフのパターン】

(1) *IS*曲線：右下がり、*LM*曲線：右上がり

i 利子率

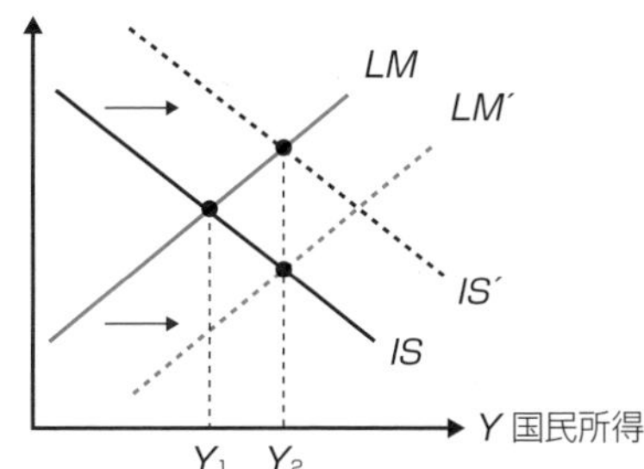

・拡張的財政政策　⇒　○（※ただし、クラウディングアウトの発生）
・拡張的金融政策　⇒　○

(2) *IS*曲線：垂直
（投資の利子率弾力性がゼロ）
*LM*曲線：右上がり

利子率

IS　IS´　LM
LM´
国民所得
Y_1　Y_2

・拡張的財政政策　⇒　○
（クラウディングアウトは生じない）
・拡張的金融政策　⇒　×

(3) *IS*曲線：水平
（投資の利子率弾力性が無限大）
*LM*曲線：右上がり

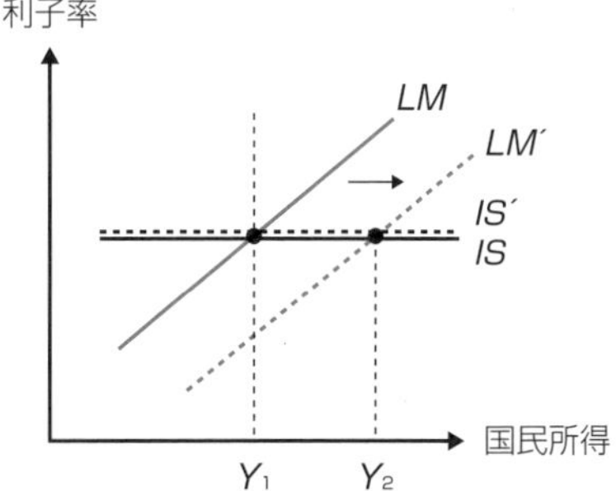

・拡張的財政政策　⇒　×
（100%のクラウディングアウトが生じる）
・拡張的金融政策　⇒　○

R3 6

(4) *IS*曲線：右下がり
*LM*曲線：垂直
(貨幣需要の利子率弾力性がゼロ)

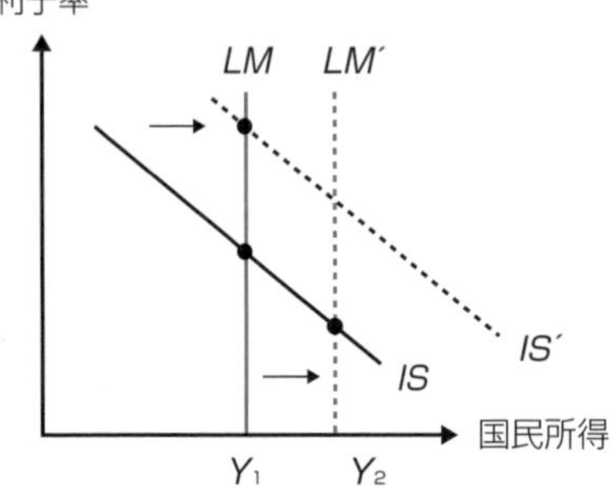

・拡張的財政政策　⇒　×
(100%のクラウディングアウトが生じる)
・拡張的金融政策　⇒　○

(5) *IS*曲線：右下がり
*LM*曲線：水平
(貨幣需要の利子率弾力性が無限大)

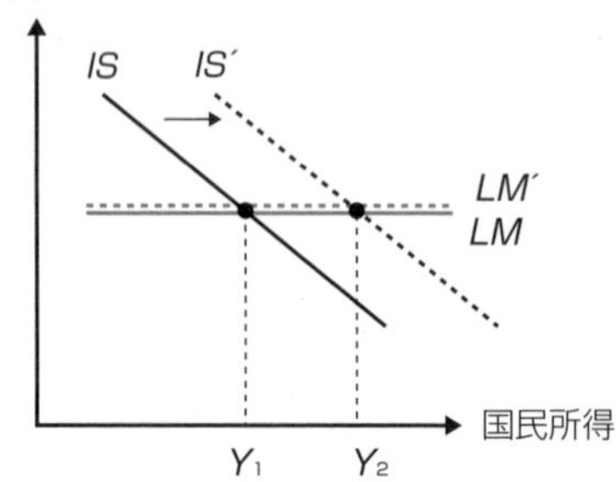

・拡張的財政政策　⇒　○
(クラウディングアウトは生じない)
・拡張的金融政策　⇒　×

設例

下図は、投資の利子弾力性がゼロである場合を想定したIS－LM曲線を描いたものである。この図の説明として最も適切なものはどれか。　〔H20－6〕

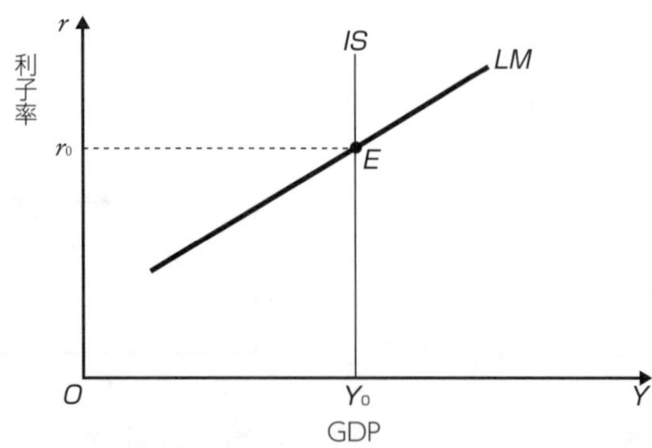

ア　GDPの水準は生産物市場の動向とは無関係であり、貨幣市場の動向から決定される。
イ　貨幣供給が増加しても利子率は不変であり、投資は一定の水準に維持される。
ウ　貨幣供給の増加は利子率の低下を通じて投資の拡大を引き起こす。
エ　政府支出の増加により利子率の上昇が生じるが、クラウディング・アウトは発生しない。

オ　政府支出の増加はGDPの拡大を引き起こすが、クラウディング・アウトが生じる分だけGDPの拡大は抑制される。

解　答　**エ**

ア　×：生産物市場を表すIS曲線をシフトさせることで均衡点およびGDPは変化する。

イ　×：貨幣供給の増加によりLM曲線が右シフトするので、利子率は下がる。ただしこのケースでは投資の利子弾力性がゼロのため、利子率が下がっても投資は不変である。

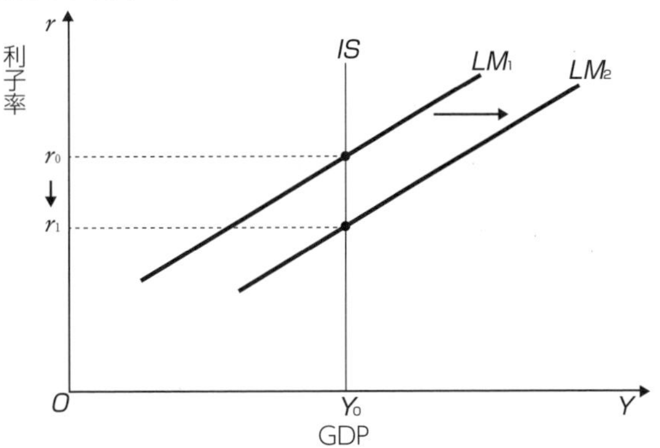

ウ　×：選択肢イの解説でも触れたように、このケースでは投資の利子弾力性がゼロのため、利子率が下がっても投資は不変である。

エ　○：正しい。政府支出を増加させてIS曲線が右シフトすると利子率が上昇する。ただし、このケースでは下図のようにクラウディングアウトは生じない。これは投資の利子弾力性がゼロであるので、利子率が上昇しても投資が抑制されないからである。

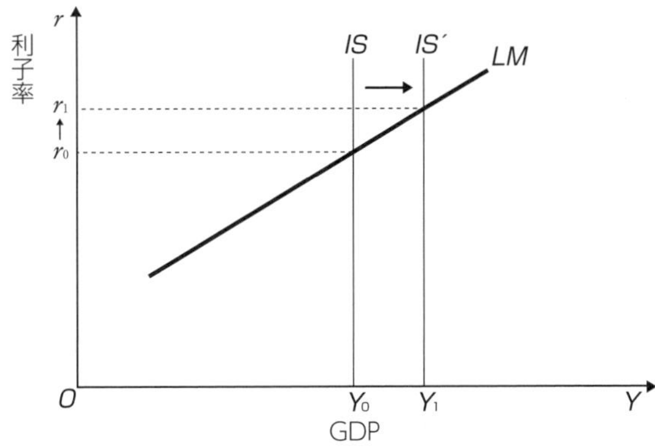

オ　×：選択肢エで触れたように、クラウディングアウトは生じないため、GDPの拡大は抑制されない。

第9章

雇用と物価水準

Registered Management Consultant

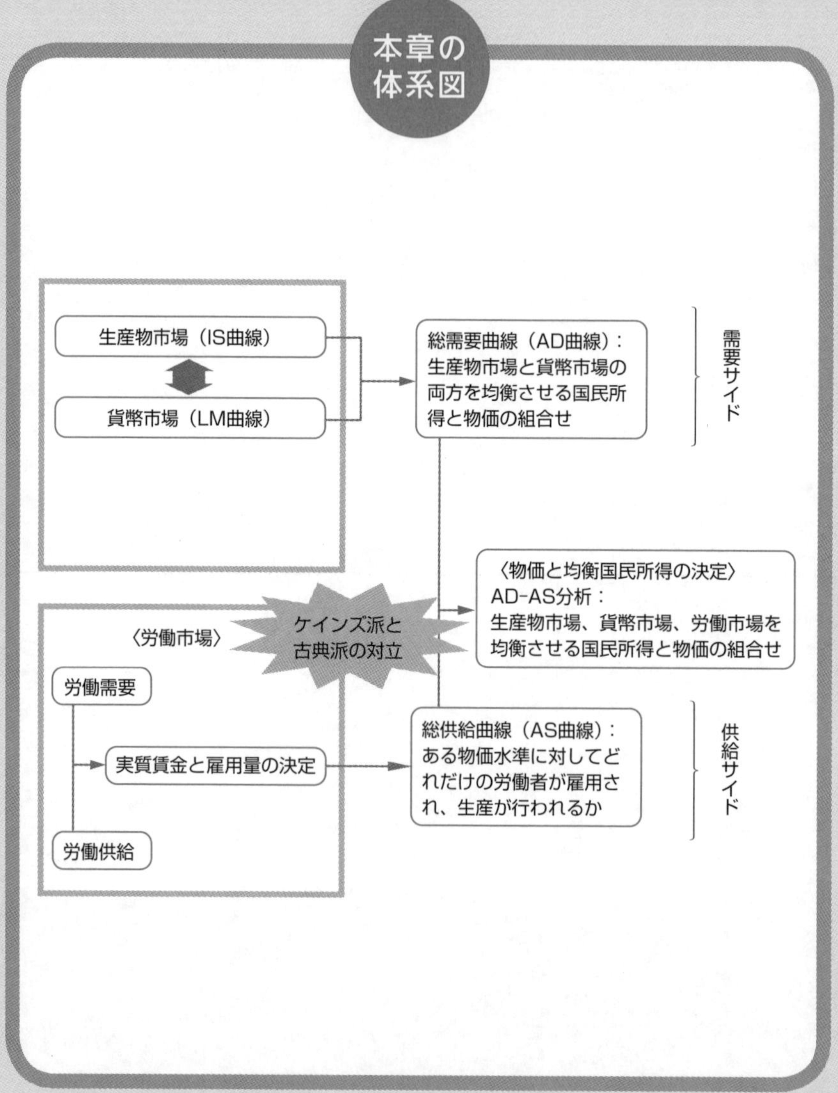

本章のポイント

◇ AD曲線が右下がりとなるプロセス、シフトの要因を覚える。
◇ 古典派理論とケインズ理論のAD−AS分析における政策の効果を理解する。
◇ 古典派の第一／第二公準、非自発的失業、スタグフレーションなどの用語を覚える。
◇ 失業の分類と失業に関する諸説の内容を覚える。

1　AD曲線（総需要曲線）

前章で学習したIS－LM分析は、生産物市場と貨幣市場を同時に分析するというものであった。AD－AS分析では、IS－LM分析で考慮しなかった労働市場および物価水準の変化を考慮する。

AD－AS分析では、生産物市場、貨幣市場、労働市場を同時に均衡させる国民所得と物価の組合せを考える。分析には、縦軸に物価P（Price）、横軸に国民所得Y（Yield）をとるグラフが用いられる。

まずは、AD曲線（総需要曲線）から学習する。

［9－1］

1 AD曲線（総需要曲線）

❶▶AD曲線（総需要曲線）の導出

AD（Aggregate Demand）曲線は、各物価水準において総需要がどれだけあるかを示す曲線である。総需要は、第７章で学習したとおり、家計による消費、企業による投資、政府による財政支出、（および純輸出）で構成される。

物価が変化することの総需要への影響は、IS－LM分析から導くことができる。第８章で学習したとおり、物価とLM曲線の間には、以下の関係があった。

物価水準（P）の下落（または上昇）	＝	**実質貨幣供給量$\left(\frac{M}{P}\right)$の増加（または減少）**	➡	**LM曲線は右側（または左側）にシフト**

この関係を図表9－2左で確認しておく。図表9－2左は貨幣の需要と供給を表すグラフにおいて、物価が下落した場合を想定している。物価が$P_0 \to P_1 \to P_2$へと下落すると（$P_0 > P_1 > P_2$）、名目貨幣供給量（M）が一定である限り、実質貨幣供給$\left(\frac{M}{P}\right)$が増加する。

また、図表9－2右は、物価がP_0→P_1→P_2へと下落したときのLM曲線のシフトを示している。実質貨幣供給$\left(\frac{M}{P}\right)$の増加によりLM曲線が右にシフトする。また、利子率の低下に伴って生産物市場の投資が増加し、IS－LM分析により決定される均衡国民所得（生産物市場と貨幣市場を均衡させる国民所得）が増加していることが確認できる（Y_0→Y_1→Y_2）。

[9－2]

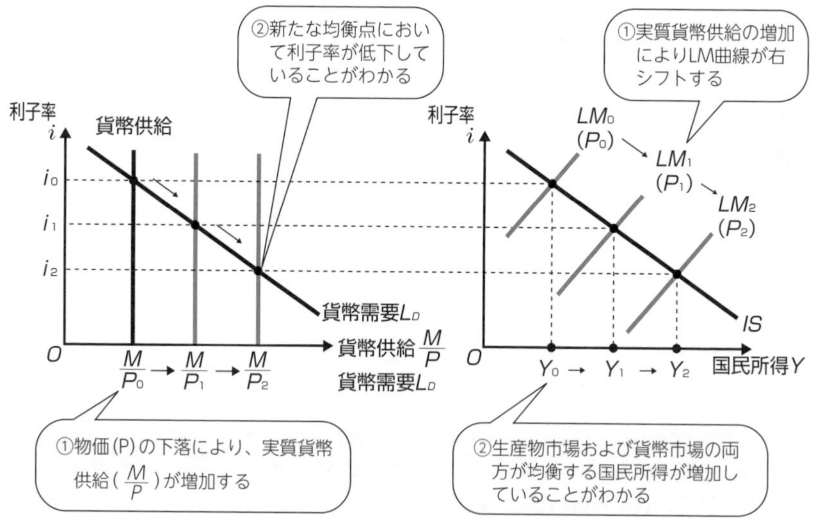

つまり、以下の関係が成立する。

物価水準(P)の下落(または上昇)　➡　均衡国民所得(Y)の増加(または減少)

これをグラフで図示すると図表9－3のようになる。**AD曲線**は各物価水準において総需要がどれだけあるかを示す曲線である。**縦軸に物価*P*、横軸に総需要*AD*を**とるグラフで、AD曲線は通常、右下がりの形状となる。

[9－3]

〈貨幣市場の需要と供給〉

利子率 i　貨幣供給　i_0　i_1　i_2　貨幣需要L_D　O　$\frac{M}{P_0} \rightarrow \frac{M}{P_1} \rightarrow \frac{M}{P_2}$　貨幣供給$\frac{M}{P}$　貨幣需要L_D

〈LM曲線のシフト〉

利子率 i　LM_0 (P_0) → LM_1 (P_1) → LM_2 (P_2)　IS　O　Y_0 → Y_1 → Y_2　国民所得Y

〈AD曲線〉

物価 P　P_0　P_1　P_2　AD　O　Y_0　Y_1　Y_2　$AD(=Y)$ 総需要（=国民所得）

①物価が下がると

②国民所得が増加する

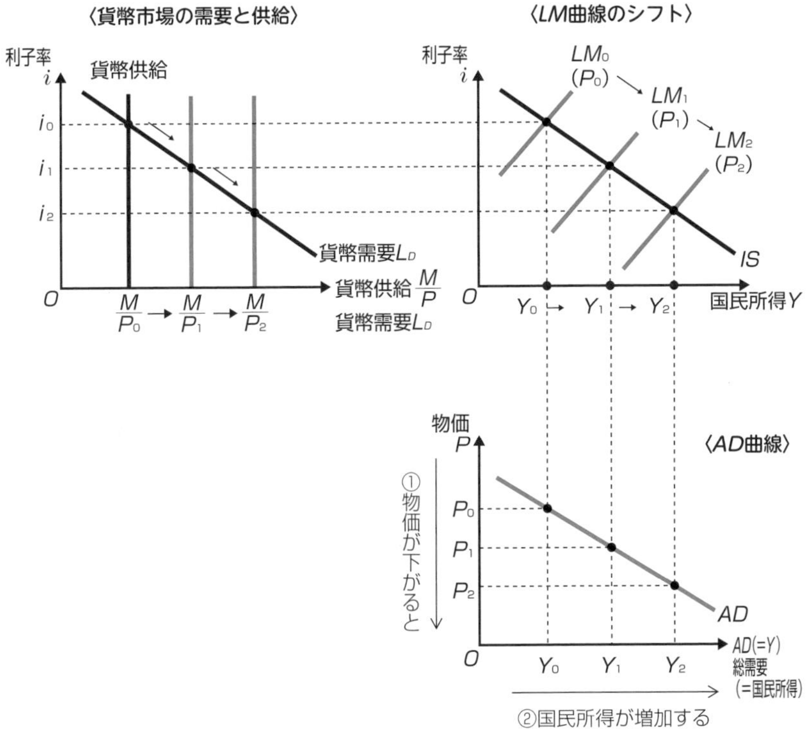

❷▶AD曲線の定義、形状、シフト

AD曲線（定義） ➡	生産物市場と貨幣市場の両方を均衡させるような国民所得（Y）と物価（P）の組合せを描いた曲線

AD曲線（形状） ➡　右下がり

これは以下のプロセスによる。

物価P↓ ➡ **実質貨幣供給 $\frac{M}{P}$↑** ➡ **利子率 i↓** ➡ **投資 I（需要）↑** ➡ 総需要（国民所得Y）↑

AD曲線が右下がりとなるのは、たとえば以下のような過程で説明することができる。

① **物価水準P**が下がる。
② **実質貨幣供給量$\frac{M}{P}$**が増加する（貨幣市場が超過供給となる）。
③ **利子率i**が低下する（たとえば銀行の余剰資金が増加すれば融資の際の利子率は低下するであろう）。
④ **投資I（需要）**が増加する。
⑤ **総需要Y_Dおよび国民所得Y**が増加する。

（①〜③：貨幣市場、③〜⑤：生産物市場）

〈投資の利子率弾力性がゼロ（IS曲線が垂直）の場合のAD曲線の形状〉

投資の利子率弾力性がゼロの場合、**AD曲線は垂直**になる。このことは、AD曲線が右下がりになるプロセスから説明することができる。物価の下落は、「①物価Pの下落→②実質貨幣供給量$\frac{M}{P}$の増加→③利子率iの低下→④投資I（需要）の増加→⑤総需要Y_Dとともに国民所得Yの増加」というように①〜⑤の現象を引き起こすが、**投資の利子率弾力性がゼロの場合は、利子率が変化しても投資は変化しない**ということであり、④⑤の変化をもたらさないこととなる。したがって、AD曲線が描かれるグラフにおいて、物価P（縦軸）が変化しても総需要および国民所得（横軸）は不変であるため、垂直なAD曲線が描けることとなる。

AD曲線のシフト
拡張的な政策（政府支出の増加、減税、貨幣供給の増加）➡ AD曲線は右シフト
緊縮的な政策（政府支出の減少、増税、貨幣供給の減少）➡ AD曲線は左シフト

拡張的な財政政策（政府支出（G）の増加、減税（T））は、IS曲線を右にシフトさせることで、IS−LM分析で決定される国民所得（Y）を増加させる。物価水準（P）の変化ではない要因により国民所得が増加するので、AD曲線が右にシフトする（物価水準は不変だが国民所得が増加する）。逆に、緊縮的な財政政策を実施すると、AD曲線は左にシフトする。

拡張的な金融政策（名目貨幣供給（M）の増加）は、LM曲線を右にシフトさせることで、IS−LM分析で決定される国民所得（Y）を増加させる。物価水準（P）の変化ではない要因により国民所得が増加するので、AD曲線が右側にシフトする。逆に、緊縮的な金融政策を実施すると、AD曲線は左にシフトする。

［9−4］

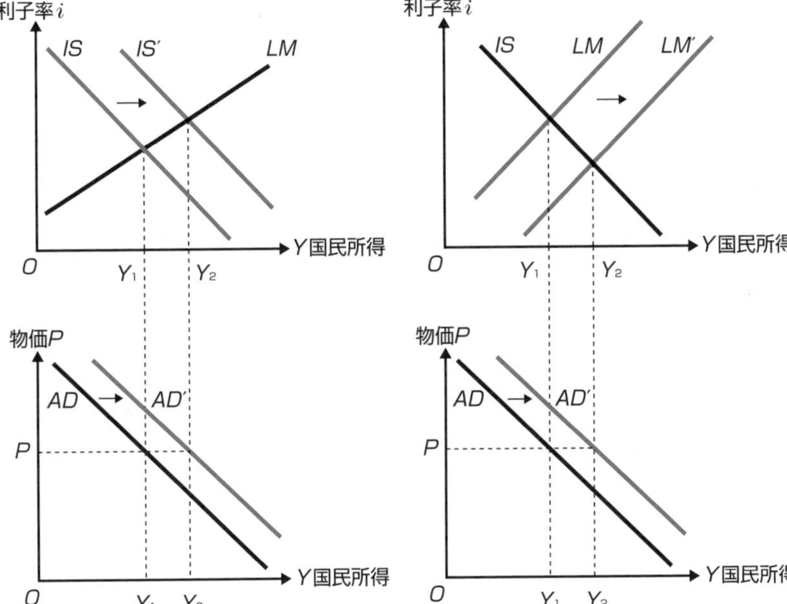
利子率i
IS
IS'
LM
Y国民所得
O
Y_1
Y_2
利子率i
IS
LM
LM'
Y国民所得
O
Y_1
Y_2
物価P
AD
AD'
P
Y国民所得
O
Y_1
Y_2
物価P
AD
AD'
P
Y国民所得
O
Y_1
Y_2

2 労働市場とAS曲線（総供給曲線）

AS（Aggregate Supply）曲線（総供給曲線）は、各物価水準において総供給がどれだけなされるかを示す曲線である。企業の生産活動により財・サービスが供給されるが、ここでは「労働者が多く雇用されれば、それだけ総供給が増加する」と考える。そのため本節ではまず労働市場（＝生産要素市場）について学習する。

R6 20
R3 22

1 労働市場

労働市場とは、労働力を取引する市場のことである。

企業は財を生産するために、家計から労働力を調達してかわりに賃金を支払う。**労働の需要者は企業（＝雇うほう）**である。

一方、家計は企業に労働力を供給し、かわりに賃金を受け取る。**労働の供給者は家計（＝労働者、雇われるほう）**である。

労働需要、労働供給は、ともに実質賃金率に依存する。実質賃金率$\frac{W}{P}$は、名目賃金率W（Wage）を物価水準Pで除すことで求められる。

$$\text{実質賃金率} = \frac{\text{名目賃金率}W}{\text{物価水準}P}$$

❶▶労働需要

労働の需要者は企業である。労働市場の需要量と供給量は実質賃金率（名目賃金率を物価水準で除したもの）に依存するため、縦軸に実質賃金率、横軸に労働需要をとったグラフで表される。**労働需要曲線は右下がり**の形状となる。感覚的に、実質賃金率が低いほど企業の労働需要量は増えると捉えればよい。

図表 [9－5]

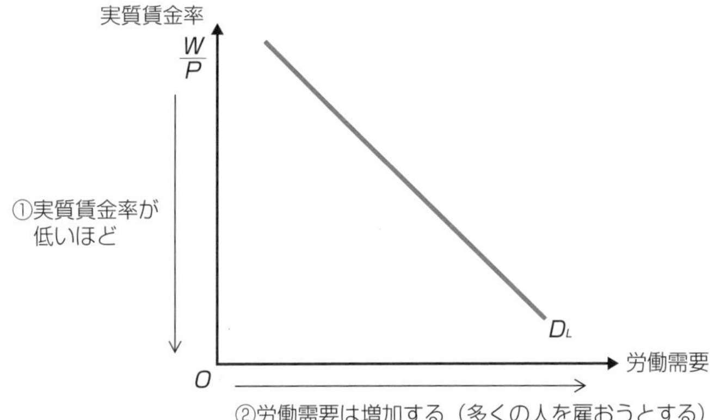

上記グラフは、古典派の第一公準という考えにもとづいて導かれる。**古典派の第一公準**とは、労働の需要量は企業の利潤最大化行動により決定されるという考えのことである。

なお、ここでの利潤最大化条件は、次のとおりである。

労働の限界生産物（限界生産力・限界生産性）＝実質賃金率$\frac{W}{P}$
となるように労働量を決定する。

※限界生産物＝生産要素の投入量を１単位増加させたとき増加する生産量

ミクロ経済学の生産関数での考え方と同様、労働量を1単位増加した場合の生産量とそれに伴う費用が一致する水準（労働量）に決定するというものである。

❷▶労働供給

労働の供給者は家計である。労働需要と同様、労働供給量は実質賃金率に依存するため、縦軸に実質賃金率、横軸に労働供給をとったグラフで表される。**労働供給曲線は右上がり**の形状となる。感覚的に、実質賃金率が高いほど家計の労働供給量は増えると捉えればよい。

図表 [9−6]

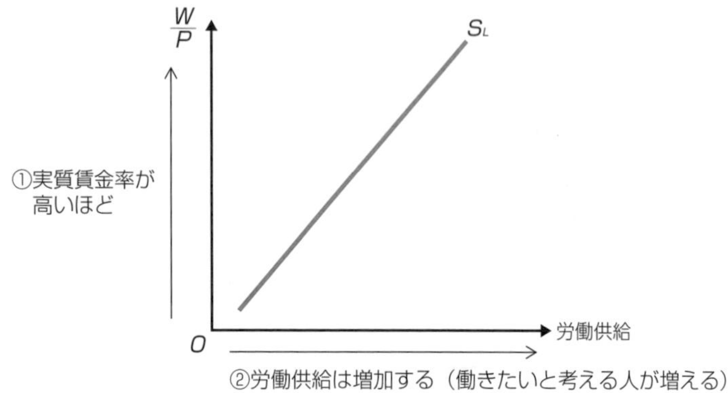

上記グラフは、古典派の第二公準という考えにもとづいて導かれる。**古典派の第二公準**とは、労働の供給量は家計の効用最大化行動により決定されるという考えのことである。

R2 9

❸ ▶効率賃金理論（仮説）

効率賃金理論（仮説）とは、労働市場の需要と供給から決定される均衡賃金よりも高い賃金を労働者に支払うことで、労働者の働く意欲が高まり生産性が高まるというものである。この賃金水準を効率賃金とよび、企業は効率賃金がもたらす効果を考慮し、利潤が最大化する賃金率と雇用量を決定する。

R2 9

❹ ▶労働市場の均衡

労働市場の需給を均衡させる実質賃金率水準を**均衡実質賃金**という。物価水準が与えられると、実質賃金率が均衡実質賃金となるように、名目賃金率が決定される。

ただし、古典派理論とケインズ理論では、名目賃金率のとらえ方が異なる。なお、本書における古典派理論とは、ケインズ理論以前のマクロ経済学主流理論という意味で用いる。

1 古典派理論とケインズ理論の名目賃金率に関する想定の違い

賃金の下方硬直性とは、「賃金（名目賃金率）は低下しにくい」という性質のことである。

〈古典派〉
名目賃金率は伸縮的に動き、労働市場は常に均衡する
（非自発的失業は存在せず、常に完全雇用が実現する）
物価Pが上昇 ➡ 名目賃金率Wも上昇 ➡ 実質賃金率$\frac{W}{P}$は不変
（または下落）　　　（または下落）

〈ケインズ〉
名目賃金率は下方硬直性をもつため、非自発的失業が存在し得る
物価Pが上昇➡名目賃金率Wも上昇 ➡ 実質賃金率$\frac{W}{P}$は不変
物価Pが下落➡名目賃金率Wは不変（下方硬直的）➡ 実質賃金率$\frac{W}{P}$は上昇

2 自発的失業と非自発的失業

自発的失業と非自発的失業の定義は以下のとおりである。

自発的失業 ➡ 労働者が、現行の賃金では働かないことを選択するために生じる失業
非自発的失業 ➡ 現行の賃金で働くことを希望しているにもかかわらず、就業できない労働者の失業

3 古典派理論とケインズ理論の労働市場均衡に関する想定の違い R4 7

〈古典派〉

古典派理論では、いかなる物価水準が与えられても、名目賃金率が伸縮的に変化すると想定するため、図表9－7左のように労働市場はつねに均衡し、L^*という雇用水準が実現する。

[9−7]

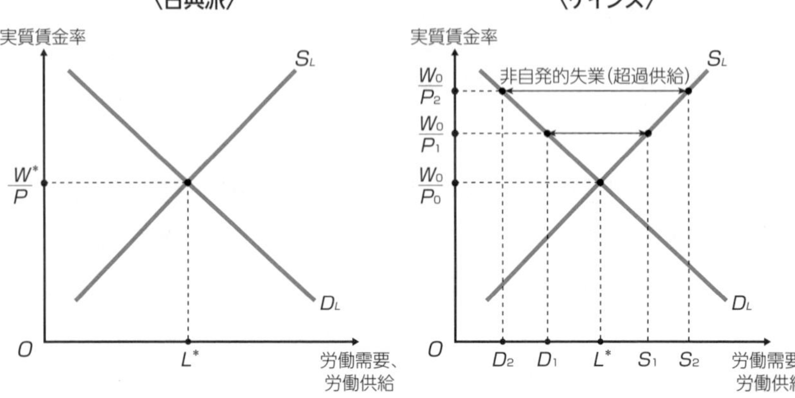

〈ケインズ〉

一方、**ケインズ理論**では、図表9−7右のように**非自発的失業が存在し得る**。非自発的失業が存在するということは、労働市場において需要と供給が均衡していないことを意味する。これは以下のように考える。

当初、物価水準がP_0、名目賃金率がW_0、実質賃金率が$\frac{W_0}{P_0}$で労働市場が均衡していたとする。

● 物価水準Pが下落した場合

物価水準がP_0からP_1に下落すると、実質賃金率が$\frac{W_0}{P_1}$へと上昇する（名目賃金率は下方硬直的であるため）。新たな実質賃金率$\frac{W_0}{P_1}$のもとでは、労働供給はS_1に増加するものの、労働需要量（＝実際の雇用量）はD_1に減少し、労働需要＜労働供給となる。そして超過供給分にあたるS_1-D_1に相当する非自発的失業が生じる。このように、**物価が下落すると、非自発的失業が増加する（雇用量が減少する）**ことがわかる。

> **物価P↓、名目賃金率W→ ➡ 実質賃金率$\frac{W}{P}$↑**
> **➡ 労働需要＜労働供給（非自発的失業の発生）➡ 総供給↓**

● 物価水準Pが上昇した場合

物価水準がP_0よりも上昇した場合、名目賃金率は上方には伸縮的に変化すると想定するため、実質賃金率は一定の水準で保たれる。つまり労働市場は均衡し、**物価水準がP_0以上に上昇しても、雇用量は完全雇用L^*で一定となる。**

2 AS曲線（総供給曲線）

AS曲線（総供給曲線）は、与えられた物価水準に対し、経済全体でどれだけ労働者が雇用され、生産が行われるかを表している。AS曲線はAD曲線と同様、縦軸に物価P、横軸に総供給Yをとるグラフで示されるが、その形状は、労働市場に関する想定の違いにより、古典派理論とケインズ理論で異なる。

❶▶雇用量と総供給

雇用量が増えれば総供給が増加すると考える。労働者が増加することにより供給量が増加するというイメージである。

雇用量の増加 ➡ 総供給の増加 **雇用量の減少 ➡ 総供給の減少**

❷▶古典派理論とケインズ理論のAS曲線の形状の違い

〈古典派〉

古典派理論では、いかなる物価水準に対しても、名目賃金率が伸縮的に変化する結果、完全雇用L^*が実現するため、図表9－8左のように、**国民所得は完全雇用国民所得**（L^*に対応する国民所得Y_F）**で一定**となる。したがって、**古典派理論のAS曲線は垂直**となる。

[9－8]

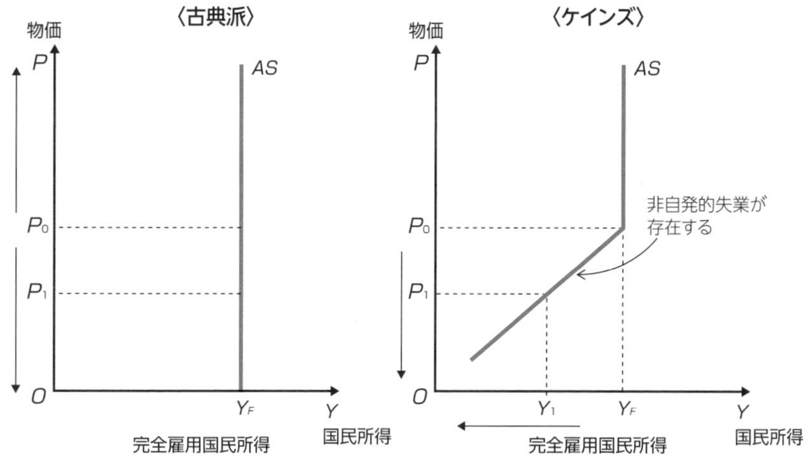

〈ケインズ〉

一方、**ケインズ理論**のAS曲線は、図表9−8右のように、**原点から完全雇用国民所得（もしくは物価水準P_0）までは右上がりで、完全雇用国民所得Y_Fのところで垂直**となる。前項では**物価が下落すると、非自発的失業が増加する**ということを確認した。そのため物価がP_0から下落するほど**非自発的失業が増加し、それに伴って総供給が減少する**ことが確認できる。物価がP_0より上昇するケースでは、雇用量が完全雇用L^*で一定となるため、国民所得は完全雇用国民所得Y_Fで一定となる。

❸▶AS曲線のシフト

エネルギーなどの原材料費下落によるコスト改善、生産技術の改善による生産性向上、資本装備率（1人あたり機械設備）の上昇などは、物価および雇用量が不変であっても生産量の拡大という効果をもたらす。その結果、**AS曲線は右にシフトする。**

[9−9]

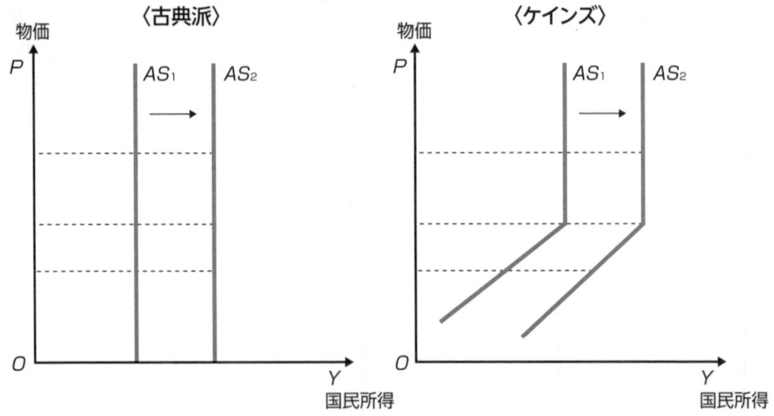

3 AD－AS分析

AD－AS分析では、生産物市場、貨幣市場、労働市場を同時に均衡させる国民所得と物価水準を分析する。縦軸に物価水準、横軸に国民所得をとるグラフに、AD曲線（総需要曲線）とAS曲線（総供給曲線）を描き、物価水準と総需要量・総供給量の関係を確認していく。

1 均衡国民所得の決定

総需要量と総供給量は、AD曲線（総需要曲線）とAS曲線（総供給曲線）が交わる点で一致する。この均衡点で、物価水準と国民所得が決定される。総需要と総供給が等しいときの国民所得を**均衡国民所得**（Y^*）という。

古典派理論のケースは、図表9－10左のように、均衡国民所得はY_Fとなる。

図表 [9－10]

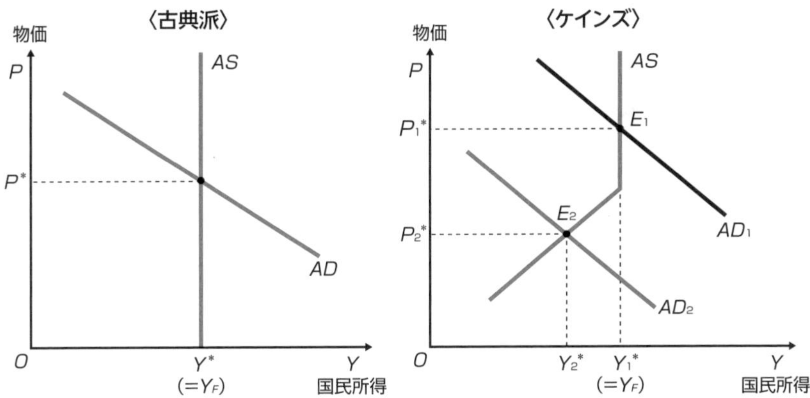

一方、ケインズ理論のケースは、図表9－10右のように、AS曲線が垂直な部分でAD曲線と交わるとき（AD_1のケース）は古典派理論と同じであるが、**AS曲線が右上がりの部分でAD曲線と交わるとき（AD_2のケース）では、労働市場は均衡しておらず、非自発的失業が存在している**ことになる。

R6 11
R4 7

2 政策の効果

古典派理論とケインズ理論では、AS曲線の形状の違いから政策に関する考え方が異なる。

〈古典派〉

古典派理論では、**均衡国民所得は完全雇用国民所得で常に一定**である。したがって、図表9−11左のように、どのようにAD曲線をシフトさせたとしても、国民所得は変化せず、物価水準だけ変化する。つまり、**有効需要管理政策は無効**であるという結論になる。特に、**拡張的な政策は、物価水準を上昇させる**という効果しかもたない。これはAS曲線が垂直であるため、均衡国民所得は需要（AD曲線）側の影響は受けず、供給側（AS曲線）だけで決まるからである。このように、古典派は供給はそれ自身に等しい需要を生み出すと考え、これを**セイの法則**とよぶ。

図表 [9−11]

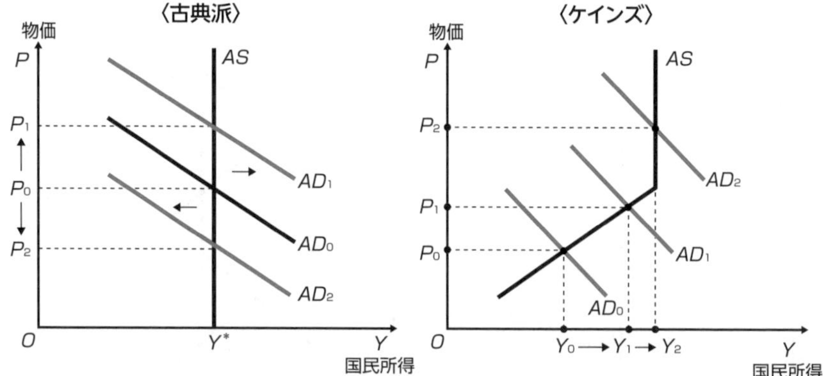

〈ケインズ〉

一方、ケインズ理論では、図表9−11右のように、**AS曲線が右上がりの部分**では、**拡張的な政策によって、（物価水準は上昇するが、非自発的失業は減少し）均衡国民所得が増加する**という結論が導かれる。ただし、**AS曲線が垂直の部分**では、**古典派理論と同じで、拡張的な政策は物価水準を上昇させるだけ**という結論となる。

3 ケインズ理論と古典派（新古典派）理論の比較

ケインズ理論と古典派（新古典派）理論の比較をまとめると以下のようになる。

		ケインズ理論	古典派（新古典派）理論
基本的な考え方		**有効需要の原理** **需要側**を重視	**セイの法則** **供給側**を重視
貨幣市場		国民所得の決定に影響を与えると想定	国民所得の決定に影響を与えないと想定
	貨幣需要	**取引需要**と**投機的需要**を想定	**取引需要のみ**を想定
労働市場		非自発的失業が発生	完全雇用水準で均衡
	名目賃金	下方硬直的	伸縮的に変化
経済政策		**裁量的経済政策は必要**	**裁量的経済政策は不要**
	財政政策	総需要管理政策により乗数効果を通じて需要を増やす	不要
	金融政策	有効需要を積極的に管理	***k*%ルール**

※1870年代以降、古典派の考え方を継承しつつ、さらに「限界」という概念を用いてミクロ経済学を分析した学派を新古典派という。

4 インフレーションの種類

インフレーション（インフレ）を発生原因により分類すると、ディマンドプルインフレとコストプッシュインフレがある。

ディマンドプルインフレは、発生原因が需要側にあり、図表9－12左のように、拡張的な政策の実施などによりAD曲線が右にシフトすることで生じる。

図表 [9－12]

〈ディマンドプルインフレ〉

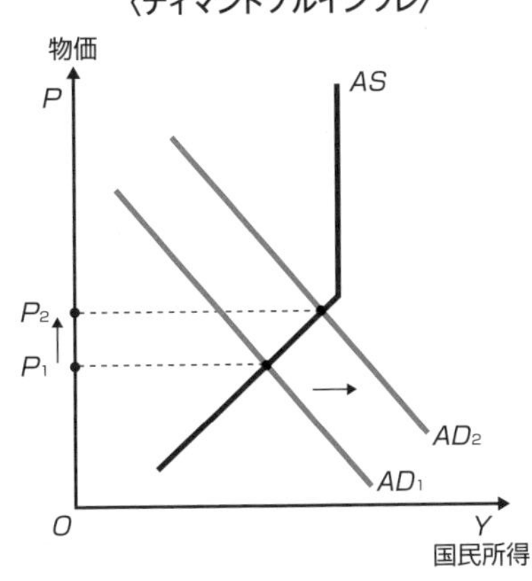

〈コストプッシュインフレ〉

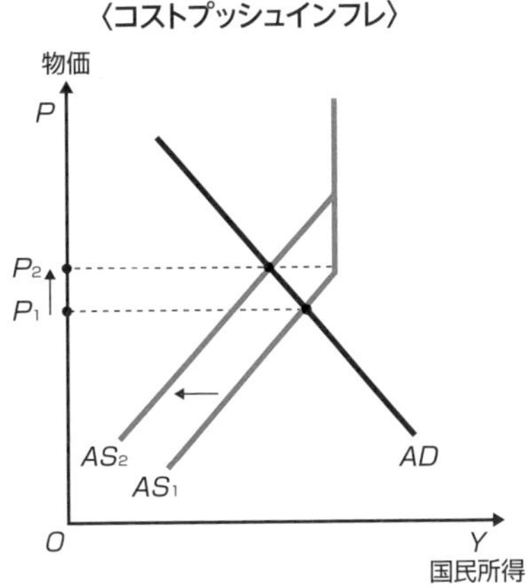

コストプッシュインフレは、発生原因が供給側にあり、図表9−12右のように、AS曲線が左にシフトすることで生じる（垂直部分が完全雇用国民所得の水準となることは変わらない）。これはたとえば、エネルギーなどの原材料費の上昇により生じる。1970年代前半（1973年）の第１次オイルショック、1970年代末（1979年）に生じた第２次オイルショックは、不況にもかかわらずインフレが生じるスタグフレーションにみまわれることになった。**スタグフレーション**とは、「Stagnation（停滞）」と「Inflation（インフレーション）」の合成語で、経済の停滞（不況）とインフレが同時に起こる現象のことである。

4 失 業

本節では、失業の分類および失業に関する諸説について学習する。

1 失 業

❶▶失業の分類 R2 8

経済学では、失業を次のように分類して考える。

1 摩擦的失業

一般に、労働者が転職する際には、一定期間失業状態となる。このように転職に伴い不可避的に生じる失業を**摩擦的失業**という。

2 構造的失業

経済においてはつねに、発展段階にある産業と、衰退しつつある産業が存在するが、衰退産業に属している労働者は、発展産業で必要とされる技能をもちあわせていない場合がある。このような場合、産業間の労働移動がスムーズに行われず、持続的な失業が存在する可能性が大きい。このような社会的構造や経済的構造など外生的な要因にもとづく失業を**構造的失業**という。

3 循環的失業

景気循環に応じて発生する失業のことであり、**需要不足失業**ともよばれる。労働力需要は好況期に増え、不況期に減少する。このため、好況期により良い仕事を求めて離職する場合や、不況期に雇用調整を受けて失業した場合などが循環的失業に含まれる。

4 自発的失業と非自発的失業

第２節を参照。

❷▶自然失業率

完全雇用とは、現行の賃金で働きたいと思っている人がすべて働ける状態のことであり、**完全雇用が実現されている状況であっても「摩擦的失業」「構造的失業」「自発的失業」は発生する**。この場合の失業率を**自然失業率**という。

自然失業率 ➡ 完全雇用状態における失業率

R3 11

参考

15歳以上人口の区分

総務省労働力調査では、15歳以上人口について、以下のように区分している。

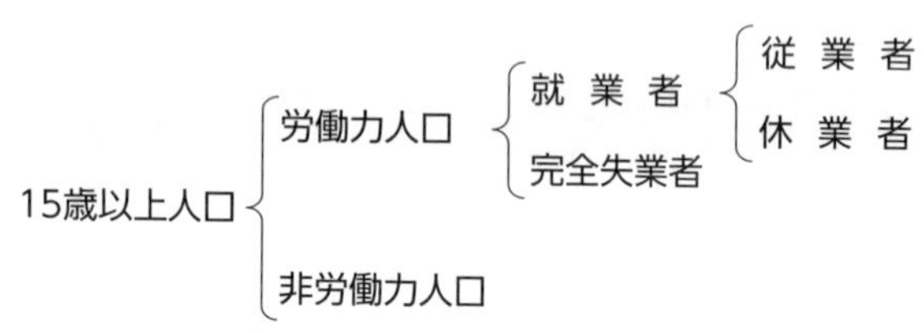

労働力人口：15歳以上人口のうち、就業者と完全失業者を合わせたもの
就業者：従業者と休業者を合わせたもの
従業者：調査期間中に収入を伴う仕事を1時間以上した者
休業者：調査期間中に仕事を持ちながら少しも仕事をしなかった一定の者
完全失業者：次の3つの条件を満たす者をいう
① 調査期間中に仕事がなく、少しも仕事をしなかった者（就業者ではない）
② 調査期間中に仕事を探す活動等をしていた者
③ 仕事があればすぐ就くことができる者
非労働力人口：15歳以上人口のうち、労働力人口以外の者

設例

失業に関する記述として、最も適切なものはどれか。〔R2－8〕

ア　完全失業率は、完全失業者が20歳以上の労働力人口に占める割合である。
イ　構造的失業は、賃金が伸縮的であれば発生しない。
ウ　循環的失業は、総供給の不足によって生じる。
エ　摩擦的失業は、労働市場が正常に機能していても発生する。

解答　**エ**

ア　×：完全失業率は、労働力人口に占める完全失業者の割合のことであるが、労働力人口は15歳以上人口のうち、就業者（調査期間の1週間に少しでも仕事をした者）と完全失業者（仕事に就いておらず、仕事があればすぐ就くことのできる者で、求職活動をした者）を合わせたものである。
イ　×：賃金が伸縮的である場合とは、古典派が想定するケースであり、非自発的失業は存在せず、常に完全雇用が実現している状態である。完全雇用が実現する状態であっても、摩擦的失業、構造的失業、自発的失業は発生するとされている。
ウ　×：循環的失業は、需要不足失業とよばれ、総需要の不足によって生じる。
エ　○：正しい。

2 自然失業率仮説（フィリップス曲線）

R6 12
R4 10

❶▶フィリップス曲線

イギリスにおける19世紀半ばからの約100年間のデータから、**失業率と名目賃金の上昇率の間には負の相関関係**があることが発見された。つまり、失業率が低いときには名目賃金の上昇率が高く、逆に失業率が高いときには名目賃金上昇率が低いという関係である。この関係を図示したものを**フィリップス曲線**という。

図表 [9−13]

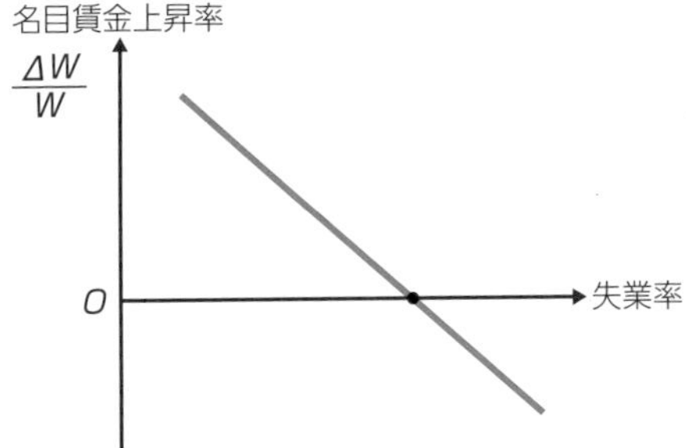

❷▶物価版フィリップス曲線

物価上昇率（インフレ率）と名目賃金上昇率の間には正の相関関係（物価が上がれば名目賃金も上がる）があるので、失業率と物価上昇率の間にも負の相関関係があることになる。この関係を物価版フィリップス曲線とよぶ（図表9-14）。なお、フィリップス曲線において物価上昇率がゼロになる失業率は自然失業率と解釈される。フィリップス曲線という用語では、一般に物価版フィリップス曲線を指すことが多い。

図表 [9－14]

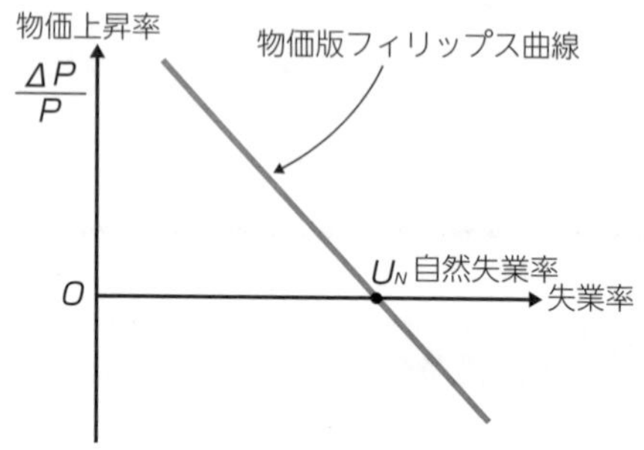

❸ ▶ ケインズ経済学

ケインズ経済学では、フィリップス曲線を、物価上昇というコストを負担するのならば、失業率を低下させることが可能であることを示しているものと解釈する。つまり、**物価上昇を受け入れる限り、有効需要管理政策によって失業率を操作することが可能である**と解釈する。

❹ ▶ マネタリズム

1 マネタリズム

マネタリズムとは、フリードマンを中心とする貨幣的要因が実物経済に与える影響を重視する学派（マネタリスト）の考え方を指す。基本的に古典派と似た考え方をし、政府は裁量的な介入はすべきではないとの立場をとる。

フィリップス曲線については、貨幣錯覚という概念を基に、長期的には失業率を（自然失業率以下に）低下させることはできないとした。

2 短期

● 古典派

拡張的な有効需要管理政策は、短期的にも長期的にも、物価水準、名目賃金を同率で上昇させる（つまり、実質賃金は一定）だけで、雇用水準、国民所得には影響を与えない。

以上の古典派に対して、マネタリストは、**労働者は名目賃金の上昇には敏感だが、物価水準の上昇にはあまり敏感でないととらえ**て、フィリップス曲線を次のように解釈する。

1）初期の経済状態が、失業率が自然失業率のレベルであり、物価上昇率はゼロであるとする（図表9－15の点*A*）。

図表 [9－15]

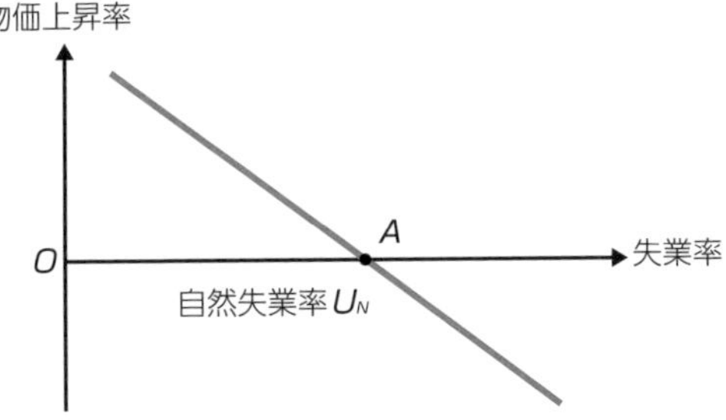

2）有効需要管理政策を行う。

① 有効需要管理政策によりAD曲線が右方シフトし、物価が上昇する（物価上昇率を２％とする）。

② 労働市場では、物価の上昇率と同率で名目賃金が上昇し、実質賃金は変化しない。

③ しかしながら、労働者は物価の上昇に敏感でなく、労働者の期待物価上昇率は０％である（物価上昇を認知しない）。このため、名目賃金の上昇を実質賃金の上昇と錯覚してしまう（**貨幣錯覚**）。

④ 貨幣錯覚の結果、労働者は労働供給量を増加させることになり、失業率が自然失業率よりも低下する（自発的失業の減少）。

⑤ ①～④のプロセスにより、物価の上昇に伴い、失業率が低下し、点*B*に移ることで短期的には右下がりのフィリップス曲線が描かれる。これが、労働者の期待物価上昇率が０％（労働者が物価上昇を認知しない）のときのフィリップス曲線である。

図表 [9－16]

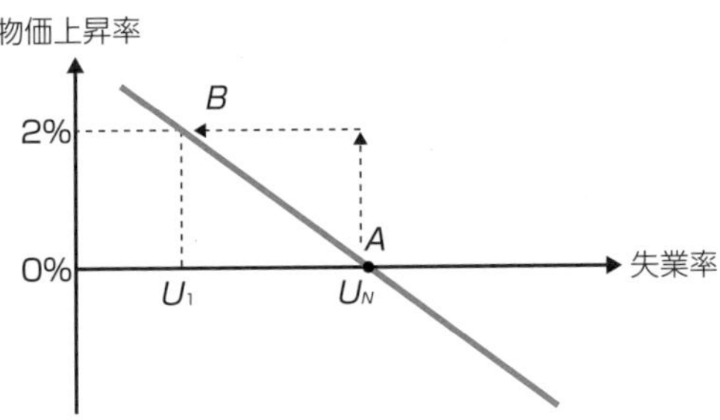

3 長期

1）労働者は、そのうち物価の上昇を認識し、名目賃金の上昇は物価の上昇によるものであり、実質賃金は上昇していないことを認識する。

① この認識により、労働供給量は以前と同じ水準に戻る。

② その結果、失業率ももとのレベル（自然失業率）に戻る（自発的失業の増加）。

③ 総需要管理政策による物価の上昇はそのまま維持される（2%）。

④ ①〜③のプロセスにより、物価は上昇したまま失業率が上昇し、図表9−17の点Cに移ることになる。

図表 [9−17]

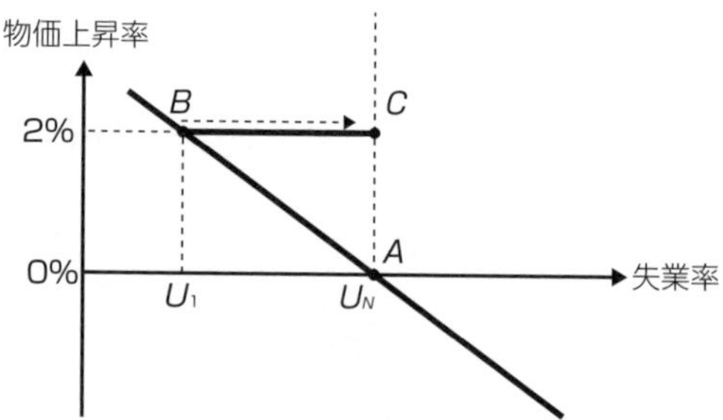

2）さらに有効需要管理政策により物価が上昇すると、貨幣錯覚により一時的に失業率は低下するが、また自然失業率に戻るということが繰り返される。

図表 [9−18]

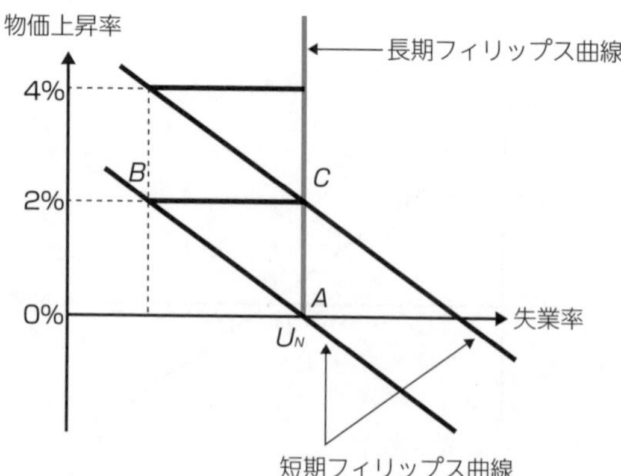

なお、マネタリストの見解をまとめると、以下のようになる。

● **短期**

拡張的な有効需要管理政策により物価（P）が上昇 ➡ 名目賃金（W）が上昇（貨幣錯覚により実質賃金$\left(\frac{W}{P}\right)$は一定であることに気づかない）➡ 労働供給が増加（自発的失業減少）➡ 総供給（国民所得）が増加

● **長期**

実質賃金$\left(\frac{W}{P}\right)$が一定であることに気づく ➡ 労働供給が減少（自発的失業増加）➡ 総供給（国民所得）が減少（もとの水準に戻る）

長期には、失業率が自然失業率で一定となる（つまり、長期のフィリップス曲線は自然失業率で垂直になる）ことを**自然失業率仮説**という。

設 例

自然失業率仮説に関する記述として、下記の文章の正誤判定をせよ。

〔R元－9 改題〕

a インフレと失業の間には、短期的にも長期的にも、トレード・オフの関係が成立する。

b 自然失業率とは、非自発的失業率と自発的失業率の合計である。

解 答 a：× b：×

a：短期的にはトレード・オフの関係が成立するが、長期的には自然失業率で一定となるため、トレード・オフの関係は成立しない。

b：自然失業率においては、完全雇用状態のため、労働需要と労働供給が一致しており、非自発的失業は発生しない。

3 オークンの法則

❶▶オークンの法則

オークンの法則は、国民所得と失業率の負の相関関係を示す経験則である。失業者が減少し、生産活動に貢献する労働者が増加すると国民所得は増加する。逆に失業者が増加し、生産活動に従事しない労働者が増加すると国民所得が減少する。

図表 [9−19]

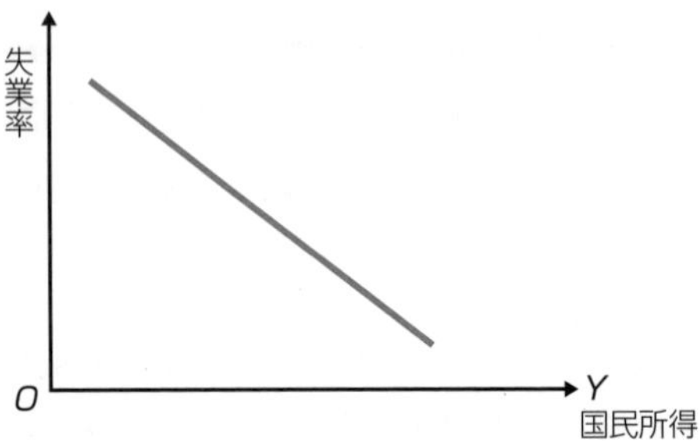

第10章

消費、投資、金融政策に関する理論

Registered Management Consultant

本章の体系図

●消費の理論

ケインズ型消費関数（絶対所得仮説）

$$C=cY+C_0$$

・今期の消費は今期の所得に依存
・所得の増加とともに平均消費性向は低下

消費の三大仮説（ライフサイクル仮説、恒常所得仮説、相対所得仮説）
・今期の消費は今期の所得以外にも依存
・原則、平均消費性向は一定

●投資の理論

〈ケインズ派〉
・投資の限界効率理論
　⇒　投資は利子率の減少関数
・加速度原理
　⇒　GDPの変化分に比例して投資が決定
・トービンのq理論
　⇒　「企業の市場価値＞現存の資本ストックを買い換える費用総額」の場合、投資が実行される

〈新古典派の投資理論〉
「資本の限界生産力＝実質利子率」となる水準に資本需要量（投資量）が決定される

●金融政策に関する理論

〈ケインズ派〉
「拡張的な金融政策は物価の上昇を招くものの有効」

〈古典派・マネタリスト〉
「拡張的な金融政策は物価の上昇を招くのみ(無効)」
・ケンブリッジ方程式
・k%ルール
・貨幣数量式

本章のポイント

◇ ライフサイクル仮説、恒常所得仮説、相対所得仮説の内容を覚える。
◇ 加速度原理、トービンのq、新古典派の投資理論の内容を覚える。
◇ 貨幣数量説とk%ルールの内容を覚える。

1 消費に関する理論

これまで、消費水準を決定する際には「ケインズ型消費関数（絶対所得仮説）」を用いて理論を学習してきていた。

$$C=cY+C_0$$

しかし、ケインズ型消費関数では現実の消費行動をうまく説明できないことも多くあり、他にも消費に関する理論がいくつか考え出されている。ここでは、そのような消費に関する理論のなかでも代表的なものを学習する。

1 消費の三大仮説

消費決定理論のなかには消費の三大仮説がある。消費の三大仮説とは、①**ライフサイクル仮説**、②**恒常所得仮説**、③**相対所得仮説**である。ケインズ型消費関数においては、今期の消費は今期の所得のみに依存していた。しかし、消費の三大仮説では**今期の消費は今期の所得以外の要素にも依存している**という考え方をする。

❶▶ライフサイクル仮説 R4 4

ライフサイクル仮説は、今期の消費は、今期の所得ではなく、一生のあいだに得ることのできる所得（**生涯所得**）に依存して決まるという考え方である。

たとえば、若年と老年という２つのライフステージを考えた場合、通常、若年時には所得が多く、老年時には退職のため所得が少ないということが考えられる。このような場合、若年時の消費額は、若年時の（多い）所得だけでなく、老年時の（少ない）所得も踏まえた生涯所得で決められると考える。

つまり、**生涯にわたる所得の変動を、貯蓄を通じて調整することで、消費パターンを平準化させる**という消費（貯蓄）行動が導かれる。

❷▶恒常所得仮説 R3 4

恒常所得仮説では、所得を**恒常所得**と**変動所得**の２つに分けて考える。

[10－1]

所得の種類	意味	例
恒常所得	個人の所得獲得能力から予想される平均的な所得	定期給与など
変動所得	景気の状態等により一時的に変動する（あらかじめ予想するのが困難な）所得	１回限りの減税、一時金など

恒常所得仮説は、消費は恒常所得に依存するという考え方である。**消費は一時的な所得の変動に大きく左右されることなく**、消費パターンが平準化されるという消費行動が導かれる。

R4 4

❸▶相対所得仮説

相対所得仮説には、「時間的」と「空間的」の２種類がある。

1 時間的相対所得仮説

時間的相対所得仮説は、各時点の消費が現在の所得だけでなく過去の消費にも依存するという考え方である。たとえば、今まで高い所得を得ていたがために高い水準の消費を行っていた人が、所得が減ったからといって急に消費を減らそうとはしない、というような行動を指す。このような行動により、景気後退期に消費水準の低下に歯止めがかかることを**ラチェット効果（歯止め効果）**という。

2 空間的相対所得仮説

空間的相対所得仮説は、ある家計の消費はその家計と同じ社会的な階層に属する別の家計の消費に依存するという考え方である。たとえば、同じ社会階層の人々が高い水準の消費を行っているような場合、その家計もつられて消費水準を高めるというように、消費に与えるこのような影響を**デモンストレーション効果**という。

設　例

消費の決定に関する記述として、下記の文章の正誤判定をせよ。

〔R元－4　改題（イ・ウ省略）〕

ア　恒常所得仮説では、一時金の支給によって所得が増加しても、消費は増加しない。

エ　ライフサイクル仮説では、定期昇給によって所得が増加しても、消費は増加しない。

解　答　**ア：○　エ：×**

ア：正しい。恒常所得仮説によれば、一時金の支給は変動所得にあたり、一時金の支給によって所得が増加しても、消費は増加しないことになる。

エ：ライフサイクル仮説によれば、定期昇給は生涯所得を増加させ、消費は増加することになる。

2 投資に関する理論

第7章では、ケインズの投資の限界効率理論を用いて、投資水準の決定について学習した。本節では、限界効率理論以外の投資に関する理論を学習する。なお、ここでいう投資とは金融投資ではなく、設備・工場などの物的投資を指す。

1 加速度原理

❶▶加速度原理

加速度原理では、「投資（資本ストックの変化）は、GDPの増加分に比例する」と考える。GDPの増加分とは生産量の増加分を意味する。生産量を増加させるためには新たな機械設備が必要となるので、投資を行う。生産量（GDP）の増加分が大きければ、たくさんの機械設備が必要になるので、投資もそれに比例して大きく増加すると考える。

加速度原理では、①資本係数一定、②資本ストックの調整速度は1と仮定される。

1 資本係数一定

資本係数とは、資本とGDP（生産量）の比率であり、GDP（生産量）1単位に必要な資本ストックの量を表す。加速度原理は資本係数が一定という仮定をおく。たとえば、1単位の生産を行うのに5単位の資本ストックが必要なら、10単位の生産を行うのに50単位の資本ストックが必要になると考える。

2 資本ストックの調整速度は1

資本ストックの調整速度とは、望ましい資本ストックへの調整のうち、各期の設備投資によって実際に調整される比率である。資本ストックの調整速度が1であるとは、必要とされる資本ストックへの調整が1期間の設備投資によって完全に達成されるということを意味する。たとえば、ある期において機械設備を10台追加で必要とするところ、実際には8台しか増やせなかった場合、望ましい資本ストックの80％しか調整されなかったこととなり、このときの資本ストックの調整速度は0.8ということになる。

3 今期の投資

たとえば、資本＝1,000、前期GDP＝200であれば、資本係数＝5（＝1,000／200）となる。1単位の生産を行うのに5台の機械（5単位の資本ストック）が必要になるというイメージでよい。資本係数を一定とした場合、仮に今期GDP300を実現するためには、資本は1,500必要になる（新たに500の投資をする必要がある）と考える。

今期の投資＝資本係数×（今期のGDP－前期のGDP）

産出量１単位あたり必要な資本ストック　GDPの増加分

2 トービンのq理論

R2 7 **❶▶トービンのq**

トービンのq理論では、株価が投資に影響を与えると考え、①株式の時価総額（株価×発行済株式総数）、②現存の機械設備等の買換費用という２つの側面に焦点をあてる。正確な導出方法は少々難解なため、以下ではトービンのq理論から導き出される結論だけを明示する。

トービンのqは以下のように求められる。

$$q=\frac{\text{企業の市場価値（株価総額＝株価×発行済株式総数）}}{\text{現存の資本ストックを買い換える費用総額}}$$

※分子の「企業の市場価値」は、「株式の時価総額＋負債の総額」で表されることもある。

分子の「企業の市場価値」には今後その企業が得られる利益の大きさが反映されている。たとえば、株価が高く株価総額が大きい企業は将来多くの利益を生み出すことが期待されているということになる。したがって、分子は利益、分母は費用のイメージで捉えることができる。

分母の「現存の資本ストックを買い換える費用総額」は、企業が保有している設備、土地などの資本ストックを、すべて市場価格で新たに買い換えるとしたときにかかる費用である。

トービンのqが１より大きいか否かで投資が行われるかどうかが決定される。

トービンの$q>1$ ➡ 投資が行われる
トービンの$q<1$ ➡ 負の投資（資本ストックの減少）

設例

下記の文章の正誤判定をせよ。

トービンのq理論では、株価総額と負債総額の合計である企業価値が、現存の資本ストックを再び購入するために必要とされる資本の再取得費用を上回るほど、設備投資が実行されると考える。

H22－4　d　（○）

3 新古典派の投資理論

新古典派の投資理論は、**投資は企業の利潤最大化行動によって決定される**と考えるものである。資本ストックを増加させた際の収入と費用のどちらが大きいかによって、望ましい資本ストックの水準を決定する。

❶▶資本の限界生産物（限界生産力・限界生産性）は逓減する…………

資本の限界生産物とは、資本ストックを１単位増加させたときの生産量の増加分を表すが、**新古典派の投資理論では、資本の限界生産物逓減を前提**とおく。

図表 [10－2]

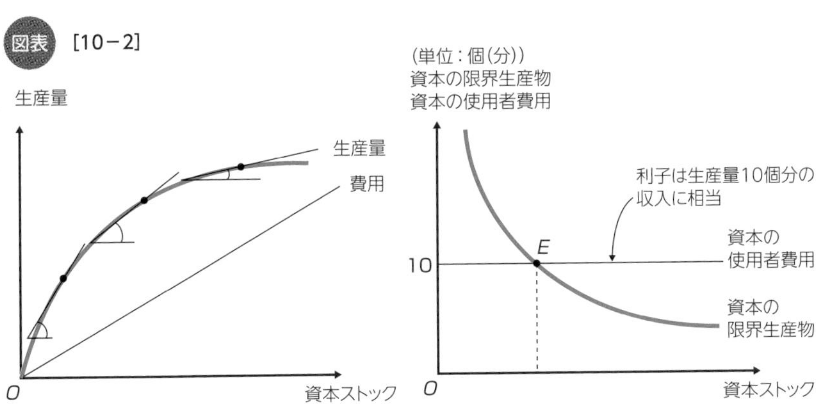

図表10－2左の生産関数は、資本ストックの量と生産量との関係を示している。他の投入物（労働力など）を一定とすると、資本ストックが増加するほど生産量も増加するが、資本ストックが増加するにつれて資本の限界生産物は逓減する（資本の限界生産物は、生産関数の接線の傾きで示される）。

❷▶資本の使用者費用…………………………………………

資本の使用者費用（レンタルコスト）とは、資本ストックを１単位増加させるのに必要な費用のことであり、具体的には資金の借入れに伴う**利子（利子率）**などを指す。

❸▶望ましい資本ストックの決定…………………………………

新古典派の投資理論は、資本の限界生産物逓減を前提とした上で、望ましい資本ストックは、利潤最大化条件（資本の限界生産物＝資本の使用者費用）を満たす資本量と現在の資本量の差を埋めるように投資水準が決定されるというものである。

図表10－2右では、資本の限界生産物は右下がりの曲線で描かれ、資本の使用者費用は（資本ストックの量に関係なく一定と考えるので）水平な直線で描かれている。望ましい資本ストックの水準は、資本の限界生産物と資本の使用者費用の交点 *E* で決定する。なお、資本の限界生産物は、生産技術の進歩などによって上昇する。

3 金融政策に関する理論

ケインズ理論では、不況期における拡張的な金融政策の実施は、物価の上昇を招くものの、雇用増加と国民所得の増加をもたらすということを学習した。本節では、それとは異なる金融政策に関する理論として、古典派の理論を学習する。

R3 8

1 貨幣数量式

貨幣数量式とは、1年間に行われる取引総額（取引量に物価を掛けたもの）は、使われた貨幣総額（貨幣量に貨幣の流通速度を掛けたもの）に等しくなるという関係を表したものである。

$$MV=PY$$

M：マネーサプライ（貨幣供給量）　V：貨幣の流通速度
P：物価水準　Y：実質国民所得

左辺のMVは、**1年間に使用された貨幣の総額**を表し、右辺のPYは**名目国民所得**を表す。

貨幣の流通速度（V）とは、1年間に人々の間で貨幣が受け渡しされる回数（貨幣の回転率、貨幣の使用頻度、取引回数）であり、一定と考える。また、**古典派**の立場に立った場合、Yは常に完全雇用国民所得が実現されるため、こちらも一定である。よって**マネーサプライ（M）を増加させても物価（P）が上昇するだけである**。つまり、**拡張的金融政策は無効**という結論が得られる。

2 ケンブリッジ方程式

❶▶マーシャルのk

ケインズ派は貨幣需要について取引需要と投機的需要の２つを想定していたが、**古典派は取引需要のみを想定する**。取引で使用される貨幣量（取引総額に相当）は国民所得Yが増加すると比例的に増えるので、次のような式で表される。

$$MV=PY \quad \cdots\cdots ①$$

①を変形すると、次のようになる。

$$M=\frac{1}{V}PY=kPY \qquad ただし\ k=\frac{1}{V}$$

この式を**ケンブリッジ方程式**といい、kを**マーシャルの k** という。**マネーサプライ（貨幣供給量）Mと名目国民所得PYとの間には、kという比例定数を通じた正の相関関係が成り立つ**ことが確認できる。

❷▶ *k*%ルール　R3 8

マネタリストは、裁量的金融政策は行うべきではなく、国民所得の成長に合わせて毎年*k*%で貨幣供給量を増加させればよいと考える（***k*%ルール**）。

設例

下記の文章の正誤判定をせよ。

ケインズ的な金融政策の考え方によれば、貨幣供給量は経済成長率に合わせた一定率（*k*%）で増加させることが望ましい。

R3−8　c（**×**：*k*%ルールはマネタリストの考え方である。）

第11章

国際マクロ経済学

Registered Management Consultant

本章の体系図

●国際収支の決定と為替レート

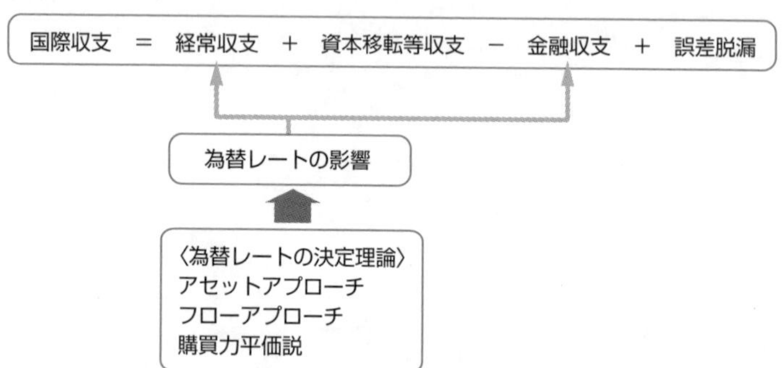

●マンデル＝フレミングモデル（IS－LM－BP分析）

⇒　IS－LM分析に海外との取引を考慮し、開放経済における財政政策・金融政策の効果を分析

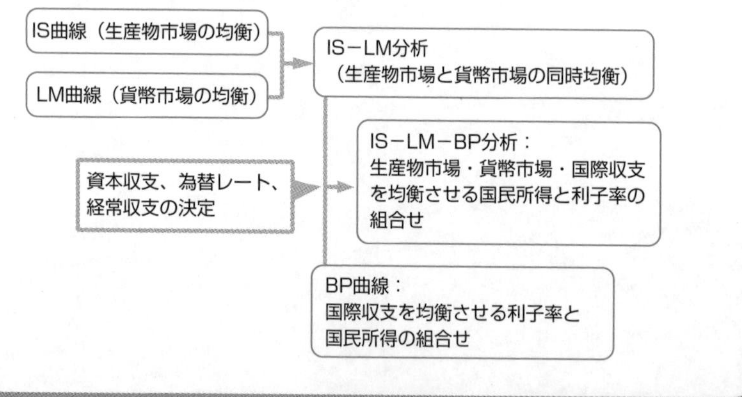

本章のポイント

◇ 為替レートについての基本的な考え方を理解する。
◇ アセットアプローチと購買力平価説の内容を覚える。
◇ 国際収支の大まかな内容を覚える。
◇ アブソープションアプローチの内容を覚える。
◇ マンデル＝フレミングモデルについて、問題の解き方を覚える。

1 為替レート

為替レートとは、外国為替市場において異なる通貨が交換（売買）される際の交換比率である。本節では、為替レートについての基本的な考え方と、為替レートの決定理論について学習する。理論を単純化するため、わが国で最も頻繁に目にする為替レート「円・ドル」の日米２国間で考えることとする。

1 為替レートについての基本的な考え方

❶▶円高と円安

円高とは、円のドルに対する相対的価値（円１単位で交換できるドルの単位数）が大きい状態のことであり、**円安**とは、円のドルに対する相対的価値が小さい状態のことである。

図表 [11－1]

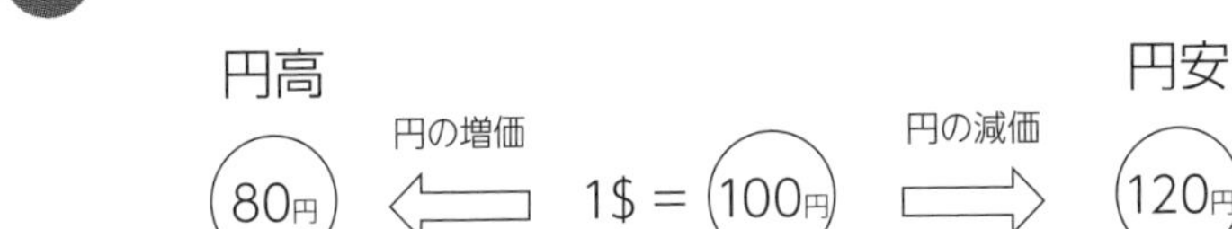

円の価値がドルに対して増大した場合、**円は**ドルに対して**増価**したといい、円の価値がドルに対して減少した場合、**円は**ドルに対し**減価**したという。

❷▶変動相場制と固定相場制

変動相場制とは、為替レートの決定を外国為替市場の需要と供給により自由に変動させる制度である。

固定相場制とは、中央銀行が介入し、為替レートの変動を固定もしくは極小幅に限定する制度である。

❸▶為替介入（外国為替市場介入）

為替介入（外国為替市場介入）とは、政府や中央銀行などの通貨当局が為替相場に影響を与えるために、外国為替市場で通貨間の売買を行うことである。

わが国では、為替介入は財務大臣の権限において実施することとされており、日本銀行は、財務大臣の代理人として、指示に基づき為替介入の実務を遂行している。為替介入は、自国通貨の為替相場を安定させるために行われる。

 [11－2]

状況の例	介入の方法	介入の効果
円高圧力の高まり	円を売ってドルを買う	為替レートが円安に向かう
円安圧力の高まり	ドルを売って円を買う	為替レートが円高に向かう

なお、**固定相場制**における為替介入や固定相場レートの変更などで、為替レートの水準が人為的に変更された場合に、自国通貨が増価した場合を**通貨切り上げ**、自国通貨が減価した場合を**通貨切り下げ**とよぶ。

R6 9
R5 9

2 変動相場制における外国為替レートの決定理論

変動相場制では、外国為替レートは通貨の需要量と供給量によって決定される。通貨の需要量と供給量は輸出入のバランスによって決定されるというのが一般的であるが、時間の長さで分けると、「アセットアプローチ（超短期）」「フローアプローチ（短期）」「購買力平価説（長期）」の３つの決定要因があると考えられている。

❶▶アセットアプローチ（超短期）

アセットアプローチは、**超短期**的な視点で通貨の需要と供給が何によって変動するかを説明するものである。アセットアプローチは、財の数量が変化しない超短期においては、各国の資産の収益率の違いから国際資本移動が起こり、外国為替市場に影響を与えるという理論である。超短期では、まだ財の数量（輸出量や輸入量）は変化せず、投機的資金の移動により為替レートは決定すると考える。各国の利子率を比較し、利子率が高い国で資産運用をしようとする動きが生じ、**利子率が高い国の通貨需要は増加**し、**利子率が低い国の通貨需要は減少**する。

たとえば、米国の利子率 i が日本の利子率 i よりも高い場合、米国に資金が流出する。米国の債券（ドル建て）に投資するためには、円を売ってドルを買う必要があるため、円安ドル高が進行する。

 [11－3]

利子率	資本の流れ	為替市場	為替レート
米国 i ＞日本 i	米国に資金流出（資本収支赤字）	米国の債券に投資するために円売りドル買い	円安ドル高
日本 i ＞米国 i	日本に資金流入（資本収支黒字）	日本の債券に投資するために円買いドル売り	円高ドル安

❷▶フローアプローチ（短期）

フローアプローチは、短期的な視点で通貨の需要と供給が何によって変動するかを説明するものである。数か月という短期においては、すでに投機的な国際資本移動は完了しており、貿易（輸出量と輸入量）が外国為替の需要と供給に影響を与えると考える。

たとえば、日本と米国との貿易について考える。貿易で発生する対価の支払いは、基軸通貨であるドルで決済されることを前提とする。

〈日本から米国への輸出〉

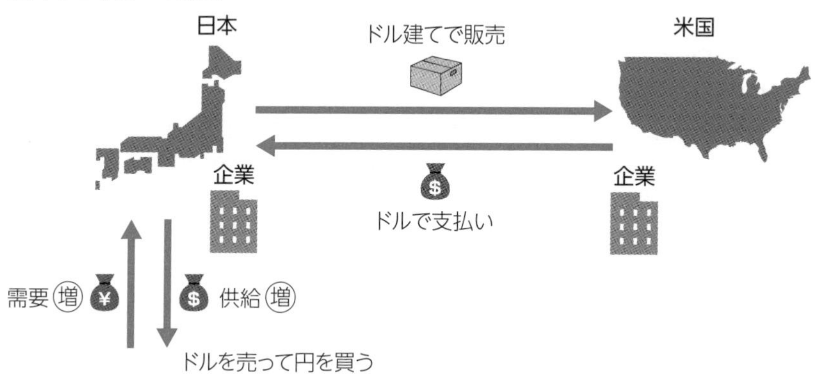

日本の企業は、輸出品の対価としてドルで支払いを受けるが、受け取ったドルを日本国内で使用するためには、ドルを売って円を購入する必要がある（円買いドル売り）。したがって、輸出が増えると円の需要が増加し、ドルの供給が増加することになる。

〈米国から日本への輸入〉

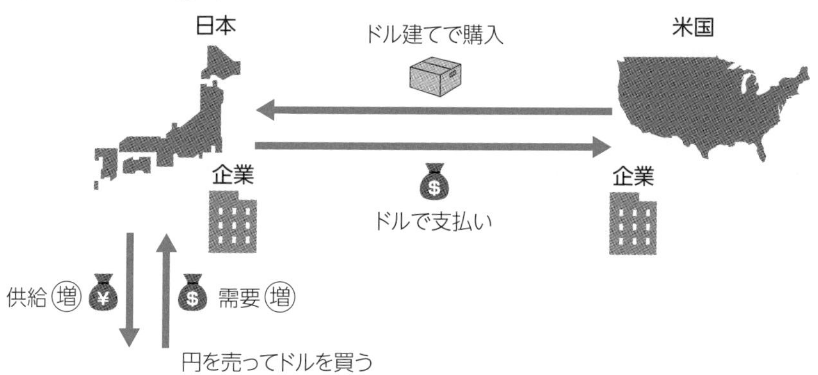

日本の企業は、輸入品の対価としてドルで支払うため、ドルを獲得することが必要となる。そのため、円を売ってドルを購入する（円売りドル買い）。したがって、輸入が増えると円の供給が増加し、ドルの需要が増加することになる。

なお、**ドル建て**とは、商品価格をドルで表示し、支払いもドルで行うことをいう。**円建て**は、商品価格を円で表示し、支払いも円で行うことをいう。

❸ ▶購買力平価説（長期）

期間が長くなると物価変動が生じてくる。購買力平価説とは、物価水準により為替レートが決定される（同じモノが買えるように外国為替レートは決定される）という考えである。

たとえば、リンゴ１個が日本では100円、米国では１ドルの場合、100円と１ドルで購入できるものが同じであるため、１ドル＝100円という為替レートに決まるというものである。

〈日本〉　　　　　〈米国〉

100 円　＝　🍎　＝　1 ドル

イコール

購買力平価説では、次の式が成り立つように為替レートが決まると考える。

$P_J = P_A \times E$ ⟺ 日本の物価水準＝円で測った米の物価水準

P_J：日本の物価水準　P_A：米国の物価水準　E：為替レート

設　例

購買力平価説によると、日本の物価の上昇は円高の要因になる。
R元－7　c　（×：購買力平価説によれば、日本の物価の上昇は円安の要因となる。）

2 国際収支

国際収支とは、ある国が一定期間に行った外国との経済取引を記録した統計であり、大まかに経常収支、資本移転等収支、金融収支の３つに分けられる。本節では、国際収支を学習した後、代表的な経常収支の決定理論について学習する。

1 国際収支

R5 2

国際収支とは、ある国において一定期間に居住者と非居住者の間で行われたあらゆる対外経済取引（財貨、サービス、証券等の各種経済金融取引、それらに伴って生じる決済資金の流れ等）を体系的に記録した統計のことである。**国際収支がゼロとなるとき、国際収支は均衡している**という。

国際収支は簿記の仕訳のようなものである。たとえば、100万円で自動車を輸出した場合、100万円の収入を得る一方で100万円分の自動車という資産を失ったこととなる。このような考え方で国際収支表は作成されている。

国際収支＝経常収支＋資本移転等収支－金融収支＋誤差脱漏（＝０）

経常収支	・「金融収支」に計上される取引以外の居住者と非居住者間で債権・債務を伴うすべての取引の収支状況
①貿易・サービス収支	・財の輸出入やサービス取引などの収支
②第一次所得収支	・雇用者報酬や株式配当金、債券利子の受取・支払などの収支
③第二次所得収支	・無償援助や送金など対価を伴わない資産の提供による収支
資本移転等収支	・資本形成（橋など）のための対価を伴わない資産の提供や外国政府の債務免除などにかかわる収支
金融収支	・金融資産にかかる居住者と非居住者間の債権・債務の移動を伴う取引の収支状況
①直接投資	・株式や不動産の取得（資産増加）・処分（資産減少）による資産や負債
②証券投資	・証券取引のうち「直接投資」や「外貨準備」に該当しない取引
③金融派生商品	・先物・先渡取引の売買差損益など
④その他投資	・①～③および⑤のいずれにも該当しない金融取引
⑤外貨準備	・通貨当局の管理下にあり、為替介入などのために利用できる対外資産

❶▶経常収支、資本移転等収支

資金の流入（受け取り）をプラス（黒字）、資金の流出（支払い）をマイナス（赤字）として計算する。

資金流入（受け取り）＞ 資金流出（支払い）➡ 黒字 **資金流入（受け取り）＜ 資金流出（支払い）➡ 赤字**

❷▶金融収支

■1 国際収支への計上

「経常収支」と「資本移転等収支」では、資金の流出をマイナス、資金の流入をプラスとしていたが、**金融収支では資産・負債の増減に着目**し、資産・負債の増加をプラス、資産・負債の減少をマイナスとする。統計では、純資産（資産－負債）の増加をプラス、純資産（資産－負債）の減少をマイナスとして計上している。

		金融収支
資産 （対外投資：日本→海外への投資）	海外の資産を取得 （資金は流出）	＋
	海外の資産を処分 （資金は流入）	－
負債 （対内投資：海外→日本への投資）	海外に対する負債増加 （資金は流入）	＋
	海外に対する負債減少 （資金は流出）	－

■2 外貨準備

外貨準備とは、通貨当局が自国通貨の為替レートを安定させるために為替介入に使用する資金であるほか、通貨危機などにより他国に対して外貨建て債務の返済が困難になった場合等に使用する準備資産である。日本では、財務省と日本銀行が外貨準備を保有している。

円売りドル買い介入 ➡ 外貨準備は増加 **円買いドル売り介入 ➡ 外貨準備は減少**

2 経常収支の決定理論

本項では、代表的な経常収支の決定理論を学習する。なお、経常収支と貿易収支は国際収支統計上では異なるが、ここではその違いを無視し、両者を同じものとして説明する。

❶▶ISバランスアプローチ

三面等価の原則では、統計上、生産面から見たGDP、分配面から見たGDP、支出面から見たGDPが等しくなるということを学習した。この三面等価の原則を用いて、経常収支（輸出EX－輸入IM）について考えてみる。

支出面から見たGDPは、下式のように表すことができる。

$$Y=C+I+G+EX-IM$$

Yは国内総生産（GDP）、Cは消費、Iは投資、Gは政府支出、EXは輸出、IMは輸入である。

一方、分配面からGDPをとらえると、分配された所得は、消費されるか、貯蓄されるか、租税として徴収されるかのいずれかであるため、下式のように表すことができる。

$$Y=C+S+T$$

Sは貯蓄、Tは租税である。所得Yが、その一部が租税Tとして徴収され、税引き後の可処分所得から消費Cを行い、残りを貯蓄Sするということを表している。

ここで、三面等価の原則より「支出面から見たGDP＝$C+I+G+EX-IM$」と「分配面から見たGDP＝$C+S+T$」は等しくなるため、２つの式を等式で結び、式を変形させると以下のようになる。

$$\underline{C+I+G}+EX-IM=C+S+T$$

$$\begin{aligned}EX-IM&=C+S+T-C-I-G\\&=\not{C}+S+T-\not{C}-I-G\\&=(S-I)+(T-G)\end{aligned}$$

経済主体（民間・政府）を揃えている

経常収支（$EX-IM$）＝民間の貯蓄超過（$S-I$）＋政府の財政収支（$T-G$）

$EX-IM$は経常収支を表す。（$S-I$）は民間部門における貯蓄が投資に対してどれだけ超過しているかを表し、民間の貯蓄超過とよぶ。また、租税は政府の収入であるため、（$T-G$）を財政収支とよぶ。つまり、この**ISバランス式は、民間の貯蓄超過と財政収支（右辺）が経常収支（左辺）を決定するということを表している。**

❷▶アブソープションアプローチ

アブソープションアプローチとは、「経常収支は、国内総生産Yと国内需要（内需）の差で決定される」という考え方である。

アブソープションは、国内需要（内需）を意味し、「消費C、投資I、政府支出G」

が該当する。以下ではこれらをAとする。

$$Y=\boldsymbol{C}+\boldsymbol{I}+\boldsymbol{G}+EX-IM$$
$$Y=\boldsymbol{A}+EX-IM$$

$EX-IM=Y-A$

設　例

マクロ経済循環では貯蓄と投資の均衡が恒等的に成り立つことが知られており、これは「貯蓄投資バランス」と呼ばれている。貯蓄投資バランスに関する記述として、最も適切なものはどれか。　〔H30－6〕

ア　経常収支が黒字で財政収支が均衡しているとき、民間部門は貯蓄超過である。

イ　経常収支の黒字を民間部門の貯蓄超過が上回るとき、財政収支は黒字である。

ウ　国内生産よりも国内需要が少ないとき、経常収支は赤字である。

エ　国内の純貯蓄がプラスであるとき、海外の純資産は減少している。

解　答　**ア**

ア　○：正しい。「経常収支が黒字」とは、「$EX-IM$」がプラスの値（輸出＞輸入）であることを意味し、「財政収支が均衡している」とは、「$T-G$」がゼロ（租税収入＝政府支出）であることを意味する。したがって、経常収支が黒字で財政収支が均衡しているとき、民間部門は貯蓄超過（貯蓄S＞投資I）となる（⊕＝⊕＋ゼロ）。

イ　×：経常収支の黒字（輸出＞輸入）を民間部門の貯蓄超過（貯蓄＞投資）が上回るとき、財政収支は赤字（租税収入＜政府支出）となる（⊕＝⊕⊕＋⊖）。

ウ　×：国内生産（Y）よりも国内需要「$(C+I+G)$」が少ないとき、経常収支「$EX-IM$」は黒字（輸出＞輸入）となる（⊕＝(大)－(小)）。

エ　×：国内の純貯蓄とは、「民間の純貯蓄（$S-I$）＋政府の純貯蓄（$T-G$)」のことを指す。また、本肢における海外の純資産とは、「$EX-IM$」のことを指していると解釈する。輸出（EX）では売上債権（資産）、輸入（IM）では買入債務（負債）が発生するが、これらを差し引きしたものが純資産の増加分となる。したがって、国内の純貯蓄がプラスであるとき、海外の純資産は増加している。

3　マンデル＝フレミングモデル

マンデル＝フレミングモデル（IS－LM－BP分析）とは、ケインズ理論によるIS－LM分析を発展させて、海外との取引も考慮したものであり、開放経済における財政政策および金融政策の効果を考察するために用いられる。以下では、説明の便宜上、自国を日本、海外を米国とする。

1 マンデル＝フレミングモデルの概要

マンデル＝フレミングモデルでは、「資本移動がない／資本移動が完全」「変動相場制／固定相場制」の組合せとなる各状況下で、財政政策および金融政策の効果を考察する。**資本移動がない**とは、両国間で資産の売買によるお金の移動がない（資本収支＝ゼロ）状態をいい、**資本移動が完全**とは、資本移動が完全に自由化されており、利子率の水準によって海外からの資本流入や海外への資本流出が生じる状態をいう。各組合せの結論は下表のとおりである。本節では、重要度の高い「資本移動が完全」な場合の政策効果に絞って学習する。

[11－4]

	変動相場制		固定相場制	
資本移動がない	金融○	財政○	金融×	財政×
資本移動が完全	金融○	財政×	金融×	財政○

※金融…金融政策、財政…財政政策、○…有効、×…無効

2 BP曲線　R5 10

❶▶BP曲線

マンデル＝フレミングモデルでは、IS－LM分析にBP曲線を加えて、政策の効果を考える。**BP曲線**とは、国際収支を均衡させる（国際収支がゼロとなる）ような国民所得と利子率の組合せを描いた曲線であり、「資本移動が完全」の場合、**国内利子率（i）＝国際利子率（i^*）となるときに国際収支は均衡する。**マンデル＝フレミングモデルにおける**国際収支は「経常収支（輸出－輸入）＋資本収支（資本の流入－資本の流出）」**と想定する。**資本移動が完全の場合、BP曲線は水平**となる（図表11－5）。

[11−5]

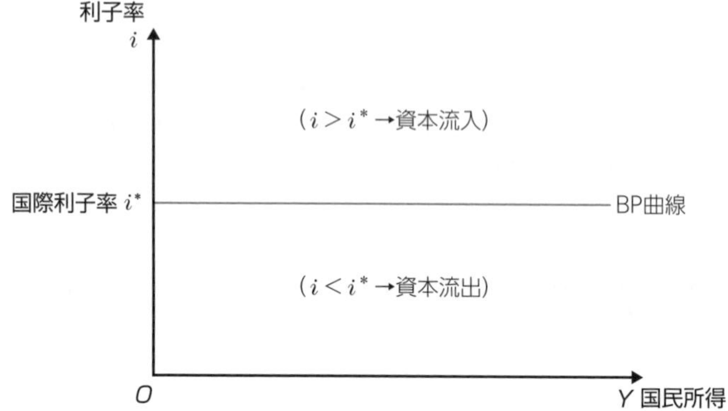

i^*を国際利子率（米国の利子率）、iを国内利子率（日本の利子率）とする。

国内利子率（i）が**BP曲線の上側**の水準では、日本の債券の利子率（投資のリターン）が米国の債券の利子率を上回るため、米国から日本へ**資本が流入**し、**資本収支が黒字**となる。

国内利子率（i）が**BP曲線の下側**の水準では、日本の債券の利子率が米国の債券の利子率を下回るため、日本から米国へ**資本が流出**し、**資本収支が赤字**となる。

> **国際利子率(i^*)＜国内利子率(i) ➡ 自国の高い利子率を求めて資本が流入する。**
> **国際利子率(i^*)＞国内利子率(i) ➡ 外国の高い利子率を求めて資本が流出する。**

❷▶ 2国間の利子率、資本移動、為替市場の動き

米国の利子率が日本の利子率よりも高い場合、米国に資本が流出する。ただし、米国のドル建て債券に投資するためには、**円を売ってドルを買う必要がある**ため、**円安ドル高が進行**する。

日本の利子率が米国の利子率よりも高い場合、日本に資本が流入する。ただし、日本の円建て債券に投資するためには、**ドルを売って円を買う必要がある**ため、**円高ドル安が進行**する。

❸▶為替レートと輸出および輸入

1 円高⇒輸出EXは減少、輸入IMは増加（「輸出－輸入」は減少）

「100円/ドル」から「80円/ドル」に円高になったとする。この場合、100円の日本製品は、米国で1ドルから1.25ドル（100÷80より）に価格が上昇するため、日本からの輸出が減少することとなる。

一方、米国で1ドルの製品は、日本では100円から80円に価格が低下するため、米国からの輸入が増加することとなる。

2 円安⇒輸出EXは増加、輸入IMは減少（「輸出－輸入」は増加）

「100円/ドル」から「120円/ドル」に円安になったとする。この場合、100円の日本製品は、米国で1ドルから0.83ドル（100÷120より）に価格が低下するため、日本からの輸出が増加することとなる。

一方、米国で1ドルの製品は、日本では100円から120円に価格が上昇するため、米国からの輸入が減少することとなる。

100円／ドル→80円／ドル（円高傾向）
・米国における日本製品の値上がり→輸出EX↓
・日本における米国製品の値下がり→輸入IM↑
}（EX－IM）↓

100円／ドル→120円／ドル（円安傾向）
・米国における日本製品の値下がり→輸出EX↑
・日本における米国製品の値上がり→輸入IM↓
}（EX－IM）↑

3 マンデル＝フレミングモデル

❶▶問題の解き方

試験問題を解く際には、与えられた設定が「資本移動が完全かどうか」や「変動相場制か、固定相場制か」という点を確認し、図表11－6のプロセスチャートに従って、各項目の動きを考える必要がある。

[11－6]

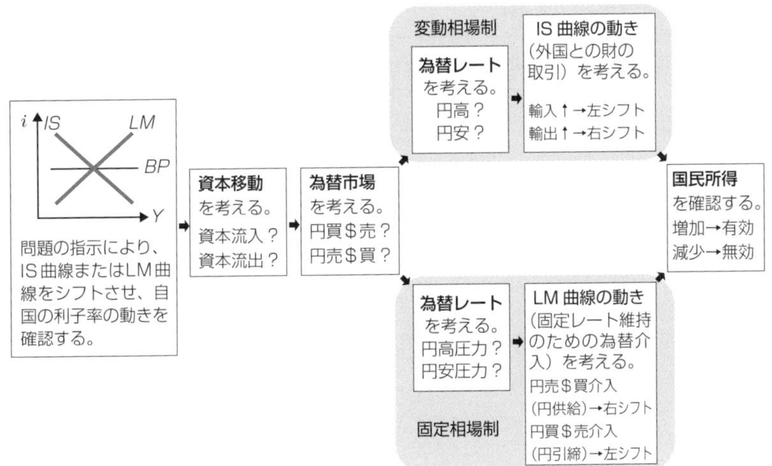

R6 10
R5 10
R3 10
R2 11

❷▶完全資本移動、変動相場制、財政政策の効果（無効）の確認........

資本移動が完全で、変動相場制の場合、財政政策は以下のとおり、無効となる。

図表 [11−7]

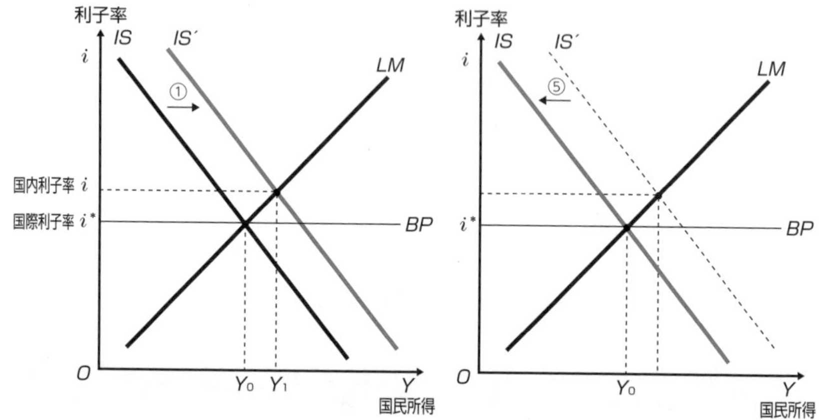

① 拡張的な財政政策によりIS曲線が右シフトし、**国内利子率が上昇**する。
② 海外から国内へ**資本流入**が起こる（資本収支は黒字）。
③ 為替市場では、**円買いドル売り**が進む。
④ 変動相場制のもと、為替レートが**円高**ドル安になる。
⑤ **輸出**が減少、**輸入**が増加し（経常収支は赤字）、**IS曲線が左シフト**（生産物市場の需要が減少）する。
⑥ 国民所得は当初の水準に戻ってしまう（**財政政策は無効**）。

〈完全資本移動、変動相場制、拡張的財政政策の効果〉
G↑ ➡ Y↑i↑（クラウディングアウト）➡ 国内に資本流入（円買いドル売り＝円高ドル安）➡ 日本の輸出（需要）↓ ➡ S↓＝Y↓ ∴国民所得は不変
※G：政府支出 Y：国民所得 i：国内利子率 S：総供給

❸▶完全資本移動、変動相場制、金融政策の効果（有効）の確認……… R5 10 R3 10 R2 11

資本移動が完全で、変動相場制の場合、金融政策は以下のとおり、有効となる。

[11－8]

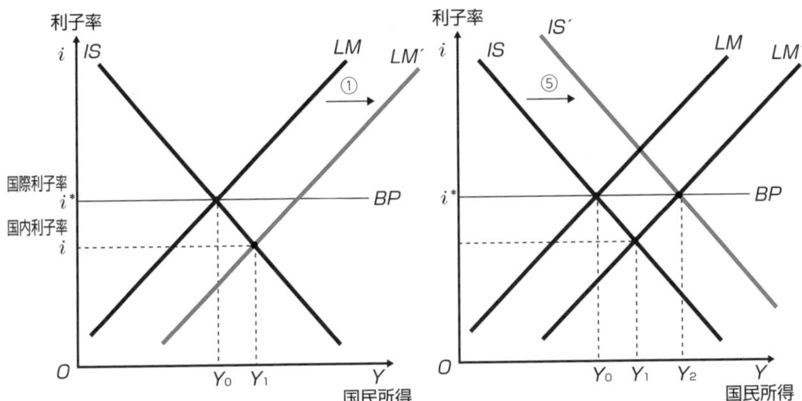

① 拡張的な金融政策によりLM曲線が右シフトし、**国内利子率が低下**する。
② 国内から海外へ**資本流出**が起こる（資本収支は赤字）。
③ 為替市場では、**円売りドル買い**が進む。
④ 変動相場制のもと、為替レートが**円安**ドル高になる。
⑤ **輸出**が増加、**輸入**が減少し（経常収支は黒字）、**IS曲線が右シフト**（生産物市場の需要が増加）する。
⑥ 国民所得が大幅に増加する（**金融政策は有効**）。

〈完全資本移動、変動相場制、拡張的金融政策の効果〉
M↑　➡　Y↑i↓　➡　海外に資本流出（円売りドル買い＝円安ドル高）
➡　日本の輸出（需要）↑　➡　S↑＝Y↑　∴国民所得は大幅に増加
※M：マネーサプライ　Y：国民所得　i：国内利子率　S：総供給

R6 10 **④▶完全資本移動、固定相場制、財政政策の効果（有効）の確認**……

資本移動が完全で、固定相場制の場合、財政政策は以下のとおり、有効となる。

図表 [11−9]

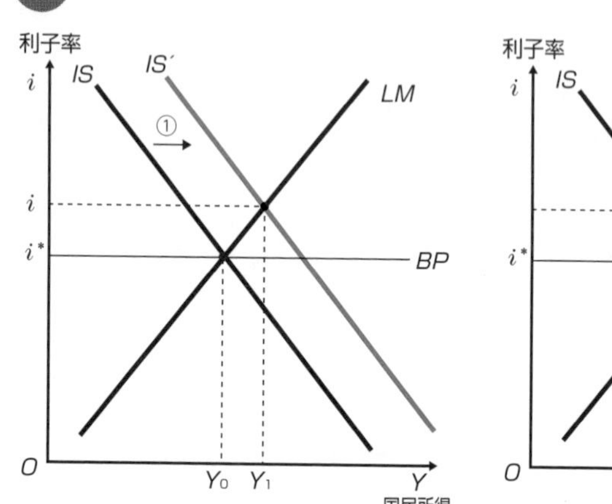

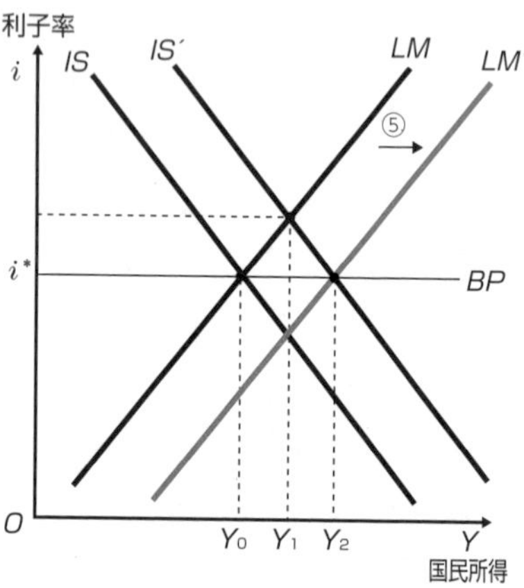

① 拡張的な財政政策によりIS曲線が右シフトし、**国内利子率が上昇**する。

② 海外から国内へ**資本流入**が起こる（資本収支は黒字）。

③ 為替市場では、**円買いドル売り**が進む。

④ 固定相場制のもと、**円高ドル安圧力**がかかる（円が超過需要）。

⑤ 為替レートを維持するため通貨当局が**円を売りドルを買う**（外貨準備は増加）。自国通貨の流通量が増加するため、**マネーサプライが増加**し、**LM曲線が右シフト**する。

⑥ 国民所得が大幅に増加する（**財政政策は有効**）。

〈完全資本移動、固定相場制、拡張的財政政策の効果〉
G↑ ➡ Y↑i↑（クラウディングアウト） ➡ 国内に資本流入（円買いドル売り） ➡ 円高ドル安懸念により中央銀行による円売りドル買い介入（M↑） ➡ i↓I（需要）↑ ➡ S↑＝Y↑ ∴国民所得は大幅に増加
※G：政府支出 Y：国民所得 i：国内利子率 I：国内投資 S：総供給

❺▶完全資本移動、固定相場制、金融政策の効果（無効）の確認………

資本移動が完全で、固定相場制の場合、金融政策は以下のとおり、無効となる。

図表 [11－10]

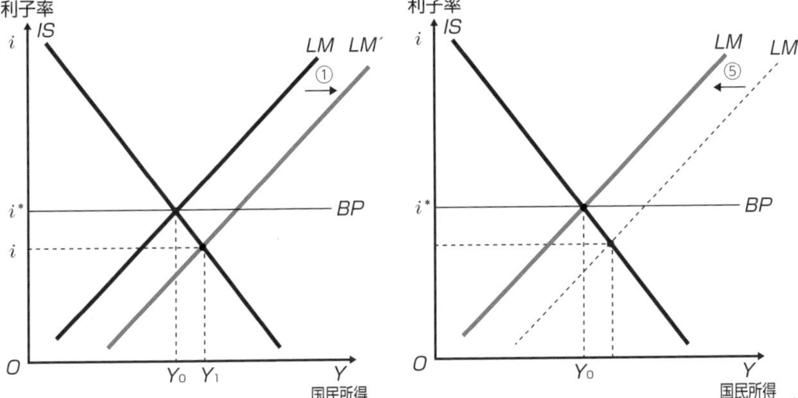

① 拡張的な金融政策によりLM曲線が右シフトし、**国内利子率が低下**する。
② 国内から海外へ**資本流出**が起こる（資本収支は赤字）。
③ 為替市場では、**円売りドル買い**が進む。
④ 固定相場制のもと、**円安ドル高圧力**がかかる（円が超過供給）。
⑤ 為替レートを維持するため通貨当局が**円を買いドルを売る**（外貨準備は減少）。自国通貨の流通量が減少するため、**マネーサプライが減少**し、**LM曲線が左シフト**する。
⑥ 国民所得は当初の水準に戻ってしまう（**金融政策は無効**）。

〈完全資本移動、固定相場制、拡張的金融政策の効果〉
M↑ ➡ Y↑i↓ ➡ 海外に資本流出（円売りドル買い） ➡ 円安ドル高懸念により中央銀行による円買いドル売り介入（M↓） ➡ i↑I（需要）↓ ➡ S↓＝Y↓ ∴国民所得は不変
※M：マネーサプライ　Y：国民所得　i：国内利子率　I：投資　S：総供給

設 例

下図において、*IS*曲線は生産物市場の均衡、*LM*曲線は貨幣市場の均衡、*BP*曲線は国際収支の均衡を表す。この経済は小国経済であり、資本移動は完全に自由であるとする。

この図に基づいて、下記の設問に答えよ。〔H30-9〕

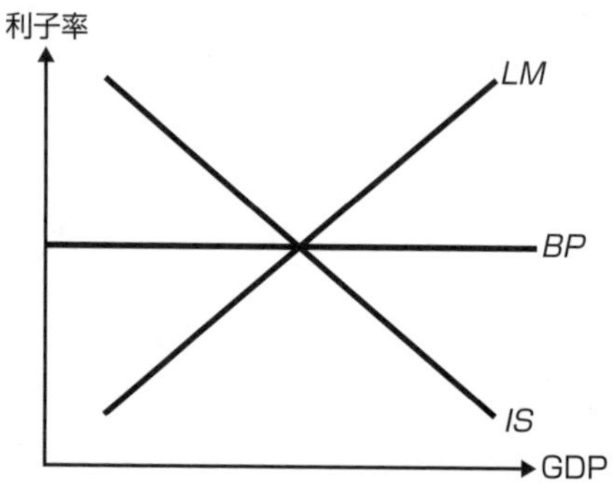

（設問1）

変動相場制の場合における政府支出増加の効果に関する記述として、最も適切なものの組み合わせを下記の解答群から選べ。

a　為替レートは増価する。　b　GDPは増加する。
c　純輸出の減少が生じる。　d　民間投資支出の減少が生じる。

〔解答群〕

ア　aとc　　イ　aとd　　ウ　bとc　　エ　bとd

（設問2）

変動相場制の場合における貨幣供給量増加の効果に関する記述として、最も適切なものの組み合わせを下記の解答群から選べ。

a　為替レートは増価する。b　GDPは増加する。
c　純輸出の増加が生じる。d　民間投資支出の増加が生じる。

〔解答群〕

ア　aとc　　イ　aとd　　ウ　bとc　　エ　bとd

解　答　（設問１）**ア**　（設問２）**ウ**

便宜上、国内通貨を円、海外通貨をドルとして解説する。

(設問１)

a　○：正しい。相対的に利子率の高い日本の債券に対する投資が増加することにより、国内為替レートは増価する。

b　×：結果的には、もとの国民所得の水準になるまでIS曲線が左シフトし、GDPは変化しない。

c　○：正しい。円高ドル安が進むことで純輸出は減少する。

d　×：結果的に、利子率はもとの水準に戻り、民間投資支出（I）は変化しない。

(設問２)

a　×：相対的に利子率の高い海外の債券に対する投資が増加することにより、国内為替レートは減価する。

b　○：正しい。円安ドル高が進むことで「輸出－輸入」が増加し（輸出は増加して輸入が減少する)、IS曲線が右シフトしてGDPは増加する。

c　○：正しい。bの解説を参照。

d　×：結果的に、利子率はもとの水準に戻り、民間投資支出（I）は変化しない。

第12章

景気循環と経済成長

Registered Management Consultant

本章の体系図

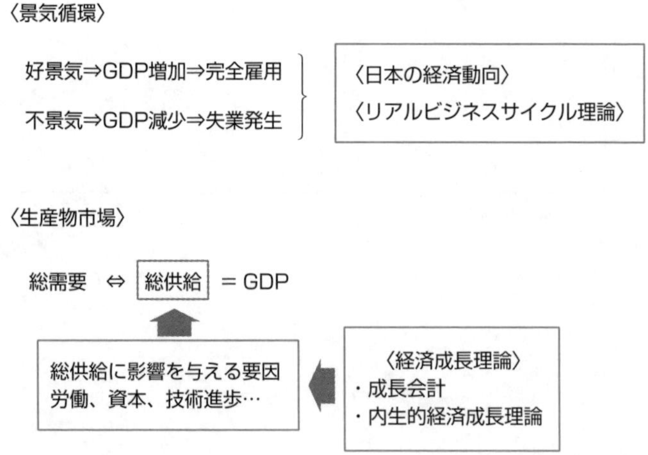

〈景気循環〉

好景気⇒GDP増加⇒完全雇用
不景気⇒GDP減少⇒失業発生

〈日本の経済動向〉
〈リアルビジネスサイクル理論〉

〈生産物市場〉

総需要　⇔　総供給　= GDP

総供給に影響を与える要因
労働、資本、技術進歩…

〈経済成長理論〉
・成長会計
・内生的経済成長理論

本章のポイント

◇ 日本の経済動向について、太字のポイントを覚える。
◇ リアルビジネスサイクル理論について、太字のポイントを覚える。
◇ 成長会計について、経済成長率の式を理解し、ソロー残差の求め方を理解する。
◇ 内生的経済成長理論について、太字のポイントを覚える。

R4 8

1 景気循環と経済成長

本章では、経済が時間を通じてどのように変化していくかということを考えていく。一般に、景気は「好況→後退→不況→回復」という４つの局面を繰り返す。これを景気循環という。また、経済成長とは、時間の経過とともに国民所得が増加することである。

[12−1]　**景気循環と経済成長のイメージ**

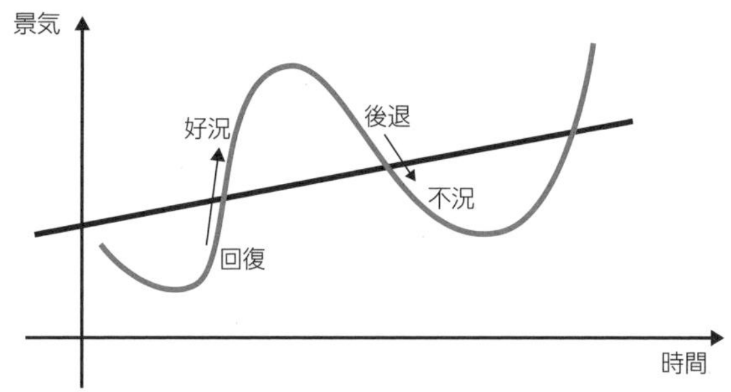

参考

景気循環の周期は長さによって、以下の４つに大別される。

名称	周期	主な発生要因
キチンの波	40か月前後	在庫投資の変動
ジュグラーの波	７～10年	設備投資の変動
クズネッツの波	15～25年	建設活動の変動
コンドラチェフの波	40～60年	技術進歩、資源・エネルギーの制約など

1 日本の経済動向

戦後、日本は貿易立国としての道を歩み、1950年代から70年代前半までの高度経済成長を経て安定成長に移行したが、1990年代以降は、デフレや円高などの影響もあり、低成長となっている。しかし、2013年に導入された、いわゆるアベノミクスにより、景気は回復基調にある、とされている。

戦後～	・ブレトンウッズ体制の下、固定相場制を導入
1954年	・高度経済成長始まる（～73年） ・**神武景気**（～57年）
1958年	・岩戸景気（～61年）
1965年	・いざなぎ景気（～70年）
1973年	・1971年のニクソンショックにより**ブレトンウッズ体制が崩壊**。1973年以降、**日本を含む先進各国は変動相場制へ移行** ・**第１次オイルショック**
1979年	・**第２次オイルショック**
1985年	・プラザ合意により、日本では**円高不況**が発生
1987年	・バブル経済に突入。資産価格の高騰とそれに伴う好景気
1989年	・**消費税導入**（税率３％）
1991年	・バブル崩壊
1997年	・**アジア通貨危機** ・**消費税率５％へ引き上げ**
1999年	・日本銀行（日銀）ゼロ金利政策導入
2007年	・**サブプライムローン問題**に端を発する世界金融危機発生（リーマンショック）
2008年	・**リーマンショック**
2009年	・ギリシャ危機に始まる欧州債務危機発生。その後、イタリアやスペインなどの国家財政危機も明らかになる
2011年	・**東日本大震災**に伴う混乱、円高などの影響により貿易赤字に転落
2013年	・日銀による量的・質的金融緩和実施（**アベノミクスの本格的な開始**）
2014年	・**消費税率８％へ引き上げ** ・日銀、追加金融緩和を実施
2016年	・日銀、**マイナス金利政策を導入** ・日銀、長短金利操作付き量的・質的金融緩和を導入
2019年	・**消費税率10％へ引き上げ**
2020年	・新型コロナウイルス感染症拡大

2 景気循環／経済成長に関する理論

本節では、景気循環または経済成長に関する理論として、リアルビジネスサイクル理論、成長会計、内生的経済成長理論を学習する。

これらの理論では、「ある国の経済成長は、その国の供給能力の拡大によってもたらされる」と考える。ケインズの有効需要の原理とは異なり、総需要が拡大しても、供給能力の拡大が伴わなければ、長期的な経済成長は実現しないと考える。

一般に、供給能力の拡大をもたらす要因には、資本ストックの増加、労働人口の増加、技術進歩の３つがあると考える。

資本ストックの増加	投資により機械設備などの資本ストックが増加すると、それだけ財の生産が増加（供給能力が拡大）する。
労働人口の増加	労働の投入量が増加すると、それだけ財の生産が増加（供給能力が拡大）する。
技術進歩	上記の生産要素が増加しなくとも、R&D（研究開発）の結果として生じる技術進歩により、同じ費用でもより良い製品がより多く生産できる。

1 リアルビジネスサイクル理論

リアルビジネスサイクル理論（実物的景気循環理論）は、古典派の考えであり、「景気循環が生じる要因は、経済に組み込まれていない突然の技術革新や天災などが外部からのショックとして影響を与えるためである（供給側の要因）」と考えるものである。

2 成長会計

R3 12

新古典派のソローによって提唱された**成長会計**は、現実経済における経済成長の要因が何であるかを考えるものであり、資本ストックの増加、労働人口の増加、技術進歩の各要因が、経済成長にどのくらい寄与しているのかを定量的に把握しようとするものである。

成長会計では、経済成長率を下式のように表す。

$$\underbrace{\frac{\Delta Y}{Y}}_{\substack{\text{経済}\\\text{成長率}}} = \underbrace{\frac{\Delta A}{A}}_{\substack{\text{全要素生産性}\\\text{の増加率}\\\text{(技術進歩率)}}} + \underbrace{\alpha\frac{\Delta K}{K}}_{\substack{\text{資本}\\\text{ストックの}\\\text{寄与度}}} + \underbrace{(1-\alpha)\frac{\Delta L}{L}}_{\text{労働の寄与度}}$$

Yは生産量、Kは資本ストック量、Lは労働投入量である。αは資本分配率（総生産のうち資本提供者へ支払われた対価の割合）であり、定数（$0<\alpha<1$）である。（$1-\alpha$）は労働分配率（総生産のうち労働提供者へ支払われた対価の割合）である。また、**Aは技術水準（全要素生産性、TFP**：Total Factor Productivityともよばれる）を表す。全要素生産性とは、労働生産性、資本生産性のような個別的な生産要素の部分生産性ではなく、すべての生産要素投入量と産出量の関係を計測するための指標である。

総生産（GDP）、資本ストック、労働人口という「量」については、直接計測が可能であるが、技術水準のような「質」については、直接計測が困難である。そこで下式のように、**経済成長率から、資本ストックと労働の寄与度を差し引いて、技術進歩率を計測する**ことがある。また、このように計測された技術進歩率を**ソロー残差**という。

$$\frac{\Delta A}{A} = \frac{\Delta Y}{Y} - \left[\alpha\frac{\Delta K}{K} + (1-\alpha)\frac{\Delta L}{L}\right]$$

3 内生的経済成長理論

従来の経済成長理論では、技術進歩は外から与えられた定数（外生変数）と捉えていたが、**内生的成長理論**とは、技術進歩は理論の中である要因によって変わっていく数（内生変数）として扱い、技術進歩の要因についても分析しようという考えのことである。

内生的成長理論の中でも代表的なAKモデルについて確認する。AK理論ではマクロ生産関数を次式のように表す。

$Y=AK$
Y：国民所得　A：正の定数　K：広義の資本

Kは広義の資本とし、通常資本とされる機械などの他に、教育制度、研究開発制度、アイデア・ノウハウなどの蓄積など技術進歩を促す要因を含んでいる。技術進歩を外から与えられた定数Aが大きくなったと捉えるのではなく、教育制度の改善などによって広義の資本（K）が増加し、国民所得（Y）が増加すると考える。グラフから読み取れるように、**広義の資本の限界生産力は逓減せず、一定（A）**とされる。

AKモデルにより導かれる要点は、**貯蓄率が高いほど**投資が増え、また**資本ストックの生産性が高いほど、経済成長率が高くなる**ということである。

[12－2]

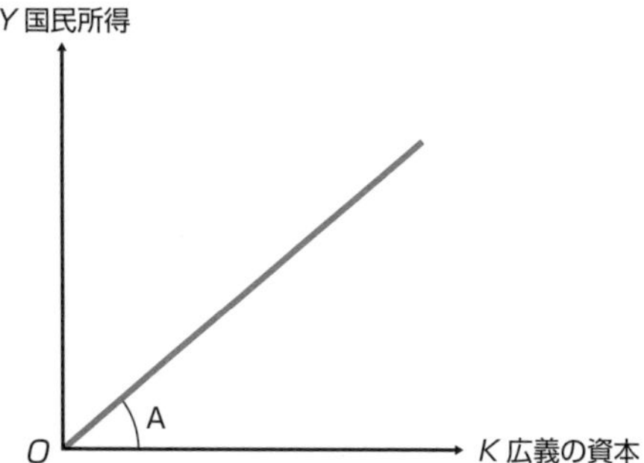

出題領域表

		R2	R3
第1章	費用関数		
	費用に関する諸概念		
	利潤最大化行動		
	供給曲線		
	課税の効果	従価税 19	
	生産関数によるアプローチ	生産関数 16	
第2章	効用関数	無差別曲線 14	無差別曲線 15
	予算制約	予算制約線 13	
	効用最大化		
	需要曲線		
	需要の所得弾力性		需要の所得弾力性 4 17
	需要の価格弾力性	完全補完財 14	
	代替効果と所得効果	スルツキー分解（余暇と所得） 15	代替効果 16
	期待効用仮説		
第3章	市場均衡	プライステイカー 20	需要曲線、供給曲線のシフト 13 14
	市場の調整過程		
	余剰分析	余剰分析 12 余剰分析（補助金） 17	補助金 18
	パレート効率性		
	国際貿易		
	自由貿易の理論		自由貿易 23
第4章	不完全競争市場	プライステイカー 20	
	独占市場		独占市場 19
	寡占市場	ゲーム理論 22	
	独占的競争市場	独占的競争 20	
第5章	市場機構の長所と市場の失敗		
	外部効果	外部不経済 18	
	公共財		公共財 21
	情報の不完全性		
	費用逓減産業（自然独占）	2部料金制 21	2部料金制 20

※表中の項目名とともに付されている白抜き数字は、本試験における問題番号となります。

R4	R5	R6
費用関数15	平均費用14 平均可変費用14 限界費用14	
利潤最大化条件15		損益分岐点・操業停止点16
	供給曲線12 供給の価格弾力性12	
	エンゲル曲線16	需要の所得弾力性14
代替財、補完財と需要曲線のシフト13 需要の価格弾力性14		需要の価格弾力性13
等費用線、等産出量曲線16	等産出量曲線15	等費用線・等産出量曲線15
代替財、補完財と需要曲線のシフト13	供給曲線のシフト12	
消費者余剰11 生産者余剰12	消費者余剰12 価格規制における余剰分析13	生産者余剰16
比較生産費説18		比較生産費説22
	自由貿易21	
完全競争と不完全競争市場の特徴17		
		独占市場17
ゲーム理論20	ゲーム理論22	
	外部不経済の内部化17	外部不経済18
		公共財19
逆選択21	モラルハザード18	
	費用逓減産業19	

		R2	R3
その他のミクロ経済学の論点		貢献基準23	
第6章	GDP（国内総生産）	国民経済計算3	帰属計算3
	物価指数		
	景気動向指数		
第7章	生産物市場（財市場）		
	消費関数	貯蓄4	絶対所得仮説4
	均衡国民所得の決定（閉鎖経済、政府部門・定額税を考慮するケース）	均衡GDP4	
	乗数理論		乗数理論5 外国貿易乗数9
	需給ギャップ（GDPギャップ）	デフレギャップ5	
	IS曲線	投資の利子率弾力性6	
第8章	貨幣供給	貨幣乗数10 公開市場操作10	
	貨幣需要		貨幣乗数7
	LM曲線		
	IS－LM分析	IS-LM分析6	金融政策の効果68
第9章	AD曲線（総需要曲線）		
	労働市場とAS曲線（総供給曲線）	賃金の下方硬直性9	労働市場22
	AD－AS分析		
	失　業	失業8	労働力人口11
第10章	消費に関する理論		恒常所得仮説4
	投資に関する理論	トービンのq7	
	金融政策に関する理論		貨幣数量式8 k%ルール8
第11章	為替レート		
	国際収支		
	マンデル＝フレミングモデル	マンデル＝フレミングモデル（変動相場制・完全資本移動）11	マンデル＝フレミングモデル（変動相場制・完全資本移動）10
第12章	景気循環と経済成長		
	景気循環／経済成長に関する理論		成長会計12

※表中の項目名とともに付されている白抜き数字は、本試験における問題番号となります。

R4	R5	R6
資本移動の自由化19	需要独占20	負の所得税の効果21
帰属計算3	帰属計算4	国民経済性計算4
	物価指数5 名目GDP・実質GDP5	
	景気動向指数6	
		消費関数5
総需要線6	総需要線7	
政府支出乗数5	投資乗数7	租税乗数7 ビルトイン・スタビライザー8
デフレギャップ6		
	IS曲線8	
	国債11	貨幣需要6
	LM曲線8	
	流動性のわな11	IS-LM分析11
古典派モデル7		労働市場20
古典派モデル7		実質GDP11
自然失業率仮説10		自然失業率仮説12
絶対所得仮説4		
	為替レート9	為替レート9
	経常収支2	
	BP曲線10 マンデル＝フレミングモデル10	マンデル＝フレミングモデル10
景気循環8		

		R2	R3
その他のマクロ経済学の論点		政策金利の推移の国際比較1 日本の貿易相手国2	実質国内総生産の推移1 国債等の保有者別内訳2

※表中の項目名とともに付されている白抜き数字は、本試験における問題番号となります。

R4	R5	R6
ジニ係数1 日本の実質GDP成長率と各需要項目の前年度比寄与度2 金利平価説9	各国地域のGDP比率1 日米の家計金融資産3	2022年の名目国内総支出の内訳1 １人当たり労働生産性の推移2 消費者物価の推移3

参考文献一覧

「マクロ経済学」 J.E.スティグリッツ　藪下史郎他訳　東洋経済新報社
「ミクロ経済学」 J.E.スティグリッツ　藪下史郎他訳　東洋経済新報社
「入門経済学：第3版」 藪下史郎/猪木武徳/鈴木久美編　有斐閣
「金融論」 藪下史郎　ミネルヴァ書房
「国民経済計算の見方、使い方」 内閣府経済社会総合研究所国民経済計算部　日本経済教育センター
「新SNA入門」 経済企画庁国民所得部　東洋経済新報社
「マクロ経済学」 伊藤元重　日本評論社
「ミクロ経済学：第２版」 伊藤元重　日本評論社
「入門経済学：第２版」 伊藤元重　日本評論社
「経済学辞典」 水野正一他編著　中央経済社
「入門マクロ経済学：第４版」 中谷 巌他　日本評論社
「産業組織の経済学：基礎と応用」 長岡貞男/平尾由紀子　日本評論社
「ミクロ経済学入門」 西村和雄　岩波書店
「産業組織論」 堀内俊洋　ミネルヴァ書房
「入門ミクロ経済学」 横山将義他　中央経済社
「入門マクロ経済学」 横山将義他　中央経済社
「ゼミナール国際経済入門」 伊藤元重　日本経済新聞出版
「ゼミナール経済学入門」 福岡正夫　日本経済新聞出版
「ゼミナールミクロ経済学入門」 岩田規久男　日本経済新聞出版
「マクロ経済学の基礎理論」 武隈愼一　新世社
「有斐閣経済辞典」 金森久雄/荒憲治郎/森口親司編　有斐閣
「国際経済学入門」 木村福成　日本評論社
「新・経済学入門塾〈Ⅰ〉マクロ編」 石川秀樹　中央経済社
「新・経済学入門塾〈Ⅱ〉ミクロ編」 石川秀樹　中央経済社
「新・経済学入門塾〈Ⅲ〉上級マクロ編」 石川秀樹　中央経済社
「新・経済学入門塾〈Ⅳ〉上級ミクロ編」 石川秀樹　中央経済社
「新・経済学入門塾〈Ⅶ〉難関論点クリア編」 石川秀樹　中央経済社

内閣府 **「用語の解説」**
https://www.esri.cao.go.jp/jp/sna/data/reference4/yougo_top.html
総務省 **「産業連関表」**
https://www.soumu.go.jp/toukei_toukatsu/data/io/index.htm
日本銀行 **「教えて！にちぎん」**
https://www.boj.or.jp/about/education/oshiete/index.html

索引

【れ】

【ろ】

【わ】

中小企業診断士　2025年度版
最速合格のためのスピードテキスト　4　経済学・経済政策

(2003年度版　2002年12月2日　初版　第1刷発行)
2024年11月25日　初　版　第1刷発行

編著者　TAC株式会社
(中小企業診断士講座)
発行者　多田敏男
発行所　TAC株式会社　出版事業部
(TAC出版)

〒101-8383
東京都千代田区神田三崎町3-2-18
電話 03(5276)9492(営業)
FAX 03(5276)9674
https://shuppan.tac-school.co.jp

組版　株式会社　グラフト
印刷　株式会社　ワコー
製本　株式会社　常川製本

ISBN 978-4-300-11404-9
N.D.C. 335

中小企業診断士講座のご案内

合格する人は使ってる。TACの

まずは、試験の概要を知る
（無料セミナー・ガイダンス）

中小企業診断士の魅力とその将来性や、試験概要を把握したうえでの効率的・効果的な学習法等を紹介します。ご自身の学習計画の参考として、ぜひご覧ください。

TAC 診断士 動画  

https://www.tac-school.co.jp/kouza_chusho/tacchannel.html

試験問題を詳しく理解する
（本試験分析会）

試験を熟知したTAC講師陣が試験の出題傾向を分かり易く解説。受験生では把握しづらい試験のポイントを効率的に理解することができます。

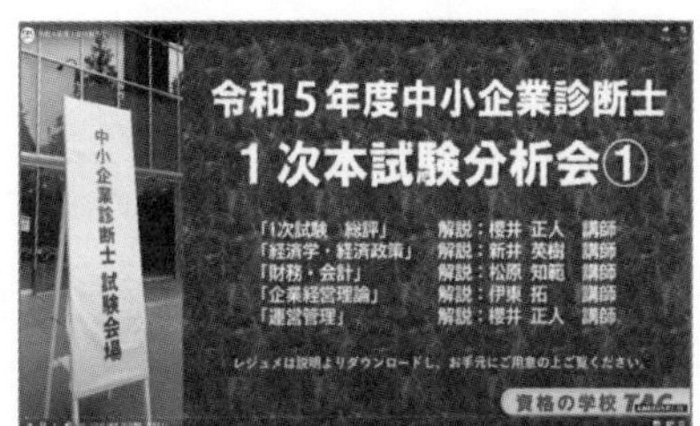

TAC 診断士 分析  

https://www.tac-school.co.jp/kouza_chusho/tacchannel.html

試験問題に挑戦してみる
（TAC動画チャンネル）

試験問題の出題の仕方や内容を知ったうえで学習することが効果的な学習へ繋がります。

TACの講師が前回の試験問題を分かり易く解説します。

TAC 診断士 挑戦  

https://www.tac-school.co.jp/kouza_chusho/tacchannel.html

効果的な学習法を学ぶ
（TAC特別セミナー）

TACでは、どの時期にどのような学習をしなければいけないのかを丁寧に解説したセミナー・イベントをTACの校舎やWebで適時開催しています。

TAC 診断士 セミナー  

https://www.tac-school.co.jp/kouza_chusho/tacchannel.html

資料請求は
こちらから!!

詳しい資料をお送りいたします。
右記電話番号もしくはTACホームページ
(https://www.tac-school.co.jp/)にてご請求ください。

通話無料 0120-509-117（ゴウカク イイナ）
受付時間 9:30～19:00(月～金) 9:30～18:00(土・日・祝)
営業時間短縮の場合がございます。詳細はHPでご確認ください。

サポートサービスを活用しよう!

モチベーションを高める
（将来の選択肢 ～合格者のその後～）

将来、中小企業診断士に合格して何ができるのか?合格者のその後を取材した記事を読んで合格後の夢を広げてモチベーションを高めましょう!

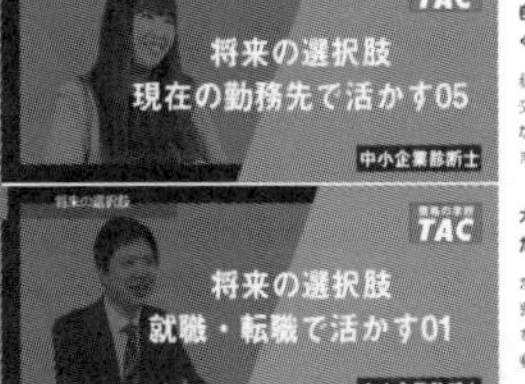

TAC 診断士とは

https://www.tac-school.co.jp/kouza_chusho/chusho_sk_idx.html

TACのYoutube動画
（得する情報を提供中）

TACでは、Youtubeでも学習法や試験解説、実務家インタビュー等の動画を配信しています。是非、チャンネル登録してチェックしてみてください。

TAC 診断士 youtube

https://www.youtube.com/@tac3644/videos

TAC中小企業診断士講座「第1回目講義」オンライン無料体験!
各コースの「第1回目」の講義が体験できます!

「体験Web受講」では、既にご入会されている受講生と同じWeb学習環境（TAC WEB SCHOOL）にて講義をご視聴いただけます。サンプルテキストを用意していますので、講義とあわせて教材の内容も確認してみてください。

**独学では理解しづらかったり
時間がかかる内容もポイントを押さえて
スムーズに理解できるから短期合格できる**

TAC 診断士 体験

https://www.tac-school.co.jp/kouza_chusho/web_taiken_form.html

中小企業診断士講座のご案内

ストレート合格を目指す！
TACを選ぶメリット。それは"効率性"！

学習効果が高まるよう編成された質の高いカリキュラム・講師・教材で構成されるTACのコースを受講することで、無理なく実力をつけることができ、効率的に1・2次試験のストレート合格を狙えます。

戦略的カリキュラム　INPUT　OUTPUT

INPUT&OUTPUTの連動・繰返し学習が効果的！
ムリ・ムダを省いた必要十分な学習量！

専門校を利用するメリット！

2次試験合格の秘訣

スケールメリットが合格の可能性を高める！
新作演習問題・添削指導も充実！

充実のフォロー体制

安心して学習できる環境を整備！
学習メディア別に充実したサポート！

全科目のINPUT（知識習得）とOUTPUT（問題演習）を組み合わせたオールインワンコース「1・2次ストレート本科生」「1・2次速修本科生」を開講しています。

2025年合格目標コース　～豊富なコース設定で効率学習をサポート～

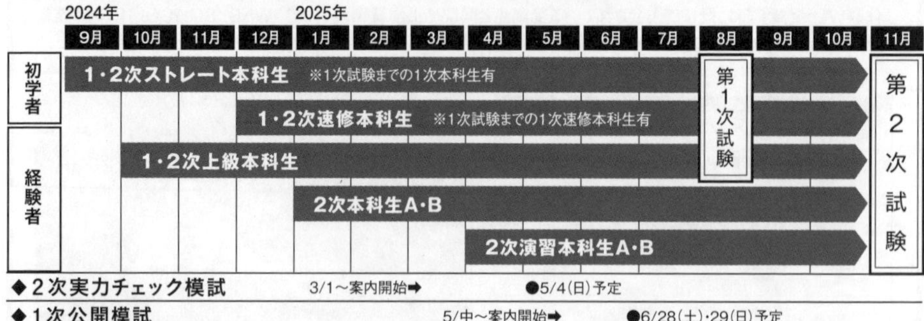

◆2次実力チェック模試　3/1～案内開始➡　●5/4(日)予定

◆1次公開模試　5/中～案内開始➡　●6/28(土)・29(日)予定

◆2次公開模試　7/上～案内開始➡　●9/7(日)予定

※模試の会場受験にはお席に制限がございます。2次公開模試の会場受験は本科生のみとなり、単科での申込は自宅受験となります。

≪オプション講座≫　※名称は変更となる場合がございます。日程は予定です。

- ●1次重要過去問チェックゼミ(経営・財務・運営・経済)‥▶3/中旬案内開始
- ●1次「財務・会計」特訓ゼミ‥‥‥‥‥‥‥‥‥‥▶3/中旬案内開始
- ●1次「経済学」解法テクニックゼミ‥‥‥‥‥‥‥▶3/中旬案内開始
- ●2次事例Ⅳ特訓‥‥‥‥‥‥▶8/上旬案内開始
- ●2次事例別過去問対策講義‥▶8/上旬案内開始

※詳細は、案内開始時期にTACホームページおよび資料をご請求ください。

TAC合格者の声

祝賀会・東京会場

表面的な理解ではなく、根本から理解をすることができた

長山 萌音さん

「財務・会計」が苦手で1年目に独学で勉強していた際には理解しないまま試験を受けておりました。そこでTACに通学し、わからない箇所を講師の方に聞くことで、表面的な理解ではなく、根本から理解をすることができました。また、講義の中で効率的な勉強方法をご教示いただき、勉強への取り組み方を身につけることができました。TACを選んだ理由は、①生徒数が多く、合格ノウハウが集まっている、②一次試験から二次口述試験までのカリキュラムが組まれているため、試験ごとの情報収集や模試の検討などの手間が省けると感じたからです。

TACを活用し本来行うべき学習に集中して労力を割く

中尾 文哉さん

学習開始が12月上旬だったため、1,000時間の逆算が成り立たず、合格の為に効率を求めたこと、初回の受験で全体像を把握しながら学習ができるガイドラインや合格の為のノウハウを徹底的に仕入れたかったため、TACのWeb通信講座を受講しました。講義動画がリリースされるタイミングや、各科目のまとめテストの「養成答練」の提出期限も含め、すべてTACのノウハウに基づいてスケジュール化されています。その為、進度管理には労力をかけず、TACが敷いてくれた時間軸のレールの上で本来行うべき学習に集中して労力を割くことができました。

中小企業診断士講座のご案内

学習したい科目のみのお申込みができる、学習経験者向けカリキュラム

1次上級単科生（応用+直前編）

- □ 必ず押さえておきたい論点や合否の分かれ目となる論点をピックアップ!
- □ 実際に問題を解きながら、解法テクニックを身につける!
- □ 習得した解法テクニックを実践する答案練習!

カリキュラム ※講義の回数は科目により異なります。

1次応用編 2024年10月～2025年4月 → 1次直前編 2025年5月～ → 1次試験【2025年8月】

1次上級講義
[財務5回／経済5回／中小3回／その他科目各4回]
講義140分/回
過去の試験傾向を分析し、頻出論点や重要論点を取り上げ、実際に問題を解きながら知識の再確認をするとともに、解法テクニックも身につけていきます。
[使用教材]
1次上級テキスト（上・下巻）
（デジタル教材付）
➡INPUT⬅

1次上級答練
[各科目1回]
答練60分＋解説80分
1次上級講義で学んだ知識を確認・整理し、習得した解法テクニックを実践する答案練習です。
[使用教材]
1次上級答練

⬅OUTPUT➡

1次完成答練
[各科目2回]
答練60分＋解説80分/回
重要論点を網羅した、TAC厳選の本試験予想問題による答案練習です。
[使用教材]
1次完成答練

⬅OUTPUT➡

1次最終講義
[各科目1回]
講義140分/回
1次対策の最後の総まとめです。法改正などのトピックを交えた最新情報をお伝えします。
[使用教材]
1次最終講義レジュメ

➡INPUT⬅

1次養成答練 [各科目1回] ※講義回数には含まず。
基礎知識の確認を図るための1次試験対策の答案練習です。
（配布のみ・解説講義なし・採点あり）
⬅OUTPUT➡

さらに! 「1次基本単科生」の教材付き！（配付のみ・解説講義なし）

- ◇基本テキスト（デジタル教材付）
- ◇講義サポートレジュメ
- ◇1次養成答練
- ◇トレーニング
- ◇1次過去問題集

開講予定月

- ◎企業経営理論／10月
- ◎財務・会計／10月
- ◎運営管理／10月
- ◎経済学・経済政策／10月
- ◎経営情報システム／10月
- ◎経営法務／11月
- ◎中小企業経営・政策／11月

学習メディア

教室講座 ビデオブース講座 Web通信講座

1科目から申込できます! ※詳細はホームページまたは資料をご請求ください。（右上参照）

本試験を体感できる!実力がわかる!

2025(令和7)年合格目標　公開模試

受験者数の多さが信頼の証。全国最大級の公開模試!

中小企業診断士試験、特に2次試験においては、自分の実力が全体の中で相対的にどの位置にあるのかを把握することが非常に大切です。独学や規模の小さい受験指導校では把握することが非常に困難ですが、TACは違います。規模が大きいTACだからこそ得られる成績結果は極めて信頼性が高く、自分の実力を相対的に把握することができます。

1次公開模試
2024年度受験者数
2,504名

2次公開模試
2024年度受験者数
1,708名

TACだから得られるスケールメリット!

規模が大きいから正確な順位を把握し効率的な学習ができる!

TACの成績は全国19の直営校舎にて講座を展開し、多くの方々に選ばれていますので、受験生全体の成績に近似しており、**本試験に近い成績・順位を把握**することができます。
さらに、**他のライバルたちに差をつけられている、自分にとって本当に克服しなければいけない苦手分野を自覚することができ**、より効率的かつ効果的な学習計画を立てられます。

実施予定

1次公開模試:2025年6/28(土)・29(日)実施予定
2次公開模試:2025年9/7(日)実施予定

詳しくは公開模試パンフレットまたはTACホームページをご覧ください。

1次公開模試:2025年5月上旬完成予定　2次公開模試:2025年7月上旬完成予定

https://www.tac-school.co.jp/ TAC　診断士 検索

TAC出版 書籍のご案内

TAC出版では、資格の学校TAC各講座の定評ある執筆陣による資格試験の参考書をはじめ、資格取得者の開業法や仕事術、実務書、ビジネス書、一般書などを発行しています！

TAC出版の書籍

＊一部書籍は、早稲田経営出版のブランドにて刊行しております。

資格・検定試験の受験対策書籍

- 日商簿記検定
- 建設業経理士
- 全経簿記上級
- 税　理　士
- 公認会計士
- 社会保険労務士
- 中小企業診断士
- 証券アナリスト
- ファイナンシャルプランナー(FP)
- 証券外務員
- 貸金業務取扱主任者
- 不動産鑑定士
- 宅地建物取引士
- 賃貸不動産経営管理士
- マンション管理士
- 管理業務主任者
- 司法書士
- 行政書士
- 司法試験
- 弁理士
- 公務員試験(大卒程度・高卒者)
- 情報処理試験
- 介護福祉士
- ケアマネジャー
- 電験三種　ほか

実務書・ビジネス書

- 会計実務、税法、税務、経理
- 総務、労務、人事
- ビジネススキル、マナー、就職、自己啓発
- 資格取得者の開業法、仕事術、営業術

一般書・エンタメ書

- ファッション
- エッセイ、レシピ
- スポーツ
- 旅行ガイド（おとな旅プレミアム/旅コン）

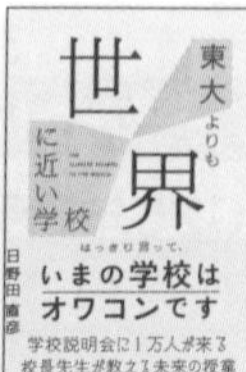

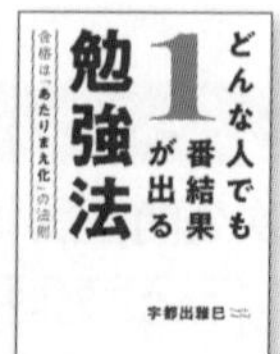

(2024年2月現在)

書籍のご購入は

1 全国の書店、大学生協、ネット書店で

2 TAC各校の書籍コーナーで

資格の学校TACの校舎は全国に展開!
校舎のご確認はホームページにて

資格の学校TAC ホームページ
https://www.tac-school.co.jp

3 TAC出版書籍販売サイトで

CYBER BOOK STORE TAC出版書籍販売サイト

TAC 出版 で 検索

24時間 ご注文 受付中

https://bookstore.tac-school.co.jp/

新刊情報をいち早くチェック!

たっぷり読める立ち読み機能

学習お役立ちの特設ページも充実!

TAC出版書籍販売サイト「サイバーブックストア」では、TAC出版および早稲田経営出版から刊行されている、すべての最新書籍をお取り扱いしています。
また、会員登録(無料)をしていただくことで、会員様限定キャンペーンのほか、送料無料サービス、メールマガジン配信サービス、マイページのご利用など、うれしい特典がたくさん受けられます。

サイバーブックストア会員は、特典がいっぱい!(一部抜粋)

通常、1万円(税込)未満のご注文につきましては、送料・手数料として500円(全国一律・税込)頂戴しておりますが、1冊から無料となります。

専用の「マイページ」は、「購入履歴・配送状況の確認」のほか、「ほしいものリスト」や「マイフォルダ」など、便利な機能が満載です。

メールマガジンでは、キャンペーンやおすすめ書籍、新刊情報のほか、「電子ブック版TACNEWS(ダイジェスト版)」をお届けします。

書籍の発売を、販売開始当日にメールにてお知らせします。これなら買い忘れの心配もありません。

2025年度

中小企業診断士試験 （第1次試験・第2次試験）

TAC出版では、中小企業診断士試験（第1次試験・第2次試験）にスピード合格を目指す方のために、科目別、用途別の書籍を刊行しております。資格の学校TAC中小企業診断士講座とTAC出版が強力なタッグを組んで完成させた、自信作です。ぜひご活用いただき、スピード合格を目指してください。

※刊行内容・刊行月・装丁等は変更になる場合がございます。

基礎知識を固める

▶ みんなが欲しかった!シリーズ

みんなが欲しかった!

中小企業診断士　合格へのはじめの一歩

A5判　8月刊行

- フルカラーでよくわかる、「本気でやさしい入門書」!
- 試験の概要、学習プランなどのオリエンテーションと、科目別の主要論点の入門講義を収載。

みんなが欲しかった!

中小企業診断士の教科書

上:企業経営理論、財務・会計、運営管理

下:経済学・経済政策、経営情報システム、経営法務、中小企業経営・政策

A5判　10～11月刊行 全2巻

- フルカラーでおもいっきりわかりやすいテキスト
- 科目別の分冊で持ち運びラクラク
- 赤シートつき

みんなが欲しかった!

中小企業診断士の問題集

上:企業経営理論、財務・会計、運営管理

下:経済学・経済政策、経営情報システム、経営法務、中小企業経営・政策

A5判　10～11月刊行 全2巻

- 診断士の教科書に完全準拠した論点別問題集
- 各科目とも必ずマスターしたい重要過去問を約50問収載
- 科目別の分冊で持ち運びラクラク

▶ 最速合格シリーズ

科目別全7巻

①企業経営理論
②財務・会計
③運営管理
④経済学・経済政策
⑤経営情報システム
⑥経営法務
⑦中小企業経営・中小企業政策

最速合格のための スピードテキスト

A5判　9月～12月刊行

- 試験に合格するために必要な知識のみを集約。初めて学習する方はもちろん、学習経験者も安心して使える基本書です。

科目別全7巻

①企業経営理論
②財務・会計
③運営管理
④経済学・経済政策
⑤経営情報システム
⑥経営法務
⑦中小企業経営・中小企業政策

最速合格のための スピード問題集

A5判　9月～12月刊行

- 『スピードテキスト』に準拠したトレーニング問題集。テキストと反復学習していただくことで学習効果を飛躍的に向上させることができます。

受験対策書籍のご案内　TAC出版

1次試験への総仕上げ

科目別 全７巻

①企業経営理論
②財務・会計
③運営管理
④経済学・経済政策
⑤経営情報システム
⑥経営法務
⑦中小企業経営・中小企業政策

最速合格のための
第1次試験過去問題集
A5判　12月刊行

● 過去問は本試験攻略の上で、絶対に欠かせないトレーニングツールです。また、出題論点や出題パターンを知ることで、効率的な学習が可能となります。

全２巻

1日目
（経済学・経済政策、財務・会計、企業経営理論、運営管理）
2日目
（経営法務、経営情報システム、中小企業経営・中小企業政策）

最速合格のための
要点整理ポケットブック
B6変形判　1月刊行

● 第1次試験の日程と同じ科目構成の「要点まとめテキスト」です。コンパクトサイズで、いつでもどこでも手軽に確認できます。買ったその日から本試験当日の会場まで、フル活用してください!

2次試験への総仕上げ

最速合格のための
第2次試験過去問題集
B5判　2月刊行

●問題の読み取りから解答作成の流れを丁寧に解説しています。抜き取り式の解答用紙付きで実践的な演習ができる1冊です。

第2次試験 事例Ⅳの解き方
B5判　好評発売中

●テーマ別に基本問題・応用問題・過去問を収載。TAC現役講師による解き方を紹介しているので、自身の解答プロセスの構築に役立ちます。

第2次試験 外さない答案への攻略ロードマップ
B5判　好評発売中

●演習に加えて、テーマ設定、プロセス確認、出題者の意図の確認、出題者の立場での採点などを行うことにより、2次試験への対応力を高め不合格を回避できる力を身につけることができます。

TACの書籍はこちらの方法でご購入いただけます

1 全国の書店・大学生協　2 TAC各校 書籍コーナー　3 インターネット

アドレス https://bookstore.tac-school.co.jp/

・2024年7月現在　・価格等詳細は、決定しだい上記のサイバーブックストアに掲載されますのでご参照ください

書籍の正誤に関するご確認とお問合せについて

書籍の記載内容に誤りではないかと思われる箇所がございましたら、以下の手順にてご確認とお問合せをしてくださいますよう、お願い申し上げます。
なお、正誤のお問合せ以外の**書籍内容に関する解説および受験指導などは、一切行っておりません。**
そのようなお問合せにつきましては、お答えいたしかねますので、あらかじめご了承ください。

1 「Cyber Book Store」にて正誤表を確認する

TAC出版書籍販売サイト「Cyber Book Store」の
トップページ内「正誤表」コーナーにて、正誤表をご確認ください。

CYBER BOOK STORE TAC出版書籍販売サイト

URL:https://bookstore.tac-school.co.jp/

2 1の正誤表がない、あるいは正誤表に該当箇所の記載がない ⇒ 下記①、②のどちらかの方法で文書にて問合せをする

★ご注意ください★

お電話でのお問合せは、お受けいたしません。
①、②のどちらの方法でも、お問合せの際には、「お名前」とともに、
「対象の書籍名(○級・第○回対策も含む)およびその版数(第○版・○○年度版など)」
「お問合せ該当箇所の頁数と行数」
「誤りと思われる記載」
「正しいとお考えになる記載とその根拠」
を明記してください。
なお、回答までに1週間前後を要する場合もございます。あらかじめご了承ください。

① ウェブページ「Cyber Book Store」内の「お問合せフォーム」より問合せをする

【お問合せフォームアドレス】

https://bookstore.tac-school.co.jp/inquiry/

② メールにより問合せをする

【メール宛先 TAC出版】

syuppan-h@tac-school.co.jp

※土日祝日はお問合せ対応をおこなっておりません。
※正誤のお問合せ対応は、該当書籍の改訂版刊行月末日までといたします。

乱丁・落丁による交換は、該当書籍の改訂版刊行月末日までといたします。なお、書籍の在庫状況等により、お受けできない場合もございます。
また、各種本試験の実施の延期、中止を理由とした本書の返品はお受けいたしません。返金もいたしかねますので、あらかじめご了承くださいますようお願い申し上げます。

TACにおける個人情報の取り扱いについて
■お預かりした個人情報は、TAC(株)で管理させていただき、お問合せへの対応、当社の記録保管にのみ利用いたします。お客様の同意なしに業務委託先以外の第三者に開示、提供することはございません(法令等により開示を求められた場合を除く)。その他、個人情報保護管理者、お預かりした個人情報の開示等及びTAC(株)への個人情報の提供の任意性については、当社ホームページ(https://www.tac-school.co.jp)をご覧いただくか、個人情報に関するお問い合わせ窓口(E-mail:privacy@tac-school.co.jp)までお問合せください。

(2022年7月現在)